BIBLIOTHÈQUE MÉDIATIONS

DU MÊME AUTEUR

(Date de la première édition française)

1942. *Psychologues et psychologies d'Amérique*, P.U.F., Paris (épuisé).
1945. *Le Devenir de l'intelligence*, P.U.F., Paris (épuisé).
1946. *Intelligence et Quotient d'âges*, P.U.F., Paris (épuisé).
1960. (en collab.) *Manuel pour l'examen psychologique de l'enfant*, 2vol., Delachaux-Niestlé, Neuchâtel.
       Les Jumeaux, le Couple et la Personne, 2 vol. P.U.F., Paris (épuisé).
1962. *Conduites et conscience*, 2 vol. Delachaux-Niestlé, Neuchâtel.
1966. (en collab.) *Nouvelle échelle métrique de l'intelligence*, 2 vol., Armand Colin, Paris.
1969. (en collab.) *Les Débilités mentales*, Armand Colin, Paris.
       (en collab.) *Des garçons de six à douze ans*, P.U.F., Paris.
1974. (en collab.) *L'Attachement*, Delachaux-Niestlé, Neuchâtel.
1975. *Psychologie et marxisme, la vie et l'œuvre d'Henri Wallon*, Denoël-Gonthier, Paris.

FILMS

1973. *A travers le miroir*, Service du film Recherche scient. Paris.
1976. *C'est moi quand même*, C.N.R.S. audiovisuel.
1981. *L'Image qui devient un reflet*, C.N.R.S. audiovisuel.
1982. *Un autre pas comme les autres*, C.N.R.S. audiovisuel.

RENÉ ZAZZO

OÙ EN EST LA PSYCHOLOGIE DE L'ENFANT?

DENOËL/GONTHIER

BIBLIOTHÈQUE MÉDIATIONS
publiée sous la direction de Jean-Louis Ferrier

A mes étudiants de Nanterre,
en témoignage de reconnaissance.

Pré-textes

Textes récents, textes encore inédits et textes dispersés en diverses revues. Articles écrits pour le petit monde des psychologues, conférences destinées à des profanes, mais pour les rencontrer à mi-chemin entre leurs savoirs quotidiens et mes savoirs.

Un hochepot de textes donc, encadré par deux entretiens, le premier avec Jean-Louis Ferrier, publié en juillet 1978 dans *L'Express,* le second avec Anita Kechikian, paru en mai 1983 dans *Le Monde de l'Education.* Ces deux journalistes jouent en ce recueil un rôle de médiateurs entre les lecteurs et moi.

Ils sont leurs porte-parole et mon porte-micro.

Je ne raconterai pas qu'il n'y ait pas eu de connivence entre eux et moi. Non, mais si peu. La plupart de leurs questions, je ne les aurais pas formulées moi-même spontanément ou à leur façon. Naïves, elles m'obligeaient à revenir à des choses simples. Indiscrètes ou trop difficiles, elles me réduisaient au silence. Tendancieuses, elles me faisaient sortir de mes gonds, elles dévoilaient mes positions personnelles. Bref, ces entretiens ont été pour moi un bon exercice de décentration. Ils servent à éclairer une bonne partie des textes ainsi réunis.

En composant ce recueil, je n'ai pas voulu faire une exhibition de ce que j'ai produit au cours des cinq dernières années. D'ailleurs il y sera question des travaux d'autrui tout autant que des miens.

Mon but est double et pourra sembler contradictoire.

D'une part, signaler les maladies, séniles ou infantiles, de la psychologie ; la psychologie telle que, trop souvent, on l'enseigne, on la pratique, on la cultive.

Et d'autre part, tenter de faire comprendre à quel point ses découvertes récentes modifient en profondeur l'image que nous pouvons avoir de l'homme.

La contradiction apparente de mon propos reflète probablement les contradictions de la psychologie elle-même. A preuve qu'on voit actuellement son prestige se ternir, son crédit s'épuiser dans le même temps où s'accumulent ses richesses. Ainsi dans les *mass media,* mais aussi dans nos universités, l'éthologie et les neuro-sciences tendent à prendre la place jusqu'alors occupée par la psychologie.

Les causes en sont nombreuses et quelques-unes évidentes.

D'abord il faut dire que l'étiquette de psychologie recouvre des marchandises de nature et de qualité fort diverses. Quoi de commun entre la poétique d'un Lacan et l'épistémologie génétique d'un Piaget, ou même, à une autre échelle de grandeur, entre mes recherches sur l'image du miroir et les recherches en psychologie du travail ? De toute façon le grand public ne s'intéresse qu'aux sommets où brille une étoile, ou bien à la psychologie telle qu'on peut la rencontrer au cours d'un examen psychotechnique ou d'une thérapie. La psychologie, ce sont des Q.I. et des complexes. Quand les étoiles pâlissent, quand le discrédit atteint une de ces psychologies populaires ou popularisées, alors toute psychologie devient suspecte.

Qu'il s'agisse du grand public ou des gens cultivés, mais profanes en la matière, ce qu'on attend de la psychologie, c'est une conception globale de l'homme, et donc les auteurs qui captent l'intérêt sont ceux qui s'affirment par un système, par une doctrine.

Les pages que *Le Monde* consacre de temps en temps aux sciences humaines sont, à cet égard, très révélatrices. Elles mériteraient une analyse systématique. Alors on y découvrirait à travers une galerie de portraits ce que le public attend et apprend et du même coup l'image qu'il se fait de la psychologie. En revanche, pas un mot ou si rarement, de toutes ces découvertes, souvent partielles et modestes qui pourtant approfondissent et modifient parfois brutalement notre connaissance de l'homme, plus particulièrement de l'enfant.

Est-ce un mal purement français, cc goût des grandes conccptions incarnées en de grandes figures ? En tout cas j'ai pu constater maintes fois que la psycho des profs de philo, c'est la psychanalyse. Et quelle psychanalyse !

La psychologie est un royaume aux multiples provinces ; mais les remarques que je ferai à propos de la psychologie de l'enfant, vaudront tout aussi bien pour les autres provinces et tout aussi bien qu'il s'agisse de recherche, ou de pratique ou d'enseignement.

Cependant il est difficile d'éviter une question d'ordre général : le vocable de psychologie sous lequel on réunit des disciplines tellement différentes, que signifie-t-il au juste aujourd'hui ? Et le concept de psychisme qu'il suppose ou paraît supposer à quoi correspond-il ? A rien, ai-je répondu naguère, car il n'est qu'un avatar laïque de l'âme. La psychologie existerait donc bien, au pluriel d'ailleurs, comme un ensemble de techniques et de méthodes propres à appréhender certains niveaux du vivant (je dis *vivant* pour ne pas créer d'cmblée des malentendus en parlant de *biologique,* quitte à définir ultérieurement ce terme de biologique en le distinguant nettement du physiologique), mais le psychisme n'existerait pas. Ma prise de position radicale exigerait mieux que cette déclaration péremptoire. J'en conviens. Et je me propose de m'expliquer longuement, calmement, dans un ouvrage qui fera suite à celui-ci, que j'intitulerai sans doute *Pour une psychologie désenchantée.*

Mais comme, à mon âge, le temps m'est compté, sans que je sache ni combien ni comment, je ne veux pas courir le risque d'être pris au piège d'un titre, d'un mot qui bavarderait tout seul sans moi, après moi, alors que justement tout l'ouvrage en question aura pour but de dénoncer le piège des mots en psychologie ; le piège des mots et celui des notions qui sont derrière les mots, et celui des chères idées et idéologies qui assurent subsistance et survie aux notions, envers et contre les faits.

Le désenchantement dont je parle, que je souhaite, est à prendre en son sens littéral. Il faut délivrer la psychologie des mots qui chantent et qui séduisent. Tous ceux qui se complaisent à parler de vécu, de créativité, de corps désirant, etc., se sentiront visés et m'accuseront de nier le sujet, de l'aliéner en objet. Certainement pas. Je prétends, à leur encontre, que les mots dont ils se servent sont de la fausse monnaie. Que le « sujet » dont ils parlent est un sujet trop important, trop riche pour la pauvreté de leur vocabulaire obsédant et répétitif.

Mais il ne s'agit pas de désenchanter seulement les mots-trémolos qui chantent ostensiblement.

Ce n'est pas à l'affectivisme que j'en ai particulièrement ; je n'éprouve pas plus d'attirance pour le cognitivisme à la mode. Non, tous les mots sont à secouer pour éprouver ce qu'ils valent. On en trouvera quelques exemples dans les pages qui suivent : l'intelligence, qu'est-ce que cela veut dire, et débilité, et humour, et éthologie, et jusqu'au mot d'*enfant*. Qu'est-ce que parler veut dire dans la langue de tous les jours, et de quelle façon le langage qui se veut scientifique, tout en employant souvent les mêmes mots, se laisse-t-il bercer en d'éternelles rengaines ?

Je ne veux pas jouer à l'original et je n'ai pas un vocabulaire de remplacement à proposer.

Pas original... Je reprends ce que Bachelard a dit bien longtemps avant moi, et ce que Bacon écrit trois siècles avant Bachelard.

A l'aurore des temps modernes, Bacon disait en effet que la science devait s'employer à briser les idoles, et d'abord les *idola fori,* les idoles du forum, les mots.

Et Bachelard, dans *La Psychanalyse du feu,* le premier de ses livres consacrés aux éléments, aux rêveries imageantes, formule admirablement les impératifs premiers de la démarche scientifique :

« ... *Toute objectivité, dûment vérifiée, dément le premier contact avec l'objet. Elle doit d'abord tout critiquer : la sensation, le sens commun, la pratique même la plus constante, l'étymologie enfin, car le verbe qui est fait pour chanter et séduire, rencontre rarement la pensée (...). Les axes de la poésie et de la science sont d'abord inverses (...). Il faut donc opposer à l'esprit poétique expansif, l'esprit scientifique taciturne pour lequel l'antipathie préalable est une saine précaution[1].* »

Cette page, ici caviardée faute de place, il faut la lire intégralement à tous nos étudiants. Ce que j'ai fait maintes fois. Mais le résultat est paradoxal si l'on n'y prend pas garde. La page est trop belle. Elle chante le désenchantement. Et c'est la chanson que les étudiants retiennent. Alors il faut aller avec eux sur le terrain, au laboratoire, ou prendre un article et le décortiquer, mettre sur le gril les mots clés, identifier la démarche de l'auteur, voir si c'est bien au terme d'un cheminement correct que les faits sont construits, atteints, ou s'ils tombent du ciel tels que l'auteur les désirait.

Désenchanter la psychologie-science pour atteindre graduellement les objets qu'elle se propose, c'est-à-dire la psychologie-réalité *telle qu'elle est* et non *telle que je suis* en mes opinions et mes sentiments.

Voilà une envolée d'emphase et de jargon ! Que le lecteur me pardonne. Mais ce n'est pas ma faute après tout, si le même mot de psychologie désigne tout aussi couramment des objectifs, des réalités (on dit par exemple la psychologie du petit commerçant) et le logos, la science instaurée pour atteindre ces objectifs.

1. Je dois à la vérité de dire que cette réflexion de Bachelard concerne la physique, les sciences de la nature, non les sciences de l'homme. Et lorsqu'il parle de psychologie, un peu plus loin, c'est celle de nos intuitions quotidiennes qu'il considère.

Distinctions à faire ou à défaire

La psychologie de l'enfant n'est peut-être pas, parmi toutes les psychologies, la plus exemplaire pour ma démonstration. Mais c'est la seule dont je puisse parler avec quelque compétence. Psychologie de l'enfant... La familiarité, la simplicité de l'expression recouvre en fait des activités et des « disciplines » très diverses.

Commençons par des distinctions, qui seront à préciser, à nuancer par la suite, mais qui constitueront ici une mise en ordre de questions et réflexions.

Tout d'abord, la plus simple de toutes et valable en d'autres domaines : la psychologie de l'enfant comme *pratique,* et la psychologie de l'enfant comme science ou *recherche* fondamentale.

Cependant, s'agissant de recherches où l'enfant est pris comme cible (l'enfant, c'est-à-dire la plupart du temps des populations d'enfants), une seconde distinction est banale entre *la psychologie de l'enfant* proprement dite, et *la psychologie génétique* qu'on désigne aussi, sans doute pour éviter une amphibologie avec la science des gènes, par l'expression malsonnante de psychologie développementale.

Enfin troisième distinction, relative cette fois à la méthodologie : la recherche sur le *terrain* et la recherche en *laboratoire.* Cette distinction recouvre partiellement la précédente. C'est sur le terrain que la psychologie de l'enfant se porte le mieux, c'est en laboratoire, c'est-à-dire plus précisément en des situations créées et maîtrisées par l'expérimentateur, que la psychologie génétique s'est affirmée et continue de prospérer. Il n'y a rien là d'absolu sans doute. Mais c'est un état de fait peu contestable.

Voyons maintenant les choses de plus près.

Pratique et recherche

D'abord la première distinction. Pratique et recherche. Bien souvent on dit aussi psychologie théorique et psychologie appliquée : ceci paraît plus clair, plus satisfaisant parce qu'un lien est établi explicitement entre les deux termes. Mais cette clarté est trompeuse. La pratique n'est pas *l'application* de la recherche. Ou elle n'est alors qu'une application partielle, parcellaire, indirecte. Je dirai encore que la pratique n'est pas le résultat d'une projection de la recherche, qu'elle n'est pas la mise en œuvre automatique de la théorie.

Mais parler de pratique, de la recherche, de la théorie, c'est encore trop large, trop vague.

Entrons dans l'exercice de nos activités. J'examine un enfant. Je veux comprendre qui il est, et ce qu'il a, qui fait obstacle à son épanouissement. Je m'emploie à établir un contact avec lui, sans pour autant d'ailleurs le capter en moi ou me confondre en lui : je recherche la proximité optimale qui est sympathie sans le risque d'aliénation réciproque. Sans rien savoir encore de son histoire, de ses antécédents personnels et familiaux qui pourraient m'orienter vers des explications trop faciles, et déjà formulées par son entourage, je le soumets à des épreuves qui sont pour moi autant de moyens de répondre à mes propres questions qu'à propos de lui je me pose. Ces épreuves ou tests, je les considère comme indispensables à ma connaissance d'autrui. Ils sont des réactifs indépendants de moi, quand bien même je leur ai délégué mes questions. Pourtant les constats qu'ils me fournissent, je les maintiens à leur statut de constat. Et il est rare qu'un constat constitue une explication, du moins une explication d'un niveau correspondant aux causes ou raisons que je veux connaître. Par exemple, cet enfant échoue en classe et le test met en évidence une intelligence médiocre. La tentation est grande d'établir entre ce résultat et l'échec scolaire une relation de cause à effet. Je n'y succombe pas. Ces deux constats, celui des tests et celui des notes scolaires, peuvent être liés de diverses façons.

La liaison causale est certes la plus simple à imaginer. Il faut penser à d'autres, éprouver d'autres hypothèses : ainsi les deux faits constatés peuvent être les deux effets distincts d'une cause qui leur est commune, une perturbation affective par exemple. L'investigation se poursuit donc pour démêler patiemment l'écheveau des phénomènes, de leurs causes et conditions, des éventuels effets de boucle, de feed-back comme on dit, puisque la causalité peut être non linéaire. Ainsi, pour reprendre mon exemple, si l'insuffisance scolaire n'est pas déterminée principalement par l'insuffisance intellectuelle, celle-ci peut, secondairement, aggraver celle-là..., et celle-là répercuter sur celle-ci. Mais cet enfant que je m'emploie à radioscoper n'est pas un système clos sur lui-même. Les causes que j'analyse de son fonctionnement actuel, de façon que l'on peut dire « intrinsèque », ont elles-mêmes des causes plus ou moins lointaines, et des conditions qui lui sont extérieures. Causes lointaines : des maladies, des traumatismes de la prime enfance. Conditions extérieures : le milieu social et culturel dans lequel il a été élevé, dans lequel il vit, les incidents, les accidents qui sont survenus en ce milieu, et qui ont pu affecter son équilibre, son développement. Un travail d'enquête, investigation « extrinsèque », va compléter l'investigation intrinsèque et s'articuler avec elle autant qu'il est possible jusqu'au niveau explicatif qui sera jugé pertinent, c'est-à-dire utile. Cependant...

Non. J'arrête là. Je me rends compte en effet que mon exposé est aussi fastidieux qu'est passionnante la conduite réelle de l'examen. Trop long, trop dense pour accrocher le lecteur. Trop bref pour être clair, complet, convaincant.

Et d'ailleurs, cherchant à m'éloigner des généralités, j'ai cassé le fil de mon discours. J'avais à distinguer entre pratique et recherche ou théorie.

Schématiquement on peut résumer ainsi :

1° La pratique est pragmatique. Le praticien doit savoir emprunter à des sources théoriques diverses, et savoir choisir en chaque cas dans la multiplicité des instruments notionnels et techniques dont il dispose.

2° Son objet est un « sujet ». C'est sur un individu qu'il s'interroge et non pas sur la validité des notions qu'il utilise, des instruments dont il se sert, et dont il doit connaître le sens et les limites. Sans doute les incertitudes et les imprévus d'un cas peuvent le conduire parfois à remettre en cause les notions incluses dans ses instruments, l'inciter à sortir de sa « clinique », à passer au registre de la recherche fondamentale. Un

cas peut vous propulser hors de lui-même, hors de nous-
mêmes.

Mais, l'enfant étant là, à comprendre et à aider, ce n'est pas
le moment. On fait avec ce qu'on a. Parcelles de science
constituée et, pour un minimum de cohérence, le coup de
pouce de ce qu'on appelle intuition, mélange de sympathie,
d'expérience, de bon sens.

3° Le praticien et le chercheur ne vivent pas dans la même
temporalité. Un examen d'enfant dure quelques jours, quelques heures. Une recherche fondamentale se prolonge pendant des mois, des années. L'urgence d'une solution pratique
ne suffit pas à expliquer la brièveté relative du travail clinique
(d'ailleurs une psychothérapie, qui est elle aussi une pratique,
peut durer fort longtemps). En fait, si l'exploration en vue
d'un diagnostic est terminée en quelques jours, c'est que, dans
ce laps de temps, on atteint ou croit atteindre tout ce qu'on
peut savoir d'un enfant avec nos savoirs constitués. Il y a là
comme un paradoxe : la richesse inépuisable d'un être singulier nous condamne à limiter notre ambition. On s'arrête au
niveau d'explication et de compréhension où notre action
thérapeutique ou pédagogique est envisagée. A quoi servirait
d'aller au-delà, de remonter la chaîne infinie et infiniment
complexe des hasards et des causes ?

Psychologie de l'enfant et psychologie génétique

Le premier terme de la distinction que nous venons de
considérer, c'était un enfant. Un individu singulier à éclairer
dans sa singularité, à la lumière de ce que nous savons des
enfants en général, et de l'enfance comme processus de
développement et d'autoconstruction.

Il s'agit maintenant d'examiner la façon dont ces savoirs sur
l'enfant et sur les processus de développement se constituent.

Pour ce faire partons de questions que nous pouvons
considérer comme initiales, fondamentales.

Comment l'enfant devient-il ce que je suis ? Comment les
petits deviennent-ils des grandes personnes ?

Autre question, très différente : comment est-il ce qu'il est ?

Et l'on peut préciser. A un an par exemple, ou à 3 ans, à 6 ans, à 10 ans...

La première question définit ce qu'on a coutume d'appeler la psychologie du développement ou *psychologie génétique*. La seconde instaure la *psychologie de l'enfant*. La première est orientée vers le terme du développement ; l'adulte. La seconde se préoccupe de l'enfant pour lui-même.

Cette distinction paraît lumineuse. En tout cas elle est claire par les mots simples qu'elle utilise. Et l'on peut se dire qu'elle correspond à un état de fait.

Pour être franc j'avouerai qu'elle ne me satisfait pas, ni d'un point de vue méthodologique, ni comme consacrée par l'histoire.

La psychologie du développement existe bien, mais elle ne se préoccupe pas plus de l'adulte que de l'enfant : elle a pour objet des secteurs du développement. Les travaux de Piaget en sont le plus prestigieux exemple. Et lui-même l'a répété maintes fois à qui voulait l'entendre : « je ne m'occupe pas d'enfants », mais d'intelligence, des processus selon lesquels la logique s'élabore, et pas plus de l'adulte, mais du sujet « épistémique », de la genèse du savoir. Et chez d'autres auteurs, qu'il s'agisse de perception, d'émotionalité, de sexualité, de psychomotricité, ce sont toujours des *secteurs,* des lignes de développement, évidemment pas ces sytèmes ou configurations ou structures d'ensemble qu'on désigne comme *individus* justement parce qu'ils sont, en tant que tels, insécables, indivisibles.

Et la psychologie de l'enfant, où est-elle, où en est-elle ? Dans une étude récente, rédigée à la demande de Paul Fraisse, j'ai d'abord eu la tentation de répondre : elle n'existe pas. Puis comme cela pouvait paraître excessif, et donc insignifiant, j'ai donné comme titre à mon étude : l'enfance de la psychologie de l'enfant [1].

Oui, la psychologie de l'enfant est encore balbutiante. Et mieux vaut se demander pourquoi que se raconter des

1. In *Psychologie de demain* (sous la direction de Paul Fraisse) Paris, P.U.F., 1982 : « L'enfance de la psychologie de l'enfant et son devenir », pp. 167-189.

histoires. Il est évidemment plus aisé de suivre et d'analyser
avec rigueur un secteur de développement que d'appréhender
l'enfant dans la complexité de son développement global, à
quelque moment que ce soit de ce développement. Et il ne
suffit pas de chanter les louanges de la globalité, de disserter
pédantesquement sur l'avènement d'une psychologie holistique pour avancer d'un pouce. Ces déclarations risquent
d'entretenir en beaucoup d'esprits la confusion entre le but et
les moyens. La psychologie peut se dire holistique par
l'intention qu'elle déclare, par l'objet qu'elle se propose
d'atteindre, mais évidemment pas par les moyens qu'elle
emploie. Toute connaissance scientifique passe nécessairement par les chemins de l'analyse.

Le problème est alors sans doute de définir de nouvelles
stratégies d'analyse, s'appliquant à des « objets » autres que
des secteurs isolés du développement. L'antinomie entre
l'objectif de globalité et l'exigence d'analyse s'évanouit si l'on
comprend enfin que l'analyse n'est pas nécessairement atomi-
sante, parcellisante. Nous dirons tout à l'heure comment ces
nouvelles stratégies se sont mises en place et nous en
donnerons quelques exemples, dans la suite de ce livre.

Jusqu'alors la psychologie de l'enfant n'avait guère dépassé
le stade de la description, de juxtaposition de données
sectorielles, comme on le voit notamment dans les échelles de
développement.

A cet égard, les portraits changeants de la prime enfance qui
se dégagent des baby-tests de Gesell sont exemplaires. C'est
comme un cinéma, comme une chevauchée fantastique où
toutes sortes de bestioles qu'on appelle « items » cavalent
ensemble à des vitesses d'ailleurs différentes. Mais y a-t-il une
unité, une harmonie quelconque en cette chevauchée ? Gesell
dit que le principe d'unité, c'est la croissance elle-même. La
croissance (the growth) est selon lui une notion unifiante qui
doit nous garder du dualisme traditionnel entre l'esprit et le
corps[1]. On voudrait, il faudrait, en savoir plus. Quelles lois

1. Si le dualisme corps-esprit, ou corps et âme, est en procès permanent,
pourquoi ne pas mettre également en question le dualisme intelligence-

d'équilibre, d'organisation, régissent éventuellement ces aspects disparates du développement et comment d'âge en âge cette organisation se transforme-t-elle ? Et pour un enfant particulier, référé à l'enfant type de son âge, comment fonctionne cette organisation ? Pas de réponse à ces deux questions. La globalité est saisie sur le vif, et c'est le mérite de Binet d'avoir inauguré cette prise. La psychologie ne peut cependant pas s'arrêter là.

Et d'ailleurs cette globalité-là, il faut bien la voir telle qu'elle est, une globalité très partielle si l'on peut dire. Il y a globalité en ce sens que toutes sortes de comportements sont évalués ensemble, sans distinction. C'est un hochepot selon l'expression imagée et quelque peu désobligeante de Spearman, un pot-au-feu. Et la recette d'un hochepot peut varier d'un cuisinier à l'autre. De toute façon cette globalité n'est pas une intégralité, à la limite inaccessible sinon impensable.

Et puis la globalité telle qu'elle est saisie, définie par les tests, change d'extension et de nature au fil des âges. Dans les baby-tests, il y a vraiment de tout, ou presque : de la motricité, de la socialité, du langage, des activités de puzzle, de construction, etc. Dans les échelles classiques destinées aux enfants en âge de fréquenter l'école maternelle et, au-delà, jusqu'au terme du développement, les épreuves deviennent plus ou moins bavardes, comme les enfants eux-mêmes, et d'un échelon au suivant, le raisonnement y prend une part de plus en plus importante.

Il y a toujours globalité, mais le hochepot a changé de composition. A cette remarque, qui peut apparaître comme

---

affectivité, inscrit lui aussi dans notre langage, et traduisant la même tournure de penser, aboutissant en psychologie à la dichotomie affligeante de l'affectivisme et du cognitivisme. Là encore le refus du dualisme ne signifie pas le retour au syncrétisme, ou la réduction d'un des deux termes à l'autre. Pour briser les deux blocs idéels, il faudrait partir de conduites réelles, insécables en leur unité fonctionnelle, mais analysables en facteurs ou dimensions, et s'il s'agit de faits évolutifs, en leurs allométries changeantes d'un âge à l'autre. La difficulté de l'entreprise tient moins probablement à sa propre lourdeur qu'à la pesanteur de nos pensers habituels.

une critique, on peut répondre que la nature des tests a changé comme l'enfant lui-même. L'échelle construite à l'image et la ressemblance de l'enfant est comme un « modèle » du développement : de l'indifférenciation primitive se dégagent progressivement des secteurs variés et variables, à la façon de branches et de rameaux qui jaillissent du tronc. Admettons jusqu'à nouvel ordre la notion d'indifférenciation primitive [1], et la métaphore d'un développement arborescent.

Quoi qu'il en soit, les épreuves classiques grimpent aux branches, et sur quelques-unes d'entre elles seulement qu'on désigne sous le terme d' « intelligence globale » (globale parce qu'elle englobe toutes sortes de fonctions cognitives et pas seulement la logique ou l'opérativité). Et la différence de nature entre les tests classiques et les baby-tests apparaît bien dans le fait qu'on calcule pour ceux-ci des Q.D. (quotients de *développement*) et pour ceux-là des Q.I. : quotients d'*intelligence*. La motricité et la socialité par exemple ont complètement disparu du hochepot : c'est une globalité restreinte. Tout cela est à peu près évident.

Ce qui l'est moins, ou totalement méconnu, mérite réflexion : l'intelligence ainsi évaluée est uniquement définie par ses progrès les plus spectaculaires. Les constructeurs de tests, et j'en suis, ne retiennent que les compétences qui croissent nettement d'âge en âge. Cela se comprend, cela est même légitime à condition cependant qu'on le dise, de sorte que l'usager de ces tests sache bien ce qu'il mesure et ce qui lui échappe. Les épreuves à bonne « pente génétique » (progrès nets d'âge en âge) sont les meilleurs indicateurs de la croissance mentale, de même que — du point de vue somatique — la taille est le meilleur indicateur de la croissance physique. Mais pour l'intelligence définie très largement par les capacités d'adaptation, comme pour le statut physique, l'estimation de la croissance laisse de côté toutes sortes de capacités, de caractéristiques qui constituent vraiment la « globalité » de l'enfant.

Pour le statut somatique et physiologique, on sait bien que

---

1. On s'apercevra peut-être un jour que cette indifférenciation tient moins à la nature de l'enfant qu'au manque de finesse de notre regard.

le développement des organes et des parties du corps s'opère à des vitesses différentes, avec des termes chronologiques eux-mêmes différents. Quel que soit l'âge de l'enfant, par exemple la main et le pied sont toujours plus proches de leur taille définitive que ne le sont l'avant-bras ou la jambe. Autres exemples : l'épaisseur du tissu graisseux sous-cutané augmente de la naissance jusqu'à un an environ puis elle décroît jusqu'à 7 ans.

Enfin, chiffres plus éloquents peut-être : si l'on compare les gains de croissance de la naissance à l'âge adulte, le taux de 50 % est atteint pour le cerveau à l'âge de 2 ans, et pour la taille 10 ans plus tard, entre 12 et 14 ans.

Les biologistes désignent par le terme d'*allométrie* ces variations relatives des taux d'accroissement observables au cours du développement d'un organisme. A tout moment de sa croissance physique, l'enfant se définit donc par l'ensemble de ces allométries, et non par la dimension qui croît le plus visiblement ou le plus fortement.

Il en est de même pour ce qu'on appelle « psychisme » ou même pour cette variable plus strictement définie dont il est question ici sous le terme d'intelligence globale, d'ailleurs beaucoup plus satisfaisante par sa nature composite que la variable taille à laquelle nous l'avons comparée.

La mesure de l'intelligence garde toute son utilité, comme d'ailleurs l'usage de la toise, mais dans les limites bien comprises de ce qu'elles sont l'une et l'autre. Ce serait une erreur de définir l'enfant par sa trajectoire la plus tendue vers l'état d'adulte et de considérer son intelligence uniquement à l'extrême pointe de ses conquêtes. Ce qui évolue lentement et aussi ce qui n'évolue plus, comme certaines façons de percevoir, comme certaines façons de penser et d'agir stockées en manières d'être, en habitudes, pour des réponses rapides et efficaces aux problèmes de tous les jours, cela compte aussi de toute évidence[1]. Si nous n'en savons pas grand-chose, de

---

1. Ce problème a été clairement formulé par Maurice Reuchlin. *Cf.* « Formalisation et réalisation dans la pensée naturelle : une hypothèse », *Journal de psychologie,* 1973, 4, pp. 389-408.

science sûre, c'est sans doute que de telles attitudes et
conduites sont moins faciles à identifier, à mesurer, qu'une
capacité en pleine croissance, c'est qu'une intelligence de
réalisation au ras du quotidien est moins facile à formaliser
que la logique des grandes occasions.

C'est peut-être aussi et surtout parce que, installés dans une
certaine vision des choses, convaincus que les choses sont
conformes pleinement à cette vision (au moins pour ce qu'elles
ont de scientifiquement saisissable) nous n'en imaginons pas
d'autre.

Regarder autrement. Mettre en place d'autres éclairages.
Inaugurer d'autres approches, et qui ne se confondent pas
avec les quêtes du romancier, les intuitions du clinicien, les
erlebnisse du philosophe. Facile à dire, me direz-vous, et
d'autant que pour l'instant je ne propose rien. Aucun programme, aucun modèle. Mais la question est posée. Les
objectifs sont désignés. Alors des réponses viendront. Certaines déjà commencent à poindre.

De toute façon la distinction est remise en cause qui oppose
une psychologie génétique sans enfant et une psychologie de
l'enfant sans genèse. Cette distinction traduit en fait, nous
l'avons déjà dit, le contraste entre la richesse de la psychologie
sectorielle et l'indigence de nos discours sur l'enfant.

Dès l'instant où la globalité ne sera plus un vain mot, dès
qu'elle correspondra à la saisie d'organisations fonctionnelles,
la psychologie de l'enfant deviendra elle-même psychologie
génétique.

Elle sera l'étude de l'évolution de la transformation de ces
organisations, de ces allométries qui conduisent à l'état
d'adulte.

Ce qui ne récuse en rien les analyses sectorielles. Ce qui
n'exclut pas non plus, tout au contraire, les analyses dites
« synchrones » à quoi s'emploient certains chercheurs, sur un
âge bien déterminé, dans des situations minutieusement
définies. Ce sont de telles analyses, où se dévoilent les
fonctions au double sens du terme (fonctionnement et finalités
des conduites), qui préparent concrètement la compréhension

des genèses[1]. La connaissance d'un synchronisme vaut pour
lui-même, et comme jalon du développement ultérieur de la
diachronie. Pour lui-même, en lui-même, il permet de discer-
ner éventuellement entre fonction présente, de réalisation
actuelle au sens où nous en parlions tout à l'heure, et fonction
virtuelle, préparatoire du futur.

Terrain et laboratoire

L'affouillement auquel nous venons de procéder nous
permettra d'être bref sur la troisième distinction annoncée :
terrain et laboratoire.

Il y aura toujours l'un et l'autre. Ils sont des lieux qui
correspondent à des problèmes différents, ou à des phases
différentes d'une même recherche, et souvent à des tempéraments différents de chercheurs.

Dans l'état actuel des choses le terrain est moins fréquenté
que le laboratoire, et c'est pourtant sur le terrain, c'est-à-dire
« en situation habituelle » (à la maison, à l'école, à la crèche,
dans la rue, etc.) que les globalités dont nous parlions et les
rapports de l'enfant à son environnement peuvent être observés, analysés.

Nous ne voulons pas nous lancer dans un examen des
limites, des contraintes, des pièges de chacun de ces deux
lieux. Quant au travail qu'on peut y faire, on en trouvera des
exemples dans ce recueil. Mes recherches sur le miroir sont de
« laboratoire ». Les recherches d'éthologie dont je parle par
procuration et l'investigation de Bianka Zazzo sur les écoliers
de 10-13 ans sont de « terrain »[2].

Et sous la rubrique « laboratoire » comme sous la rubrique
« terrain » de très nombreuses distinctions seraient à faire.

1. *Cf.* Jacqueline Nadel-Brulfert, P. M. Baudonnière « The social function of
reciprocal imitation in 2 years-old peers » *Intern. J. of behav. develop.*, mars
1982, pp. 95-109, et leur exposé « grand public » : « L'imitation réciproque »
Médec. et Enf., nov. 1982, pp. 435-449.
2. *Cf.* « Un travail de terrain : filles et garçons de 10 à 13 ans », p. 169.

Mon « laboratoire » avec ses miroirs est bien différent du « laboratoire » où l'on s'occupe par exemple de la genèse des invariants perceptifs ou de fonctions motrices.

La diversité du laboratoire et des terrains correspond à la diversité des problèmes posés à un moment donné de l'avancement des sciences. Mais sans entretenir l'utopie d'une psychologie unique, il est bien évident pour tous qu'une articulation est à rechercher, autant qu'il est possible, entre les divers plans de description, entre divers niveaux d'explication.

Cette recherche se heurte à de très nombreux obstacles : D'ordre technique. D'ordre théorique : les modèles utilisés dans un domaine sont trop spécifiques ou trop rigides pour être transposables dans un autre. D'ordre idéologique : les chercheurs ne sont pas innocents si la recherche l'est en principe. Et peut-être plus encore, bien que dérisoire, l'obstacle que je désigne comme sectarisme méthodologique. « Ma méthode est bonne, la tienne ne l'est pas. » C'est l'homme de laboratoire qui dit à l'homme de terrain : « Ma démarche est propre, la tienne est sale. » A quoi l'homme de terrain répond : « Avec ta démarche, si strictement balisée, avec tes instruments si bien stérilisés, tu stérilises les phénomènes que tu prétends observer [1]. »

Si tant de chercheurs chevronnés ont cette attitude, comment peuvent-ils enseigner aux jeunes, dès les bancs de l'université, et faire admettre sans arrière-pensée meurtrière, la politique des cent fleurs ?

Si toute recherche est souci de preuve, chaque approche a

---

1. Dans les débats sur la bonne conduite de la recherche, on confond souvent précision et rigueur. La rigueur est de méthode. La précision concerne la technique et l'expression des résultats. Excessive, elle peut devenir dérisoire et même stérilisante. Dérisoire : lorsqu'on donne un pourcentage suivi de deux décimales, c'est-à-dire avec une précision au dix-millième pour des effectifs d'un tout autre ordre (par exemple, ce chiffre de 9,08 % sur 110 sujets, que je trouve dans un article récent). Stérilisante : dans l'usage abusif et timoré des seuils de significativité statistique notamment. En s'obligeant rituellement par exemple à un seuil de .05, il arrive qu'on sacrifie une signification réelle à la significativité statistique, et qu'on brade un fait important. Les seuils statistiques sont des garde-fous nécessaires. Mais il ne faut pas se garder de la folie pour tomber dans la bêtise.

ses propres règles, qu'il est relativement facile de faire comprendre aux gens des autres bords pourvu que les uns et les autres veuillent bien s'en donner la peine.

Notre image de l'enfant se transforme

Malgré les cloisonnements, les ignorances et méfiances mutuelles, malgré l'obstacle des mots, les dialogues de sourds, malgré tant de peines perdues, la science de l'enfance progresse, et en mouvement accéléré au cours des vingt dernières années. Il suffit pour s'en convaincre de jeter un coup d'œil en arrière. C'est à croire, mais je n'y crois guère, que l'économie de cette science de la vie gagne à ne pas être économe, qu'elle requiert le gâchis d'une effervescence désordonnée comme on sait qu'il en est, qu'il en fut toujours de la vie elle-même. Il vaudrait la peine de tenter le repérage de quelques découvertes qui ont opéré comme des rassemblements de données disparates à la façon d'un aimant attirant brutalement la limaille, dessinant de nouvelles lignes de force dans notre savoir. Je ne le ferai pas ici, mais on trouvera dans le commentaire que je donne plus loin du livre intitulé *L'Enfant* (« explorations récentes en psychologie du développement ») quelques éléments de réponse.

Je voudrais simplement attirer l'attention du lecteur sur un phénomène étonnant et, si je ne m'abuse pas, d'une extrême importance : l'image de l'enfant s'est transformée profondément.

Cette transformation, j'en ai pris conscience naguère en me reportant à deux faits que j'ai observés il y a plus de trente ans et qui m'ont alors profondément déconcerté.

Le premier est relatif à la capacité précocissime d'imitation. Le second concerne au contraire l'âge très tardif de l'identification de soi dans l'image du miroir.

Imitation précocissime : au hasard d'un jeu avec mon fils âgé de 3 semaines, je constatai qu'il reproduisait mon mouvement de protrusion de la langue. Je m'employai alors à vérifier cette performance sur une quinzaine de nouveau-nés. La réussite fut obtenue plus tôt encore : à l'âge de 10 jours en moyenne.

C'est encore avec mon fils et toujours par hasard que je notai le comportement d'évitement de son image spéculaire, évitement associé à des réactions, et notamment verbales qui m'ont fait conclure : « Il s'est reconnu. » Mais pour le coup, d'après les normes que je croyais connaître, il était considérablement en retard : deux ans révolus.

Mon étonnement était fonction de mes savoirs : l'enfant n'imite pas à 3 semaines, et moins encore à 10 jours, mais vers l'âge de 2 ou 3 mois. L'enfant ne se reconnaît pas dans le miroir à 2 ans, mais vers l'âge de 9 mois. Si je n'avais pas eu ces savoirs, je ne me serais pas étonné.

Un père ou une mère profane ne se serait pas étonné non plus que son enfant lui tirât ainsi la langue puisqu'il n'aurait pas su que c'était réputé « impossible ».

Pour le miroir c'est une autre affaire, de conviction avant d'être d'analyse scientifique. L'image de soi est d'une telle évidence qu'elle ne donne pas à réfléchir, comme le dirait Raymond Devos. Dès qu'on voit, on *se* voit. Alors le profane aurait récusé mon observation, comme d'ailleurs j'ai pu m'en assurer par une large enquête ultérieure.

En tout cas mes observations de tirage de langue que je pris cependant la précaution de filmer, personne n'en admit alors la validité. Mes principaux interlocuteurs de ce temps-là, Wallon, Piaget, Spitz, m'opposèrent toutes sortes d'arguments dont le principal était qu'à un âge si précoce, l'enfant n'était même pas capable de *voir* de façon nette et donc, encore moins, *d'imiter* un modèle visuel : pas de myélinisation des fibres nerveuses, pas de fonctionnement. J'aurais été victime d'une illusion : c'est moi qui avais imité un mouvement spontané du bébé, ce n'est pas le bébé qui m'avait imité. Et par amitié, on me conseilla de ne pas publier : je me ridiculiserais.

J'attendis dix ans, et l'accumulation de données bien contrôlées, pour rendre compte de ma trouvaille et ébaucher une explication.

Quinze ans plus tard, des Américains et quelques autres

refaisaient la découverte. Et à peu près à la même époque, ce fut l'explosion de nouvelles recherches, y compris les miennes, sur la reconnaissance de soi dans le miroir. C'était bien vers l'âge de 2 ans que l'enfant parvenait à s'identifier.

J'ai rappelé cela non pas pour me donner des palmes, ni pour laisser croire que la découverte de deux phénomènes que j'avais captés par hasard, en père de famille et non dans l'exercice de mes fonctions, a bouleversé notre conception de l'enfant. Ces deux phénomènes ne font qu'illustrer, que concrétiser ce qui s'est produit par la convergence d'une multitude d'observations et d'expérimentations, servies d'ailleurs par des novations techniques, au cours des dernières décennies.

Les datations de la genèse se sont modifiées, se sont déplacées, les unes en amont, les autres en aval. Des aptitudes et compétences qu'on situait dans le deuxième ou troisième semestre de la vie, on en a constaté les manifestations dès le premier mois, la première semaine, le premier jour : dans les champs de l'émotion, de la communication, des expressions telles que le sourire, de la perception du monde extérieur. En bref l'enfant est beaucoup plus précoce, moins immature, plus autonome qu'on ne l'avait cru. Et par exemple, il est capable de discrimination visuelle, même si son accommodation est mauvaise, dès l'âge d'une semaine : l'argument de quasi-cécité qu'on avait opposé jadis à la possibilité pour mon fils de m'imiter était faux.

Mais en sens inverse, tout ce qui suppose construction d'ordre logique, opératoire, recule en âge. C'est mon exemple de la reconnaissance de soi dans le miroir qui suppose un processus de dédoublement mental de soi. L'individu qui n'a jamais vu son visage *directement* et qui ne le verra jamais, comment pourra-t-il l'identifier sinon par un long travail de construction cognitive ? Mais ce sont aussi toutes les expériences de Jean Piaget sur la genèse des invariants. Une des plus anciennes, qui date des années 40, est célèbre : on présente à un enfant de 5-6 ans une série de coquetiers et, parallèlement, en correspondance terme à terme, une série d'œufs. Questionné, l'enfant répond : « Bien sûr, c'est pareil, il y en a

autant là et là. » Alors, on espace les coquetiers, sans toucher
aux œufs : il n'y a évidemment plus de correspondance.
« C'est toujours pareil ? — Non, répond l'enfant, il y en a plus
ici. — Où, ici ? — Il y a plus de coquetiers que d'œufs. — Mais
si on met les œufs dans les coquetiers, ça sera pareil ? — Non,
insiste l'enfant, il y a des coquetiers qui seront vides parce qu'il
y en a beaucoup plus. »

Et il donne la même réponse s'il opère lui-même l'écarte-
ment des coquetiers, et quand bien même il sait déjà compter.
A 5-6 ans la « conservation du nombre » n'est pas encore
acquise. Si l'espace change, le nombre change lui aussi.

Invraisemblable ! Comme il est invraisemblable de ne pas se
reconnaître dans le miroir avant l'âge de 2 ans, alors qu'avant
l'âge d'un an il reconnaît autrui immédiatement.

Invraisemblable parce que heurtant ce qui pour nous est
évidence.

Les évidences viennent avec l'âge, l'une après l'autre, et
quand elles se sont installées, nous ne pouvons pas imaginer
qu'il fut un temps où elles n'étaient pas, puisque justement
elles sont des évidences. Avant les découvertes de la psychologie, vous et moi n'en savions rien, ou le devinions à peine. Et
combien d'adultes, parents et maîtres n'en savent toujours
rien ? Il faudrait en tirer toutes les conséquences au point de
vue pédagogique. Il faudrait que chaque maître comprenne
bien que ce qui est évidence pour lui ne l'est peut-être pas
encore pour son élève. Notamment quand il enseigne les
maths, ces vérités hors du temps, mais pas seulement.

En conclusion de tout cela : l'image que nous avions
naguère de l'enfant (et qui règne encore dans l'esprit de la
plupart des gens) s'est ouverte. Je ne sais pas quelle serait la
moins mauvaise métaphore pour exprimer cette transformation : une anamorphose, le déploiement d'un éventail ? En
fait : l'enfant est beaucoup plus précoce qu'on ne le pensait
pour tout ce qui est réception, assimilation des données du
monde extérieur, physique et humain, bref pour son adaptation et son autonomie dans le présent ; et beaucoup plus tardif
pour tout ce qui est du domaine des évidences logiques,
et pour ces constructions spécifiquement humaines par les-

quelles s'élabore le déboublement mental de soi et du monde.

Je tiens enfin à faire remarquer que la quasi-totalité des recherches qui ont abouti à cette découverte n'avaient aucune intention d'ordre utilitaire. En un temps où l'on insiste sur la rentabilité de la recherche, sur la professionnalisation de nos universités, il faut clamer bien fort le droit à la recherche inutile, et pour les sciences humaines peut-être encore plus que pour les sciences dites exactes.

Il n'est évidemment pas question de nier la nécessité de rentabilité en certains domaines, ou de considérer que toute recherche est honorable pourvu qu'elle soit désintéressée.

Il y a d'ailleurs un « complexe » du scientifique : il justifie son existence en disant que la recherche est souvent plus rentable à longue échéance que les recherches sollicitées par des problèmes urgents ou d'application immédiate. C'est vrai. Les exemples abondent, sauf peut-être dans les sciences humaines. Mais cette transformation de notre image de l'enfance telle que nous venons de la décrire, il n'est pas possible qu'elle n'ait pas de très importantes conséquences en matière d'éducation au fur et à mesure que cette image nouvelle remplacera l'image ancrée depuis toujours dans l'esprit des adultes.

Oui, mais cette utilité, d'ailleurs impondérable et imprévisible, ne doit pas nous servir d'alibi, de justification. Je n'ai pas d'excuses à présenter quand je tire la langue à mon fils, ou quand je fais défiler des cohortes d'enfants devant un miroir. Je cherche et de temps en temps je trouve, pas d'ailleurs en général ce que j'ai cherché.

Il faut dire, il faut reconnaître, que le mobile premier de la science est un appétit de la pensée : comprendre pour comprendre. La science est un luxe, un luxe-nécessité pour l'esprit humain. Tout ministre de la Recherche devrait en être convaincu et investir ainsi une partie de son budget à fonds perdus. Ce qui n'exclut d'ailleurs pas, de la part d'un gouvernement, ni des choix ni un ordre d'urgences [1].

---

1. Le luxe dont je parle, tous les pays peuvent-ils se l'offrir et dans quelle mesure, et dans quel secteur de la recherche ? J'éprouve quelque malaise quand,

On pourra s'étonner de ma dédicace aux étudiants de Nanterre, alors qu'à une seule exception près, je n'ai jamais fait hommage ostentatoire de mes travaux à qui que ce soit, pas même à mes maîtres.

J'ai voulu marquer par là ma dette envers ceux qui, dans le dernier tiers de ma carrière, et dans des circonstances particulières, m'ont forcé au maximum de lucidité, d'honnêteté. Marquer ma dette, et tirer leçon de mon expérience avec eux.

En 1967, quand j'ai pris mon poste à Nanterre, je n'étais pas un enseignant novice. Depuis 1942, je donnais des cours à l'Institut de psychologie de Paris et à l'Institut national d'orientation professionnelle.

Je n'ai pas attendu Nanterre, ni les turbulences de 1968, pour donner un enseignement qui, à bien des égards, pouvait apparaître comme un contre-enseignement : privilégier les faits par rapport aux idées, fonder la validité d'un résultat non sur sa désirabilité mais sur la pertinence du cheminement au bout duquel il avait été obtenu, tenir en méfiance les grandes théories, mettre systématiquement en question les notions globalisantes (intelligence, affectivité, langage, etc.), d'une façon générale ne pas se laisser abuser par les mots : « Le nom de la rose n'est pas la rose. » Distinguer entre les plans de l'explication, et entre les plans des significations, ce qu'on appelle l'herméneutique. En fonction de tout cela apprendre à lire un texte scientifique, et plutôt des articles que des livres, ceux-ci risquant de prendre le jeune lecteur au piège de leur cohérence, alors que ceux-là laissent voir la trame, les qualités et les défauts, les élans et les remords d'une recherche en train de se faire.

A Nanterre, ce type d'enseignement s'est poursuivi avec en plus un retour, une réverbération sur moi-même, sur ce que je disais. Et cela pour deux raisons : j'avais affaire à de jeunes

en tel pays du Tiers Monde où une partie de la population enfantine souffre de malnutrition, je constate que l'Université forme par an plusieurs milliers de psychologues (qui d'ailleurs sont, pour la plupart, voués au chômage).

étudiants, qui avaient beaucoup à apprendre et pas beaucoup
à désapprendre, d'autre part, à partir de 68 la formule de
petits groupes (quelques dizaines d'étudiants) avait remplacé
les cours magistraux.

Alors ce que je disais tout à l'heure des illusions de
l'*évidence* s'est révélé à moi brutalement. Ce que j'avais cru
jusqu'alors évident et simple ne l'était pas toujours, et mes
étudiants ne se gênaient pas pour me le dire, sans aucune
agressivité d'ailleurs.

Ou bien encore quand j'avais le sentiment que le groupe
était trop facilement réceptif et d'accord, je m'arrêtais.
Double question : « C'est clair... c'est convaincant ? » Et
souvent nous nous apercevions que la clarté était factice, que
le consensus était le fruit d'un malentendu. De toute façon la
faute m'en incombait, et plus gravement quand j'avais parlé à
la légère, usant de mots ambigus ou vides.

Il est moins difficile d'être honnête avec autrui qu'avec soi-
même. Avec autrui, l'honnêteté est de dire ce que l'on sait, ou
ce que l'on croit savoir. Avec soi, l'honnêteté est une vigilance
perpétuelle concernant justement ce que l'on croit savoir.
« Tu sais, ou tu crois ? » me demanda jadis un de mes fils,
alors enfant. De la même façon mes étudiants, sans toujours
s'en rendre compte, m'ont tenaillé par cette question.

Quel bénéfice pour eux ? Je ne saurai jamais ce qu'ils auront
retenu de nos travaux communs. Si je pouvais être sûr que
parmi les centaines d'étudiants que j'ai connus, deux ou trois
dizaines ont vraiment intégré ce que nous nous sommes
donnés réciproquement, je serais comblé : ils contribueraient
aux récoltes futures.

Et, bien sûr, j'espère que ce petit livre augmentera encore
quelque peu la cohorte de ces jeunes que je me suis employé à
former jusqu'au jour de ma retraite. Certes il n'y aura plus de
rétroaction entre eux et moi, mais ce qui est écrit a du moins
l'avantage d'être plus vulnérable que la parole : le lecteur peut
mieux y déceler les faiblesses comme les rigueurs des mots et
du discours.

Perros-Paris
Janvier 1983

1978 : Entretien
avec Jean-Louis Ferrier et Sophie Lannes

L'Express : Un pédiatre pouvait affirmer, à la fin des années 40, qu'un nouveau-né est une larve. Le pourrait-il encore aujourd'hui ?

René Zazzo : Certainement non ! L'image que nous avions de la prime enfance, des premiers mois et même des premiers jours de la vie a été renouvelée, bouleversée. On avait vécu avec l'idée que le nouveau-né était un être purement végétatif. Un nourrisson, c'est tout dire. Une sorte de larve, oui, qu'on nourrit, qu'on gave, qu'on gorge de lait et qui dort le reste du temps. Eh bien, cette image était fausse ! On a découvert peu à peu, au cours des trente dernières années, que le nouveau-né n'avait pas seulement besoin de lait, mais de contacts et d'échanges avec autrui et, constatation encore plus inattendue, qu'il était déjà capable de perceptions très fines et de comportements adaptatifs.

L'Express : Quelles sont les découvertes qui ont balayé les idées fausses ?

R. Zazzo : Le moment du premier sourire, par exemple. On croyait que le sourire faisait son apparition vers trois mois. Or, partout dans le monde, des psychologues se sont mis à faire des études très minutieuses, des centaines et des centaines d'observations pour savoir comment le petit enfant établissait des liens avec son milieu humain, avec la mère, le père, etc. C'est le fameux problème de l'attachement, la recherche des mécanismes qui permettent de créer ces liens. Et l'on a découvert que le plus original d'entre eux, propre à l'espèce humaine, c'est le sourire.

Or, les préludes du sourire apparaissent quelques heures après la naissance et, dès l'âge de 3 semaines, le sourire est déjà plus ou moins socialisé.

L'Express : C'est important d'avoir découvert la précocité du sourire ?

R. Zazzo : Très important, car une telle découverte et d'autres, du même ordre, modifient beaucoup notre image de l'enfant.

Depuis les travaux de Konrad Lorenz, le grand public sait que le petit poussin, dès sa naissance, cavale derrière la mère poule, ou le canard, ou l'oie. Il est aussitôt capable de suivre sa mère et, plus que cela, de maintenir entre la mère et lui une proximité telle qu'il ne la perdra pas. Les cris de la mère et ceux du poussin qui se répondent assurent une sorte de distance de sécurité entre la mère et son petit.

Pour l'enfant humain, parmi une dizaine de mécanismes, il y a le sourire, c'est-à-dire la possibilité d'établir un contact à distance avec son entourage. Le sourire est donc un équivalent moteur de la communication de suite chez l'oiseau nidifuge. On peut le comparer aussi au comportement de certains singes qui, dès la naissance, s'agrippent à la fourrure de la mère.

Et la précocité de l'imitation, ce processus fondamental de tous les progrès de l'enfant ! C'est en 1945 que j'ai constaté pour la première fois avec stupeur que mon fils, alors âgé de 21 jours, m'imitait quand je lui tirais la langue. Je dis avec stupeur, parce qu'on m'avait appris que cela n'était pas possible avant l'âge de 3 mois. Je me suis même demandé si je n'étais pas victime d'une illusion : si ce n'était pas moi qui imitais l'enfant ! Pendant dix ans j'ai multiplié les observations sur les autres enfants pour être sûr de ma découverte et pour oser la publier. Cette capacité d'imiter, ou plus exactement ce phénomène d'imitation sensori-motrice, ce mimétisme, apparaît en moyenne vers l'âge de 10 jours. Des psychologues nord-américains viennent de redécouvrir ce fait. Pour une fois, nous avons été en avance sur eux.

Tous ces comportements précoces supposent des capacités perceptives jusqu'alors insoupçonnées. Et cela s'est vérifié sur les recherches des dernières années. *Dès la naissance, les systèmes sensoriels* (audition, olfaction, vision) *sont prêts à fonctionner.*

L'Express : Jusqu'ici, on nous disait que les trois premières années de la vie étaient essentielles. A vous suivre, on est tenté de penser que les tout premiers jours le sont déjà.

R. Zazzo : Absolument. Et voici une toute dernière découverte. En 1975, un auteur américain a établi que l'enfant est capable, très tôt, de discriminer entre l'odeur de la mère et d'autres odeurs.

Il faut que l'enfant ait déjà eu des contacts avec sa mère, bien entendu. Mais, dès l'âge de 10 ou 15 jours, il discrimine entre l'odeur qui imprègne un vêtement porté par celle-ci et l'odeur d'un vêtement qui a été porté par une autre femme, ou encore qui n'a été porté par personne. Jusqu'ici, on pensait qu'une telle discrimination intervenait vers 3-4 ans et l'on trouvait que c'était déjà beau. On utilisait cette capacité comme technique d'apaisement, en mettant devant le visage de l'enfant des vêtements portés par sa mère pour qu'il se calme. On est passé de 3-4 ans à 10 jours. Avouez que c'est considérable.

On sait également, aujourd'hui, que l'enfant de 15 jours est capable de distinguer entre la voix féminine et la voix masculine.

L'Express : Comment le sait-on ? Quels sont les moyens d'investigation ou d'expérimentation ?

R. Zazzo : Des moyens très simples, comme l'enregistrement des rythmes cardiaques. La voix féminine a pour effet de ralentir le rythme cardiaque, alors que la voix masculine n'a pas du tout cet effet. Il existe, d'autre part, des réactions différentielles selon que le petit enfant entend une voix humaine ou un bruit quelconque. On constate ainsi, chez le nourrisson, l'existence de mécanismes adaptatifs orientés préférentiellement vers l'être humain. L'être humain qui, à la différence d'un objet physique, est une source polysensorielle : une odeur, un contact, une chaleur, une voix bien avant de devenir, vers l'âge de 6 mois environ, un être perçu dans son ensemble, dans son invariance.

Le jeu très complexe de la formation du moi et de l'autre commence donc dès le premier mois de la vie. Nous allons d'étonnement en étonnement. Et nous ne savons pas encore tout.

L'Express : Et le jour, la nuit, le chaud, le froid, les saisons. Leur perception vient-elle également très tôt, ou bien s'agit-il d'acquisitions sociales ?

R. Zazzo : Le jour, la nuit, c'est très concret. Leur perception par le petit enfant est très précoce, et elle existe évidemment chez l'animal. Mais la connaissance et la désignation des saisons impliquent un temps social organisé, avec ses points de repère, son calendrier. L'horizon temporel demande des années pour se construire, car il implique la pensée symbolique qui, elle-même, implique une pratique sociale. On ne voit pas les saisons, elles se succèdent, mais on ne les voit pas ; l'alternance des beaux et des mauvais jours — du chaud et du froid — ne suffit pas. L'enfant ne peut distinguer explicitement les saisons, sinon à travers une construction intellectuelle. Et ce n'est qu'à l'âge de 8 ans qu'il est capable de réciter les douze mois de l'année.

L'Express : Ces découvertes récentes qui ont bouleversé la psychologie de l'enfant entraînent-elles des conséquences pratiques ?

R. Zazzo : Certainement. Tous ceux qui s'intéressent à la psychologie ont entendu parler des travaux de René Spitz, qui a découvert, voilà quarante ans, ce qu'on appelle les phénomènes d'hospitalisme.

Selon Spitz, l'enfant qui se trouve à l'hôpital ou en institution par suite de la perte de sa mère subit des détériorations graves si la séparation a lieu vers l'âge de 6-7 mois. Spitz utilisait l'enseignement de Freud, qui fut son analyste, et celui de Wallon. C'est à cet âge-là, précisément, que la mère est perçue en tant qu'objet d'amour, en tant qu'objet libidinal. Cela reste valable en gros. Mais Spitz en concluait que la perte de cet objet nettement constitué expliquait à lui seul la détresse de l'enfant.

Or, alors même que j'admettais cette explication, des faits sont venus m'inquiéter, qui m'ont montré que l'enfant abandonné souffrait bien avant que l'objet d'amour existe. C'est-à-dire bien avant l'âge de 6 mois.

L'Express : Quand vous parlez de la souffrance de l'enfant, de sa détérioration, de quoi s'agit-il ?

R. Zazzo : D'abord, il y a une détérioration d'ordre physique : l'enfant maigrit. Puis, les contacts sont rompus avec le monde extérieur. L'enfant reprend des attitudes très archaïques de balancement et, peu à peu, il s'enferme dans une sorte d'autisme. Son développement psychologique est stoppé, et parfois même régresse. C'est peut-être l'origine de certaines formes d'arriération, et de psychose.

J'ai donc formulé l'hypothèse que si l'environnement d'odeurs, de chaleur, de bercements qui enveloppe l'enfant disparaît quand bien même la mère n'a pas encore été fixée comme objet d'amour, il éprouve déjà un manque. Il en souffre et, dans certains cas, il en crève. En somme, il y aurait non seulement une pathologie de la perte de l'objet d'amour déjà fermement constitué, mais une pathologie relative à la période où se tissent les premiers liens.

Il y a des enfants qui ne paraissent pas souffrir de la perte de la mère ou de la rupture des liens. Ils ne font pas le syndrome dramatique que je viens de décrire. Pourquoi ? Trouvent-ils un substitut qui nous échapperait ? Sont-ils moins sensibles ? Moins fragiles ? Nous ne le savons pas. Deux de nos élèves travaillent actuellement à la solution de ce problème [1].

L'Express : René Spitz, donc, s'est trompé. Que peut-on en conclure ?

R. Zazzo : René Spitz a ouvert un champ de recherches. Ses premières observations gardent un impact considérable. Mais les recherches ultérieures ont nuancé ou rectifié ses conclusions. L'intérêt d'ordre pratique ? Pour l'adoption, par

1. Voir sur ce point la recherche de Nathalie Loutre exposée plus loin (p. 157) et les données nouvelles sur « la première année de la vie » (*Enfance*, n° 1-2, 1983).

exemple. Il est important de savoir quels sont les âges auxquels on peut le mieux adopter un enfant.

L'Express : Quels sont ces âges ?

R. Zazzo : Pour moi, le plus tôt possible. Les politiques des services de placement des D.A.S.S.[1] sont variables, et l'idée subsiste chez les adoptants qu'il faut attendre que l'enfant soit déjà un peu grand pour voir s'il n'a aucune tare. Mais, pendant ce temps-là, il est placé dans une institution ou il change de « mère » trois ou quatre fois. Et, chaque fois, c'est une séparation, une souffrance et le risque d'une détérioration.

On veut supprimer les risques en adoptant tard. Mais il est des risques avec nos propres enfants. On ne sait jamais quelle est la qualité d'un enfant qu'on vient de mettre au monde. Le risque n'est pas plus grand pour un enfant adopté. Il faut bien se dire que le vrai père, la vraie mère, ce ne sont pas les géniteurs, mais ceux qui élèvent l'enfant. Ce sont eux qui le créent et pas les géniteurs.

L'Express : Quand même, les parents aiment bien reconnaître un nez, un front, la couleur des yeux.

R. Zazzo : Oui, ça les rassure, surtout les pères. Le père retrouve sa marque sur l'enfant, ça lui fait plaisir. Et, sinon, il l'imagine.

La réalité est tout à fait différente. Nous donnons vie à un enfant. Cet enfant est la réunion des deux cellules originelles, paternelle et maternelle, mais, en même temps, chacun de nous ne donne qu'une très petite dose de son patrimoine héréditaire. Les jumeaux vrais mis à part, il n'y a pas deux enfants qui soient pareils génétiquement, qui aient le même caractère, la même intelligence, le même tempérament. Chaque enfant à qui l'on donne vie possède une formule qui emprunte ses éléments à toute la suite des générations... depuis Adam et Eve.

Alors le nez, le front, la couleur des yeux... La voix du sang n'existe pas, à l'inverse de ce qu'on pensait encore au siècle dernier. En revanche, ce qui compte pour un être humain, c'est la façon dont il va se construire. Quelles nourritures

---

1. D.A.S.S. : Direction de l'Action Sanitaire et Sociale.

affectives, spirituelles et culturelles vont lui être données ? Il y a, certes, des données génétiques de base, mais que va-t-on en faire ? Voilà la vraie question !

L'Express : A vous entendre, les femmes qui exercent une profession et laissent en grande partie l'éducation de leur bébé à des tiers, ce ne serait donc pas souhaitable ?

R. Zazzo : Je ne vais pas donner une réponse définitive à cette question. Mais il serait souhaitable que les parents, père et mère, puissent s'occuper eux-mêmes de leur enfant pendant un an au moins. Dans un pays comme la Hongrie, le congé de maternité dure deux ans.

L'Express : Il y a des femmes qui ne doivent pas être très souvent à l'usine ou au bureau ?

R. Zazzo : C'est exact. Un congé aussi long entretient et développe l'inégalité professionnelle entre l'homme et la femme. En outre, il n'est pas très bon non plus que l'enfant soit materné toujours et uniquement par une même personne. Le mieux est certainement que père et mère participent ensemble, étroitement, autant qu'il est possible, à l'élevage du nourrisson, comme il est d'ailleurs de plus en plus fréquent.

L'Express : Comment se construit un être ? Quelle est la part d'hérédité et la part du milieu ?

R. Zazzo : Laissons de côté, un instant, les problèmes psychologiques, qui sont en apparence plus complexes. Je dis « en apparence », car je ne crois pas qu'ils le soient, mais, pour ce qui concerne la psychologie, nous trimbalons tellement de préjugés qu'il est difficile de ne pas tomber dans une attitude idéologique et passionnelle. Alors, prenons un exemple « neutre », comme la taille.

Considérons une population d'enfants confiés à l'Assistance publique. Supposons qu'on divise cette population en deux lots, au hasard. Grâce à cette répartition au hasard, les deux lots seront à égalité pour le patrimoine génétique. Imaginons maintenant qu'on place les enfants du premier lot dans un milieu pauvre, ceux du second lot dans un milieu riche, où ils bénéficieront de meilleures conditions de vie, et d'abord d'une meilleure alimentation. Ceux-ci deviendront en moyenne plus grands que ceux-là.

Savez-vous qu'à l'âge de 6 ans la différence de taille telle que nous l'avons évaluée dans la région parisienne est d'environ 3 cm entre les enfants de milieu social défavorisé et les enfants de milieu privilégié ? Différence due, évidemment, à la différence du milieu, non à l'hérédité.

L'hérédité intervient au niveau des différences individuelles : au sein d'un même milieu, ou d'une même famille, il y a des petits et des grands. La taille d'un individu dépend donc à la fois des facteurs du milieu et des facteurs héréditaires sans qu'il soit possible, pour cet individu singulier, de savoir exactement quelle est la part des uns et des autres.

L'Express : Cela semble le bon sens même !

R. Zazzo : Je suis heureux de vous entendre. La plupart du temps, on confond les deux problèmes.

Cela conduit à deux idéologies : le généreux obscurantisme de gauche et l'imposture de droite. Les gens de gauche partent des enseignements que nous donne la comparaison des groupes humains pour dire : « Vous voyez bien que l'hérédité n'existe pas ! » Ils glissent du groupe à l'individu et en arrivent à affirmer une contrevérité. Les conservateurs, eux, font l'inverse. Ils considèrent que l'inégalité est dans la nature et que la société n'y peut rien changer. Ils partent d'une vérité incontestable sur le plan individuel, mais tombent dans l'erreur dès lors qu'ils passent au plan du groupe.

Les uns et les autres, je ne voudrais pas dire qu'ils mentent, mais leur passion, les uns d'égalité, les autres d'inégalité, les fait dévisser d'un plan à l'autre.

L'Express : Et lorsqu'on passe de la taille à l'intelligence, on arrive au même résultat ?

R. Zazzo : Absolument. Si je calcule, par exemple, le quotient intellectuel d'un couple de jumeaux vrais, le seul cas d'un être unique produit à deux exemplaires, puisqu'ils proviennent d'un même ovule fécondé par un même spermatozoïde, et si ces jumeaux sont élevés dans la même famille, l'écart est pratiquement nul : quatre ou cinq points qui correspondent à l'imprécision des instruments de mesure. En revanche, si je soumets à mes mesures des jumeaux faux — provenant de deux ovules différents, etc. — l'écart est d'environ quinze points. Ces jumeaux faux, naturellement, vivent eux aussi dans la même famille. L'écart est donc attribuable pour l'essentiel à l'hérédité.

Mais ce n'est pas fini. Des psychologues ont comparé entre eux deux groupes de jumeaux vrais : les uns élevés ensemble, les autres élevés séparément. Pour le premier groupe, on a donc la formule : même hérédité, même milieu. Et, pour le second groupe : même hérédité, milieu différent. Ils sont arrivés aux résultats suivants : quatre ou cinq points de différence pour des jumeaux vrais élevés ensemble, *mais quinze points pour des jumeaux vrais élevés séparément,* dans des familles différentes. C'est-à-dire le même écart que pour des *jumeaux faux élevés ensemble.*

Il n'y a qu'une conclusion possible. Ce que l'hérédité peut faire, comme création de différences, le milieu peut le faire aussi bien.

L'Express : N'existe-t-il pas, cependant, un héritage du milieu qui joue le rôle d'amplificateur des différences héréditaires et qui a pour conséquence d'approfondir encore les différences, d'un individu à l'autre ?

R. Zazzo : Je ne le pense pas. Les lois de transmission génétique sont plus complexes que cela. Il existe plutôt, d'une génération à l'autre, ce qu'on appelle un retour à la moyenne. Ainsi, deux parents intelligents, selon le sens que nous attribuons à ce terme dans notre civilisation occidentale, eh bien, il y a de grandes chances pour que leurs enfants, en moyenne, soient moins intelligents qu'eux ! Et, au contraire, il est probable que des enfants nés de parents médiocres intellectuellement retourneront aussi vers la moyenne.

Non, ne croyez pas que, dans une famille intelligente, qui, en plus, réunira des conditions culturelles favorables, il va y avoir amplification de l'héritage intellectuel d'une génération à l'autre. Ce n'est pas la règle.

L'Express : On a vu, pourtant, des dynasties de scientifiques ou de littéraires, des dynasties de musiciens.

R. Zazzo : Oui, on en a vu. Avant que la génétique progresse, dans les dernières décennies, on citait toujours le cas de la famille Bach, des Bernoulli. Il y avait aussi les

Corneille. Il existe, en effet, des tas de Corneille, mais la plupart n'étaient pas fameux. Dans ce cas-là, justement, c'était sans doute la transmission d'une tradition familiale. Du côté des Bach, là, je ne sais pas trop. On peut faire l'hypothèse de l'interaction de facteurs héréditaires et de facteurs de milieu.

L'Express : Avez-vous le sentiment que les adultes comprennent mal ou élèvent mal leurs enfants ?

R. Zazzo : Dans leur conduite quotidienne, j'ai vu des centaines de mères élever des enfants. En gros, ça va. Mais, en général, les adultes comprennent mal les enfants. Ils vivent avec certaines évidences sur le plan logique et ne comprennent pas que ces évidences sont inaccessibles à la pensée enfantine.

Mais, en sens inverse, ils ont tendance à sous-estimer ou à nier les capacités d'initiative de leurs enfants. Avec cet aveuglement, on revient d'ailleurs à ce que nous disions tout à l'heure à propos du nourrisson : l'adulte sous-estime chez l'enfant tout ce qui est aptitude à l'autonomie, à l'indépendance et, en revanche, il surestime chez lui ce qui relève de la logique.

Je prends un exemple chez Piaget : la fameuse expérience qui consiste à mettre en correspondance une série d'œufs et une série de coquetiers. On présente à l'enfant de 5 ans neuf coquetiers avec neuf œufs placés devant ces coquetiers. On espace une des séries — par exemple celle des coquetiers — et l'enfant dit que ce n'est plus la même chose, qu'il y a plus de coquetiers que d'œufs. Réponse scandaleuse pour l'adulte. Il est évident, pour lui, que le nombre de coquetiers est toujours le même.

L'Express : Que manque-t-il à l'enfant de 5 ans pour qu'il partage cette évidence ?

R. Zazzo : L'invariance du nombre, qu'il n'a pas encore établie. Le fait qu'une quantité d'objets ne change pas quand on modifie la place qu'ils occupent. Ce qui est devenu évident pour l'adulte est une notion que l'enfant n'a pas construite avant l'âge de 6 ou 7 ans. Cela, l'adulte a une grande difficulté à l'admettre.

En revanche, nous avons fait, il y a quelques années, avec

Ange Casta, pour la télévision, un film intitulé « Avoir 6 ans ». Nous avons voulu illustrer cette idée que les parents sous-estiment les capacités d'initiative de l'enfant.

Ange Casta est arrivé un jour dans la maison où nous tournions en l'absence des parents et a dit à l'enfant : « J'ai faim. Il est 2 heures. Tu sais, les gens de cinéma mangent à n'importe quelle heure, tu vas me faire à manger ! » Le gosse, qui n'avait même pas le droit de toucher aux allumettes, a répondu qu'il n'avait jamais fait la cuisine et que, de toute façon, il ne saurait pas. Pour finir, devant l'insistance d'Ange Casta, il a allumé le réchaud, il a fait de la purée, des œufs sur le plat, et nous avons filmé toute la scène. Il savait parfaitement s'y prendre. C'était magnifique.

Lorsque les parents ont vu les rushes, ils ont balancé entre l'indignation à notre égard et l'émerveillement pour la performance de leur fils. Mais l'expérience des coquetiers et des œufs que nous avions également filmée, les a inquiétés. Fallait-il être bête pour affirmer que les coquetiers changeaient de nombre quand on les changeait de place ! Ils ont eu du mal à croire que c'était normal pour un enfant de 6 ans.

L'Express : Les programmes scolaires tiennent-ils compte de telles découvertes ?

R. Zazzo : Pas suffisamment. Nous avons constaté avec des collègues que les programmes de mathématiques, par exemple, offrent un décalage d'un an pour la majorité des élèves. Il faudrait que l'école prenne ces découvertes davantage en considération.

L'Express : Et que faudrait-il faire faire à l'enfant avant 6 mois qu'on ne lui fait pas faire aujourd'hui ?

R. Zazzo : Rien du tout ! L'essentiel est de ne pas abandonner le petit enfant, de s'occuper beaucoup de lui, de créer autour de lui un entourage chaleureux et stimulant. Il a besoin de stimulations de toutes sortes, de contacts physiques et de tendresse tout autant que de lait. Son dynamisme personnel fera le reste. Avec tout ce que vous lui donnez au jour le jour, il va se « construire » dans la surabondance de ses créations.

Je veux dire par là qu'il faut absolument réagir contre l'idée qu'il existe en lui une intelligence enfermée, une âme enclose qui, un jour, va se révéler. Non, tout psychisme est une construction. Une construction que l'enfant opère avec les matériaux fournis par l'hérédité et par le milieu.

L'Express : Vous avez fait des expériences sur les réactions de l'enfant devant le miroir. Que cherchiez-vous ? Quand cela a-t-il commencé ?

R. Zazzo : Il y a plus de trente ans. C'était en 1947. Mon fils avait un peu plus de 2 ans. Un jour qu'il passait devant le miroir mural de notre salle à manger, voilà que je perçois chez lui un petit air de timidité. Il venait, selon toute vraisemblance, de « se reconnaître » dans le miroir. J'en ai été étonné, car je pensais que l'identification de son image par le petit enfant s'effectuait beaucoup plus tôt, vers 9 mois, à en croire la vieille tradition remontant à Darwin, qui fit une observation de ce type autour de 1840. C'est un autre exemple d'une évidence d'adulte : comment peut-on ne pas se reconnaître dans l'image du miroir ? C'est aussi un exemple pour illustrer la construction du soi chez l'enfant : puisqu'il ne s'est jamais vu et qu'il n'a aucun moyen de comparer cette image à son modèle, comment parviendra-t-il à se « reconnaître » ?

En 1947, je n'ai pas compris vraiment ce qui se passait. C'est trente ans plus tard, qu'un beau jour, une idée m'est venue. Comme ça, comme une illumination. Alors, j'ai décidé de soumettre mon hypothèse à une expérimentation rigoureuse. C'est l'opération que je désigne comme « Jumeaux et miroir ». Avec la présomption de filmer la conscience, plus précisément la construction de la conscience de soi.

L'Express : De quelle manière procédez-vous ? Et pourquoi des jumeaux ?

R. Zazzo : Par commodité expérimentale. Notre dispositif est très simple : il consiste en une vitre et un miroir. Dans un premier moment, on place un couple de jumeaux vrais de chaque côté de cette vitre et ceux-ci font toutes sortes d'échanges. Ils gesticulent, ils sourient, ils grimacent. Puis, à leur insu, on substitue le miroir à la vitre.

Au début, le petit enfant croit qu'il continue à voir son frère. Mais le problème est de savoir comment et à quel âge l'enfant va comprendre que l'image du miroir, c'est lui-même et pas un autre enfant. Nous avons pris des jumeaux pour saisir, en toute pureté, les processus d'identification de soi : dans le cas des jumeaux, et dans ce cas seulement, la perception de l'autre est identique à l'image de soi vue dans le miroir. Alors, sur quels signes et en dépit d'une même apparence physique, l'image du miroir sera-t-elle distinguée de l'image de soi ? Probablement, et c'était là mon hypothèse, lorsque l'enfant aura pris conscience du fait que l'image du miroir a les mêmes mouvements que lui, qu'il commande cette image, qu'il en est le maître. En fait, c'est une prise de conscience difficile, longue, et qui passe par plusieurs étapes.

Vers l'âge de 12 mois, un nouveau comportement apparaît : l'enfant regarde ses mains, parties visibles de son corps, il les compare avec leur image spéculaire ; il en joue, il expérimente. Vers 16 mois, les jeux de main disparaissent, et l'enfant, ou bien semble frappé de stupeur, fasciné par son image, ou bien, beaucoup plus fréquemment, évite l'image, tourne la tête, ne veut pas se regarder. Ou, s'il se regarde, c'est avec des coups d'œil latéraux. Ce comportement dure environ un an. Vers l'âge de 2 ans, tous les enfants ont cette réaction d'évitement. C'est elle que j'avais observée chez mon fils en 1945.

L'Express : A quel âge s'opère cette maîtrise chez l'enfant ?

R. Zazzo : Au cours de la troisième année. C'est là qu'il va s'identifier de manière incontestable. A ce moment-là, quand il se voit dans le miroir, il dit : « C'est Pierre », « C'est Jacques », etc.

Toutefois, nous avons voulu avoir des réactions non verbales en pensant que peut-être l'enfant s'identifiait avant de pouvoir dire : « C'est moi. » Et nous lui avons mis subrepticement une tache de couleur sur le nez. On constate alors que, avant l'âge de un an, cette tache, il ne la remarque même pas. Plus tard, il la voit, et veut l'effacer, mais sur le miroir ! Ce n'est pas avant 20 mois qu'il portera la main sur son visage, et encore avec beaucoup d'hésitations. Ce n'est pas avant 2 ans et demi que la réussite à l'épreuve de la tache sera nette et franche. La condition de ce succès est que l'au-delà du miroir soit devenu pour lui un espace symbolique. Auparavant, l'au-delà du miroir est perçu comme un espace réel. Il y a d'ailleurs une période où se mêlent l'illusion de réalité et le symbolisme. Alors, l'enfant identifie bien l'image comme sienne, mais il aura le mouvement d'aller se chercher derrière le miroir comme s'il pouvait être à la fois ici et ailleurs ! Il a bien « objectivé » son image dans le fond du miroir, mais il ne l'a pas encore totalement appropriée.

Ainsi, la construction de l'espace virtuel, symbolique, se fait en même temps que la construction de l'image de soi. Pour reprendre une expression d'Henri Wallon, l'enfant se construit des « doubles mentaux » de la réalité.

L'Express : Quels enseignements tirez-vous de vos expériences ?

R. Zazzo : D'abord, que quelque chose existe de beaucoup plus profond, de beaucoup plus archaïque, que l'espace virtuel : la conscience du corps propre. On voit l'enfant expérimenter son corps tout entier et, progressivement, s'approprier l'image spéculaire, extérieure à lui. La perception externe visuelle est donc appropriée par les sensibilités profondes, les sensations articulatoires, motrices, viscérales.

L'Express : Faut-il en conclure que la conscience de soi est de nature moins spirituelle que ne le pense la philosophie ? Qu'elle naît, pour ainsi dire, d'une adéquation très fine du corps à lui-même ?

R. Zazzo : Oui, en formulant les choses ainsi, vous amorcez ce dont je rêve, c'est-à-dire une théorie des niveaux de conscience. Cela commence par la conscience organique, viscérale, pour aboutir à la conscience réfléchie sur elle-même.

L'Express : Au vu des progrès récents de la psychologie, peut-on continuer à dire de l'homme, aujourd'hui, ce qu'on en disait il y a vingt-cinq ans, à savoir qu'il serait l'animal né trop tôt ? Fragile, incomplet.

R. Zazzo : Tout animal qui a une enfance est un prématuré. L'erreur qu'on a commise, c'est de donner cela simplement comme caractéristique de l'espèce humaine. Les chimpanzés, par exemple, qui vivent de quarante à cinquante ans, sont mûrs sexuellement à 9 et n'acquièrent leur statut adulte que vers 12, 13 ans. D'autre part, ce que nous savons désormais

des capacités de l'enfant à la naissance nous porte naturellement à nuancer l'idée de cette immaturité initiale de l'être
humain.

L'Express : Cela veut-il dire que l'enfant, par l'effet des
découvertes récentes de la psychologie, sera enfant moins
longtemps ?

R. Zazzo : En aucune manière. Ce n'est pas parce que nous
avons découvert des choses qui existaient depuis qu'existe
l'homme que tout, subitement, va changer. L'enfant, lui, il
s'en fiche pas mal des psychologues. Sans eux, et malgré leurs
erreurs, il a toujours été fonctionnel dès la naissance, et, à
partir de là, il a construit son monde. Ce n'est pas parce que
les psychologues ont découvert qu'il était mieux armé qu'on ne
le croyait que les lois fondamentales de la genèse vont
changer.

L'Express : Alors, la psychologie de l'enfant ne sert à rien ?

R. Zazzo : Ah non ! Je ne dis pas cela non plus ! Les
recherches, les découvertes récentes sur la prime enfance vont
modifier lentement, mais sûrement, l'image qu'on a de
l'enfant. Cela demandera dix ans, vingt ans, mais on traitera
l'enfant autrement qu'aujourd'hui. Parce qu'on le verra autrement.

L'Express : La psychologie va-t-elle pouvoir améliorer la
race humaine ?

R. Zazzo : Oh ! alors là ! Si c'est une question choc que vous
avez voulu me poser, c'est réussi !

Améliorer la race humaine ! Un projet ou un rêve de
biologiste, non de psychologue, si, par race, vous entendez le
patrimoine génétique de notre espèce. C'est ce qu'on appelle
l'eugénique, dont on sait quelle en fut l'affreuse parodie, et à
quoi elle a servi sous le règne de Hitler. Améliorer la race
humaine ? En a-t-elle tellement besoin ? Commençons plutôt
par donner à notre espèce telle qu'elle est son plein épanouissement. Je ne pense pas seulement aux milliards d'êtres
humains qui végètent dans la misère physiologique et culturelle. Je parle pour nous tous, pour notre espèce tout entière.
Il est à peu près évident que l'être humain recèle des virtualités

inexprimées. Nous sommes tous, plus ou moins, des sous-développés.

Améliorer la race humaine ? D'abord améliorer la réalisation de notre espèce.

PREMIÈRE PARTIE

NE LAISSONS PAS LES MOTS
PENSER A NOTRE PLACE

1.

« Qu'est-ce que la connerie, madame ? »

Le feu allait passer au rouge. Je m'engageai sur la chaussée de la rue Gay-Lussac en courant. Une jeune femme à lunettes me héla. Moment d'hésitation. Il s'en fallut de peu que je ne me fasse renverser par une voiture. Je m'en souviendrai : c'était le Jour des morts.

— Excusez-moi, me dit la dame. Mais c'est une chance pour moi de vous rencontrer. Je suis assistante à l'université de (...). Mes étudiants m'ont posé une question qui m'a déroutée : « Qu'est-ce que l'intelligence ? » Qu'auriez-vous répondu à ma place ?

— Ce serait très long à dire. Mais d'abord une autre question, madame : qu'est-ce que la connerie ?

— Vous êtes grossier, monsieur. Qu'est-ce qui vous permet cette impertinence ?

— Je ne voulais pas vous offenser. Et ma question est pertinente. En inversant, apparemment, la question de vos étudiants, mon but est de faire éclater la notion d'intelligence, trop globale, en somme d'élever le débat...

— Je ne vois pas comment.

— Vous admettrez qu'on peut être à la fois con et intelligent ? Les deux mots ne sont pas du même registre. Quand on dit de quelqu'un qu'il est intelligent, on fait référence, d'habitude, à ses capacités d'abstraction, à la logique de ses raisonnements... Ce qui n'exclut pas la connerie. Alors, si le contraire de la connerie, ce n'est pas la logique, l'intelligence académique qu'est-ce que c'est ?

— Je commence à saisir. Vous voulez dire sans doute qu'il y a plusieurs façons d'être intelligent. Mais avez-vous une réponse à votre propre question ?

— Un début de réponse, oui. J'ai entrepris jadis une recherche sur la connerie. Les premiers résultats étaient très encourageants. Et puis les volontaires pour constituer la population d'expérience, c'est pas ça qui manque. C'est le temps qui m'a fait défaut. Alors j'ai espéré qu'un de mes élèves s'emparerait de mon idée, de mon projet. Un beau sujet de thèse ! Eh bien, non ! Ma proposition les mettait mal à l'aise... Le sujet manquait de respectabilité... Et la notion en question, ils la voyaient mal comme un objet de science. Il y a comme ça un tas d'objets qui courent les rues et que les psychologues laissent filer.

— Ça commence à m'intéresser. Je me suis préoccupée jusqu'à maintenant du processus de résolution des problèmes. Vous voyez... le cognitivisme. Passer du cognitivisme à la « c... », ça m'ouvrirait des horizons. Vous accepteriez de diriger ma thèse là-dessus ?...

— Je ne suis pas certain qu'un tel sujet vous convienne... Il y a un recul à prendre. Et puis vous savez que je suis à la retraite. Mon espérance de vie est limitée. Mieux vaut prendre quelqu'un qui ait le temps de survivre à votre travail : ça risque d'être long.

— Vous êtes déjà à la retraite ? Ça m'étonne...

— Pourquoi, ça n'y paraît pas ?

— ... Non... et puis j'étais sûre que vous étiez encore en activité, et puis vous avez traversé la rue avec tant de vélocité.

— C'était une fuite en avant. Et d'ailleurs tout le monde a l'air plus jeune que son âge, c'est bien connu.

— Oui, on dit ça.

— Mais pourquoi la question de vos étudiants vous a-t-elle perturbée ?

— Parce que je venais de lire dans *Le Monde-Dimanche* l'interview du Pr. Changeux, où il disait que l'intelligence n'est pas un mot scientifique.

— Alors, en fin de compte, qu'avez-vous répondu à vos étudiants ?

— Je leur ai donné plusieurs réponses. Je leur ai d'abord dit que l'intelligence, c'est la faculté d'adaptation.

— On n'est pas beaucoup plus avancé. La notion d'adaptation est aussi vague que la notion d'intelligence.

— Oui, alors je leur ai proposé aussi la définition attribuée à Binet : l'intelligence, c'est ce que mesurent mes tests.

— Qu'est-ce qu'ils ont dit, vos étudiants ?

— Ils ont rigolé.

— Et ça s'est terminé là ?

— Non, je leur ai conseillé de vous lire.

— De me lire ? Mais quoi exactement.

— Votre manuel qui est vraiment excellent. Votre *Psychologie* est notre ouvrage de base, notre bible.

— Mais cet ouvrage n'est pas de moi ! Il est de Maurice Reuchlin...

— Ah ! vous n'êtes pas Maurice Reuchlin ?

— Non, je ne suis pas Maurice Reuchlin, pas du tout...

Nouveau choc pour cette pauvre dame. Elle me prie de l'excuser. Je lui dis qu'il n'y a pas de quoi. Elle reste comme pétrifiée à la station du 38 où nous sommes parvenus. Mon autobus arrive. Je ne sais plus si je lui ai dit mon nom en la quittant.

Non, ce n'était pas une blague. Au risque de me discréditer, j'ai bien abordé jadis le problème de la connerie. A peine abordé. A vrai dire, ce ne fut pas une recherche, mais une très courte enquête. Un coup de sonde plutôt, destiné à préciser mes intuitions, mes hypothèses.

C'était dans les années 50, à l'époque où je m'employais, avec toute mon équipe de l'hôpital Henri-Rousselle, à remettre en question la notion de débilité mentale et, secondairement, la notion d'intelligence. Il est d'ailleurs à souligner, à ce propos, que c'est le négatif ou l'aberrant qui capte l'attention du psychologue, comme celle de l'homme quelconque, bien plus que la norme comme si celle-ci ne faisait pas problème. Exemple premier : Binet s'est employé à définir l'idiotie, l'imbécillité, avant de s'interroger sur les états d'arriération légère, puis enfin de s'avouer qu'on ne savait rien de l'enfant normal, et que c'est lui qu'il fallait commencer par décrire d'âge en âge : d'où la construction de la fameuse Echelle métrique du développement mental. On comprend aisément que notre attention soit attirée par ce qui nous heurte : on voit les inadaptations, on leur consacre des articles et des livres, mais sans être capable de définir ce qu'est l'adaptation, on s'est préoccupé des maladies bien avant de poser le problème de la santé, et la mort est encore aujourd'hui un sujet de méditation, de supputation, beaucoup plus souvent que les mystères de la vie.

En m'intéressant à la connerie, je ne fais donc pas exception à la règle. C'est elle qui me frappe, avant même de savoir exactement ce qu'elle est, et en sachant encore moins ce qui pourrait être son contraire. Cependant la question m'est présente à l'esprit puisque j'affirme au départ que son contraire *n'est pas* l'intelligence logique ou celle qu'on mesure avec les tests habituels. En somme, c'est une autre dimension, une autre forme d'intelligence que je cherche.

Pour ce faire, j'ai utilisé la technique du témoignage. J'ai adressé à une centaine de personnes (psychiatres, médecins, psychologues du centre Sainte-Anne dont fait partie l'hôpital Henri-Rousselle où je travaillais) une liste d'environ 120 noms comprenant les 100 destinataires et, en plus, une vingtaine de personnalités du petit monde de la psychiatrie parisienne. Le travail demandé était simple : il s'agissait pour chaque répondant de cocher d'une croix le nom d'une personne qu'il considérait comme c... Dans mon questionnaire, le mot était évidemment écrit en toutes lettres et j'expliquais en quelques lignes le but très « scientifique » de mon enquête (détecter une forme d'inintelligence envisagée jadis par un psychiatre français, Chaslin, et que les travaux de Binet avaient rejetée dans l'ombre). J'assurais un total anonymat des répondants, et je prenais l'engagement de ne jamais publier le palmarès de ce concours.

La quasi-totalité des questionnaires me fut retournée avec des croix plus ou moins nombreuses.

Deux résultats sautaient aux yeux : d'abord une très jolie distribution des suffrages : une courbe en J. Quatre ou cinq noms étaient crédités de croix par plus de 85 % des votants. Puis il y avait un rapide dégradé.

Mais aussi cette constatation moins attendue : aucun nom, je dis bien aucun, n'était exempt de croix. En bref chacun de nous est le con de quelqu'un. Moi-même aussi, bien entendu, mais comme j'ai promis le top-secret, je ne donnerai pas mon score.

Faut-il imputer à une malveillance particulière du milieu psy de tels résultats et notamment le second ? Je ne le crois pas. De toute façon le consensus réuni sur quelques noms donnait à réfléchir. Il désignait à mon analyse les personnes arrivées en tête de liste et notamment le numéro un. Un brave homme sans doute, et un grand patron, mais dépourvu de tout sens de l'humour, très érudit en son domaine mais analphabète pour tout le reste, à la fois dogmatique et crédule, ne se trompant pas plus qu'un autre dans ses diagnostics mais incapable cependant de se mettre au point de vue d'autrui : blessant et humiliant sans s'en rendre compte.

Manque d'intelligence logique ? Je lui aurais donné volontiers un Q.I. de 120. Déficit d'intelligence sociale ? Certainement pas si cette forme d'intelligence s'évalue par l'aptitude à parvenir aux postes les plus élevés. Mais intelligence sociale cela peut signifier aussi la compréhension, l'ouverture à autrui, la sensibilité au *socius*, l' « intelligence des situations » : alors oui, de cela il manquait. C'était un homme à gaffes, des gaffes dont il n'avait même pas conscience[1].

Certes, des gaffes, des bêtises, il nous arrive à tous d'en faire et de le reconnaître. Mais il faudrait peut-être distinguer entre l'accident, même souvent répété, et l'essentiel. La connerie

---

1. Le clavier des synonymes sur lequel joue l'invective mériterait d'être analysé en contexte. Dans le genre bon aloi : sot, niais (niaiseux en québécois). Dans le genre bourru, et parfois affectueux : imbécile, idiot(e). Quant au vocable débile comme synonyme de con, il a fait d'abord son apparition (sans doute sous l'influence de la testologie) chez les psychiatres et psychologues, pour passer vers les années 60 ou 70 dans le vocabulaire des jeunes : « Ouais... c'est débile... c'est génial. »

qui coule de source est autre chose. Un con ne se doute pas
qu'il l'est[1]. Pour le savoir il lui faudrait se décentrer, se voir
avec les yeux d'autrui... Ce qui suppose alors qu'il ne le serait
pas. La connerie essentielle est comme la conscience, selon
Auguste Comte, incontournable. Suis-je pris moi-même au
piège de mon raisonnement ? Le suis-je sans le savoir ? Je veux
y échapper par mon référendum : c'est la majorité qui décèle,
qui décide, qui juge. Effet de rétroaction sociale : on est con
par le regard, par le jugement des autres.

Mon enquête s'est terminée là, il y a plus de trente ans, et
nous n'en savons pas plus aujourd'hui. Pas soutenu par mes
coéquipiers, j'ai dérivé en deux directions : une étude du
développement psychosocial chez l'enfant, et l'amorce d'une
recherche sur l'humour, au moyen de dessins humoristiques.

Sur cette dimension d'intelligence que je cherchais à découvrir à partir de la connerie, j'imaginais l'humour comme pôle
positif. Et les dessins que j'avais sélectionnés pour la mettre en
évidence faisaient intervenir (pour limiter mon champ d'investigation) une incongruité sociale. Notamment le thème de l'île,
très fréquent dans les dessins humoristiques. Le personnage
sur une île de quelques dizaines de mètres carrés s'habille et se
met à table, par exemple, comme s'il était en société. Ce n'est
pas drôle ? Il faut voir pour en rire. Et puis tout compte fait,
l'humour est aussi question d'humeur.

Ce travail, conduit avec Marie-Claude Hurtig, n'a jamais
été publié. Mais récemment une de mes élèves, Françoise
Bariaud, a repris la question avec une population d'enfants.
J'en parle, plus loin, en un autre chapitre, à propos d'un livre
qu'elle vient de publier.

Mais, en conlusion partielle, et parce que les mots tendent à
se définir mieux par leurs oppositions, je me risque à dire que
la connerie est à la débilité ce que l'humour est à l'intelligence.
Et du même coup, une double asymétrie apparaît : comme je

---

1. A une séance d'*Apostrophes*, Cavanna m'a apporté un démenti apparent.
« Je suis un pauvre con », a-t-il avoué. Mais en ajoutant aussitôt : « ce mot
change de sens avec l'épithète qui l'accompagne, un pauvre con et un sale con ce
n'est pas la même chose. »

l'ai déjà insinué, tout débile est con, mais non l'inverse. J'ajoute : on peut faire preuve d'intelligence sans avoir d'humour, mais l'humour implique l'intelligence, la logique, du fait qu'elle en est la dérision, la subversion. Enfin, c'est mon hypothèse...

Le texte qui m'a valu d'être interpellé dans la rue Gay-Lussac a été publié dans *Le Monde-Dimanche* du 31 octobre 1982.

Jean-Pierre Changeux qui a donné cette interview, n'est pas n'importe qui : un futur prix Nobel peut-être. Mais comme n'importe qui, il est capable de dire n'importe quoi lorsqu'il s'éloigne de chez lui, lorsqu'il quitte le territoire de ses propres compétences.

Qu'a-t-il déclaré qui a si fortement perturbé mon interlocutrice ? « S'il existe un terme à rayer du vocabulaire, c'est bien celui d'intelligence... »

Je suis d'accord, comme on peut le deviner par tout ce qui précède, avec ce rejet du mot intelligence.

Mais les raisons de Jean-Pierre Changeux n'ont rien à voir avec les miennes. On ne supprime, disait Auguste Comte déjà cité, que ce qu'on remplace.

Cet aphorisme est sans doute contestable. Mais en l'occurrence, je l'accepte.

Si je raye de mon vocabulaire le terme tout nu, tout cru, d'intelligence, c'est que, signifiant trop, il ne signifie rien. Il faut déchirer l'étiquette pour découvrir tous les objets qu'elle recouvre. Et depuis les débuts de ce siècle les découvertes sont nombreuses : l'intelligence globale ou mosaïque évaluée par l'échelle métrique de Binet, le facteur « général » mis en évidence par Spearman au moyen de l'analyse mathématique dite « équation tétrade », l'intelligence des situations décrite par Wallon, les structures d'adaptation sensori-motrices, opératoires, hypothético-déductives analysées par Piaget, la pensée divergente ou créativité, l'humour, l'intelligence rusée dont nous reparlerons tout à l'heure, etc. Sans parler de la mise en œuvre de ces « objets » par chacun de nous en sa vie quotidienne. Car il ne suffit pas de posséder telle « intelligence » et telle autre, il faut encore savoir s'en servir. Etre intelligent, c'est utiliser au bon moment et convenablement les moyens dont on dispose. C'est la « réalisation » qui compte, pour reprendre une notion et une hypothèse développées il y a quelques années par Reuchlin[1]. C'est aussi, comme Bianka Zazzo en a administré la preuve récemment, obtenir le meilleur rendement de ses fonctions cognitives par l'intervention de facteurs non cognitifs : capacités de mobilisation, de concentration, d'organisation, de contrôle[2].

Dans le champ de la psychologie, sinon dans l'esprit des gens, la notion d'intelligence a éclaté, s'est évanouie pour faire place à une multitude d' « objets » plus ou moins bien identifiés... et le travail d'exploration continue.

La négation de Changeux, avec qui j'en ai discuté il y a longtemps déjà, procède d'une tout autre attitude. Pour lui on ne pourra parler d'intelligence que le jour incertain où l'on connaîtra le jeu des neurones et des synapses qui fabriquent des « objets mentaux ».

Ses adversaires philosophes accusent Changeux d'être réductionniste : il réduirait l'esprit à la matière, le psychisme à la neuro-biologie. Je ne les suivrai pas en ce procès qu'ils lui font. De toute façon, l'épithète de réductionniste, Jean-Pierre Changeux la reçoit sans doute comme un compliment, et moi-même j'ai déclaré à maintes reprises que le psychisme n'existe pas, qu'il est un avatar laïc de l'âme.

Non, ma critique est d'un autre ordre et sans doute beaucoup plus grave. Je reproche à l'ami Changeux d'ignorer la diversité des plans d'analyse, des niveaux de réalité. D'une façon plus triviale, je m'étonne qu'il veuille définir un produit exclusivement par ses modes de production. Quand je vois une

---

1. « Formalisation et réalisation dans la pensée naturelle », *Journal de psychologie*, 4, 1973. pp. 389-407.
2. Cf. *Les 10 à 13 ans. Garçons et filles en* C.M. 2 *et en sixième*, Paris, P.U.F., 1982, et du même auteur : « Les conduites adaptatives en milieu scolaire : intérêt de la comparaison entre les garçons et les filles », in *Enfance*, n° 4, 1982, pp. 267-282.

voiture sortir de la chaîne de montage, je n'ai pas besoin de connaître les moyens et les étapes de sa fabrication pour l'identifier. Je la reconnais par sa forme, je la caractérise par son profil, par sa puissance, par sa vitesse de pointe, par le carburant qui lui convient le mieux, par sa consommation aux 100 kilomètres...

Il faut se méfier des images, je sais, mais celle-ci me convient dans un premier temps pour parler de ces objets qu'on appelle intelligence et d'une façon plus générale (reprenant une expression chère à Changeux) de tous les « objets mentaux ».

Car Changeux, en effet, admet bien l'existence d'objets mentaux. Alors je lui dis : le travail des psychologues consiste à observer, à décrire, à analyser ces objets mentaux qui se révèlent à nous par des comportements, des conduites, des attitudes et, s'il s'agit d'activités motrices et cognitives, par des rendements, par des performances, tout comme les voitures dont je parlais tout à l'heure.

Toutes les manifestations, invoquées ou provoquées, de ces objets, les psychologues les soumettent à des traitements statistiques ou mathématiques ou logiques : de ces traitements se dégagent des unités fonctionnelles, des modes d'organisation ou structures, la mise au jour de facteurs qui interviennent dans le développement, le fonctionnement et la cohérence de ces objets. Ce sont là les tâches de la recherche fondamentale : découvrir ces « objets mentaux » jusqu'alors invisibles au cœur des comportements aux apparences indéchiffrables et au-delà des pièges du vocabulaire habituel.

Une fois ces objets identifiés, plus ou moins nettement, le psychologue s'en sert comme modèles pour construire des grilles, des réactifs, des tests qui lui permettront d'en déceler l'existence, d'en estimer le degré de présence chez tout individu. Ainsi je veux évaluer la force du facteur G avec des épreuves de type Spearman, je peux mesurer le niveau de développement d'un enfant avec l'échelle de Binet. On s'en étonne ? On s'en gausse ? A ceux qui prétendent que cette mesure est impossible du seul fait que je ne saurais pas ce que je mesure, je réponds ceci : admettez-vous que les capacités mentales d'un enfant de 6 ans par exemple sont supérieures, en moyenne, à celles d'un enfant de 5 ans, et inférieures, en moyenne, à celles d'un enfant de 7 ans ? Vous l'admettez ! Alors il s'agissait pour le psychologue, Binet en l'occurrence, d'observer attentivement une population d'enfants, d'inventorier minutieusement ce qu'ils pouvaient et savaient faire, d'imaginer des épreuves propres à mettre en évidence leurs capacités, de constater le progrès de ces capacités d'âge en âge. Ainsi, je saurai qu'avec l'échelle telle que Binet l'a construite, l'enfant de 5 ans obtient *en moyenne* tant de points, que l'enfant de 7 ans en obtient 5 de plus, etc. Cette échelle, cette toise étant construite, je peux calculer le niveau de tout enfant, à trois mois près. Vous savez confusément ce qu'est, du point de vue mental, un enfant de 6 ans. Le test me permet de le savoir objectivement et d'utiliser l'échelle d'âge pour évaluer à quelle distance, en plus ou en moins, tel enfant s'écarte de la moyenne de son âge.

Les étudiants de mon interlocutrice de la rue Gay-Lussac ont ri quand elle leur a dit, selon une formule attribuée à Binet : « L'intelligence, c'est ce que mesure mon test. » La formule est risible, effectivement, parce qu'elle apparaît comme une définition circulaire : je définis l'intelligence par le test, et le test par l'intelligence. En fait sous son apparence débile, la démarche de Binet fut un coup de génie : c'est elle qui a brisé le cercle des sempiternelles méditations sur l'intelligence où le philosophe retrouvait à l'arrivée, en une définition bien léchée, ce qu'il pensait déjà plus ou moins clairement au départ. Avec Binet, les choses se sont passées tout autrement : son test n'est pas sorti tout armé de sa tête, comme Athéna du cerveau de Zeus. Des idées *a priori* sur l'intelligence il en avait, certes, comme tout le monde. Mais sur le terrain, en observant les enfants d'âges successifs, en enregistrant leurs façons d'agir, de raisonner juste ou de se tromper, en se mettant à l'écoute, très humblement, c'est tout le contraire d'un enfermement sur lui-même qu'il a accompli. Grâce aux articles qu'il a publiés, comme un journal de bord, dans l'*Année psychologique,* on peut suivre à la trace son cheminement. C'est entre 1904 et 1908 que la démarche s'est accomplie qui devait aboutir pour la première fois à une définition sérieuse d'une *certaine* forme d'intelligence. En 1904, il n'a certes pas l'esprit et les mains vides. Il aborde les enfants avec quelques épreuves, un bric-à-brac de questions, que lui dictent à la fois ses idées préconçues et l'expérience qu'il a acquise en observant en père de famille ses propres filles. Pour subir l'épreuve de la réalité il faut bien avoir des idées. Des faits qui frapperaient dans le vide ne seraient pas perçus. Le principal rôle des idées est d'opposer une résistance aux faits, pour en éprouver la force, et d'y céder progressivement pour engendrer de nouvelles idées plus conformes à la réalité.

Ce sont donc les enfants d'une école de Belleville qui ont dicté à Binet, avec et contre lui, son fameux test. Ce sont eux qui, transformant eux-mêmes plus ou moins les questions initiales, lui ont dit : voilà comment s'opère notre développement mental[1]. Pure description sans doute, et bien incomplète. Mais c'était un premier pas, décisif. Il restait, il reste encore du pain sur la planche : savoir comment fonctionne cet « objet mental » et en découvrir d'autres. Description, mais aussi *mesure,* ce qui apparaît encore aujourd'hui à beaucoup comme un scandale ou une ineptie : l'esprit, le psychisme, qualités pures, « cela ne se mesure pas ». Ceux qui opposent ainsi la qualité à la quantité et, selon un bel aphorisme dégradé en rengaine, l'esprit de finesse à l'esprit de géométrie, ces esprits fins, ces « bêle-âmes » ne sont rien plus que des arriérés : ils en sont encore au stade de la pensée magique, avec ses nombres aux pouvoirs occultes, ou bien tout simplement à leurs petits calculs du cycle élémentaire.

Ils n'ont pas appris, ou pas compris, que « la quantité est toujours la quantification d'une certaine qualité[2] ». Que les

1. J'ai tenté de raconter cette aventure de Binet dans le premier chapitre de la *Nouvelle Echelle métrique de l'intelligence* (Paris, A. Colin, 1re édition, 1966) et notamment dans un commentaire intitulé : « Instrument et réalité : la dialectique de l'expérience », pp. 25-29.
2. La formule est de Paul Guillaume, au chapitre « Le repérage et la mesure » (p. 315) de son *Introduction à la psychologie* (Vrin, 1942). Par la simplicité du style et sa rigueur didactique, ce livre me paraît être encore,

procédures de quantification varient selon la qualité à évaluer, qu'elles ne se réduisent pas aux seules règles de l'arithmétique. Que pour certaines qualités, deux fois deux ne font pas quatre. Et pourtant, dès le début du siècle, Binet expliquait et illustrait cette vérité à propos du développement mental. Le premier, il eut l'idée de mesurer « l'intelligence » sur l'échelle du temps, c'est-à-dire avec les âges comme unités. Cette métrique est simple et déconcertante : deux fois cinq ans, cela ne fait pas dix ans. Cette évidence devrait ébranler les évidences de l'arithmétique ou, tout au moins, donner à réfléchir.

Ces invectives ne s'adressent certes pas à J.-P. Changeux. Il n'est pas un bêle-âme, et ne prétend pas l'être. Mais, pour l'essentiel, mon propos le concerne et c'est à son intention principalement que je l'ai développé. Pour lui comme pour mes philodoxes attardés, l'intelligence est insaisissable [1]. Pour eux parce que la mariée est trop belle. Pour lui, parce qu'elle n'existe pas, du moins à la place où je prétends l'épouser.

Et il nous laisse espérer, sans se faire beaucoup d'illusions sans doute, qu'un jour on la rencontrera dans la mécanique cérébrale, à travers trente milliards de neurones et leurs connexions. Ce rêve n'est pas insensé, et les psychologues n'ont pas attendu les succès de la neurobiologie et la vogue des neurosciences pour s'en bercer. J'ai parlé tout à l'heure de Spearman, de sa découverte du facteur G (et d'autres facteurs cognitifs de moindre notoriété). Il ne peut s'empêcher de s'interroger sur la nature essentielle de ce qui est mesuré par G. Et le rêve physiologisant commence. Le facteur G, dit-il, est probablement quelque chose d'analogue à une énergie. « Mais toute énergie doit nécessairement être utilisée par des

---

quarante ans après sa publication, comme la meilleure présentation de la psychologie en tant que science. Le lecteur, soucieux de technique, peut se reporter à deux ouvrages plus récents : *Les Problèmes de la mesure en psychologie* (collectif), P.U.F., Paris, 1962, et Reuchlin (M.), *Les Méthodes quantitatives en psychologie*, P.U.F., Paris, 1962.

1. J'aime cette terminologie des dialogues socratiques qui oppose l'amant des dogmes, le philodoxe, à l'amant de la sagesse, le philosophe.

machines dans lesquelles elle puisse entrer en jeu ; les machines sont visiblement fournies par le système nerveux, dans la mesure où ses fonctions sont localisées. » Ce texte date de 1932... [1]

Spearman présente cette conclusion comme une hypothèse à valeur heuristique au plan de la recherche psychologique. Elle me paraît avant tout répondre à un besoin d'explication régressive. Le facteur G explique au plan psychologique ce qu'il y a d'universel à tous les fonctionnements cognitifs. Mais la tentation est forte d'aller plus loin, de changer de niveau, d'expliquer l'explication.

Et je retourne à Jean-Pierre Changeux. Pour lui, pas de plan spécifiquement psychique, semble-t-il : les « objets mentaux » sont des graphes, des assemblées de neurones interconnectés. Admettons. Mais pourquoi ne pas aller plus loin, plus profond encore : en deçà des neurones, il y a l'univers des chromosomes et des gènes qui orientent les divisions cellulaires, en deçà des gènes il y a l'univers de la physique, de la mécanique quantique, avec ses atomes, ses électrons, etc.

Pas de barrière entre le neural et le mental, affirme J.-P. Changeux. Dirait-il de la même façon qu'il n'y en a pas entre la mécanique cérébrale et la mécanique quantique ? C'est une question-test pour savoir ce qu'il entend par barrière, et si sa négation concerne exclusivement, partialement, ce qu'il appelle « le mental ». Selon moi aussi, il n'y a pas de barrières, mais filiation, et paliers successifs d'intégration. Mais allez savoir dans quelle mesure ces paliers sont créés par notre regard, par nos capacités humaines d'analyse ou s'ils existent dans la nature des choses.

Quoi qu'il en soit, après cette plongée, je reviens à la surface, à ce palier où j'observe comportements et conduites. Et sur ce palier, entre autres « objets », je sais identifier une dizaine d' « intelligences » au moins, dont chacune est définie par sa fonction, son fonctionnement et par ses œuvres [2]. Je n'ai

---

1. Spearman (Ch.), *Les Aptitudes de l'homme. Leur nature et leur mesure* (trad. fr., Publ. du *Travail Humain,* Paris, 1936).
2. A propos, j'aimerais savoir ce que pense Changeux de « l'intelligence artificielle ». Ne fournit-elle pas *une* définition de l'intelligence humaine puisqu'elle en est la création ?

pas à attendre les neurobiologistes pour savoir, là-dessus, à quoi m'en tenir, mais toutes les explications qu'ils pourraient un jour m'apporter seront les bienvenues. Ce que j'attends, par contre, c'est la découverte de nouveaux objets dont les psychologues ne se sont pas encore beaucoup préoccupés. Il est à souligner que la plupart des objets identifiés (le test de Binet est une exception remarquable) relèvent d'une façon ou d'une autre de la logique, du raisonnement : c'est sans doute que la tendance naturelle des psychologues était d'aborder logiquement ce qu'on appelle l'intelligence. Leurs épreuves, leurs réactifs, étant d'ordre logique, ils ont logiquement suscité des manifestations logiques. La mise en modèles de ces objets, leur formalisation, était d'autant plus aisée qu'ils étaient homogènes à la logique des psychologues qui les avaient cernés. Une objectivation en quelque sorte, par effet de miroir : la prise de conscience de la logique par elle-même. Et comme depuis longtemps on avait affirmé, comme le récitait mon interlocutrice à ses étudiants, que l'intelligence signifiait adaptation avec son double mouvement d'accommodation et d'assimilation au réel, on en a conclu (voir Piaget notamment) que le raisonnement, que la logique est le processus d'adaptation par excellence.

C'est ce que Reuchlin, dans son article déjà cité, a récusé. S'il fallait suivre les longs chemins du raisonnement chaque fois que nous avons à réagir en vitesse, nous y risquerions notre vie.

Quand j'ai traversé la rue Gay-Lussac, en regardant les voitures qui arrivaient à ma droite, et en anticipant le passage du feu vert au feu rouge, j'ai mobilisé mes habitudes, mes intuitions perceptives, mes réflexes et pas du tout mes capacités de raisonnement : si j'avais entrepris un calcul qui fasse intervenir la distance de la voiture et sa vitesse, la largeur de la rue et ma propre vitesse à la traverser, je serais resté sur le bord du trottoir ou retrouvé au milieu de la chaussée en piteux état. Sauf rares exceptions, le raisonnement n'est pas adaptation.

Déjà en abordant la créativité ou pensée divergente, en analysant les ressorts de l'humour, en nous interrogeant sur la

connerie, nous larguons plus ou moins les amarres de la
logique. Mais si la connerie, comme le prétend Romain Gary
par la bouche de M. *Cohn,* est la plus grande puissance
spirituelle de tous les temps, si elle est partout présente,
pourquoi ne pas l'englober en une approche plus vaste de nos
conduites réelles ? Ce que Reuchlin évoque, me semble-t-il,
quand il parle d'intelligence de réalisation, et que je désigne-
rais plus humblement, en attendant de savoir comment ça
fonctionne, comme *intelligence quotidienne.*

Mais par quel bout la prendre ? Une réponse m'a été fournie
dans un ouvrage de Jean-Pierre Vernant et Marcel Detienne,
publié voici quelques années : par les conduites de ruse. Voilà
donc un autre objet, nouveau pour la psychologie, mais aussi
vieux que le monde : l'intelligence rusée, avec sa déesse
jusqu'alors ignorée de moi, Mètis[1].

Bon, il y a des ruses, des astuces petites et grandes,
malveillantes et bienveillantes, des coups de bluff et des coups
fourrés. Je ne vais pas reprendre les longues analyses de
Vernant et de son collègue. Donnons un échantillon, tout
simplement : les ruses d'Ulysse, bien entendu, mais aussi
celles du chasseur qui doit apprendre, *adopter* la « psychologie » de son gibier, et celles du pêcheur, et celles du politicien
qui, lui aussi, doit savoir préparer ses pièges, ses filets, ses
hameçons, celles du commerçant et de la pub. Les astuces de
l'enfant, en ses pleurs et ses rires, et qui sait de si bonne heure
diviser pour régner. Les astuces de l'amoureux et de l'amou-
reuse. Mais pourquoi continuer : on n'en finirait pas. Les
chemins du cœur comme les voies royales de la raison sont
agrémentés de pièges à cons, de miroirs aux alouettes.
L'étonnant est que les psychologues qui se disent scientifiques,
ne s'y soient pas jusqu'alors intéressés, au moins directement.

J'ai frôlé moi-même le sujet en cette même période des
années 50 où je m'interrogeais sur la connerie, sur l'humour,
et bien avant que je connusse l'existence de Mètis.

1. *Les Ruses de l'intelligence. La Mètis des Grecs,* Paris, Flammarion, 1974.

Avec un ami prénommé Gérard, et quelques autres camarades du P.C., j'avais entrepris de soumettre à une analyse serrée les astuces polémiques et rhétoriques de la presse « bourgeoise ». Mais en bons scientifiques qui savent qu'un « groupe témoin » est nécessaire, nous entreprîmes de soumettre à la même épreuve la presse du Parti et notamment *L'Humanité.* On devine les résultats. Etait-ce connerie d'offrir à la section idéologique du Parti les fruits de notre travail ? Nous voulions nous rendre utiles, prouver que la psychologie pouvait apporter sa contribution à la bonne cause. On nous fit savoir très sèchement que le Parti n'avait rien à apprendre de nous sur la façon de dire ce qu'il avait à dire.

Pour le mentir vrai, poètes et romanciers lui étaient sans doute plus utiles que de trop naïfs psychologues.

Vingt ans sont passés. Entre-temps, j'ai fait la connaissance de Mètis. L'étrange déesse m'a aidé à mieux cerner ce que je pressentais. J'en ai parlé autour de moi. Et voilà qu'en mon séminaire deux jeunes collègues se sont portés volontaires pour aller à sa recherche. Ce que je n'avais jamais obtenu, hors des sentiers battus, avec la connerie, j'allais peut-être y parvenir avec le thème plus respectable de l'intelligence quotidienne et de la ruse.

Mais pour savoir où nous en sommes, et pour comprendre peut-être la dérive tout à fait inattendue d'un des deux collègues séduits par Mètis, il faut d'abord dire qui elle était et ce qu'elle est devenue.

C'est Hésiode qui nous la présente dans sa *Théogonie,* et j'en parlerai d'après ce que nous en rapportent Vernant et Detienne. En résumant à l'extrême.

Il y eut trois générations de dieux. Aux origines, si lointaines qu'elles sont hors du temps, un couple : Ouranos et Gaïa ; puis, sous leur perpétuelle étreinte, leurs enfants qui pullulent asphyxiés. C'est alors qu'apparaît Mètis. Elle incite Gaïa à la révolte, à la libération de la femme. Il faut rompre avec cette sujétion, cette copulation sans fin, il faut émanciper les enfants. Elle donne à Gaïa je ne sais quel instrument tranchant, et Gaïa le passe à l'un de ses fils. Celui-ci n'hésite pas une seconde (le temps d'ailleurs ne comptant pas encore).

Il coupe le lien, si j'ose dire. Le père, émasculé, saute au plafond. C'est encore une façon de parler puisque l'espace n'existe pas non plus. Mais la séparation va créer un espace de vie. Ouranos, tout là-haut, c'est le Ciel, et Gaïa, en bas, la Terre. Du même coup le Temps, le règne du Temps va commencer. Le fils rebelle, en effet, a nom Chronos.

Chronos s'unit à Rhéa : c'est le début de la seconde génération. Mais l'expérience de la ruse a engendré la méfiance : Chronos dévore ses enfants au fur et à mesure qu'ils naissent. Mètis intervient de nouveau. On ne peut pas recommencer la même opération : Chronos est sur ses gardes et d'ailleurs il n'y a pas d'enfant pour perpétrer le crime. Alors Mètis imagine une autre ruse. Il faut d'abord sauver un enfant, le soustraire à la dévoration de son père, le mettre à l'abri dans une île lointaine. Seconde tromperie de femme : Rhéa donne à son époux une pierre enveloppée de langes, et qu'il avalera goulûment en croyant que c'est encore un nouveau-né.

Cependant l'enfant grandit en son île de Crète. Et ce qui devait arriver, selon le projet de Mètis, arriva. Le fils de Chronos déclenche contre son père une guerre titanesque. Chronos est vaincu. Qu'en faire ? La seule mort possible des dieux, c'est l'oubli, l'opprobre de l'exil. On ne peut pas expédier Chronos au ciel : c'est déjà occupé. On l'enverra donc sous terre, enchaîné. Ainsi le Temps, imprévisible et imprévoyant, a perdu son pouvoir sur les dieux et sur les hommes.

Pour l'éternité et contre le temps commence le règne de son fils, Zeus. Pour l'éternité ? Zeus sait à quoi s'en tenir sur la chiennerie des femmes et d'abord sur les astuces dont cette garce de Mètis est capable.

Afin de s'assurer la pérennité du pouvoir, il lui faut former un gouvernement crédible, convenablement hiérarchisé, totalement soumis à son pouvoir : ce sera le Panthéon. Mais aussi et d'abord il lui faut ne rien laisser au hasard. Un monde sans hasard aux yeux du dieu suprême ? Pour cela un ordre immuable, des vérités immuables, c'est-à-dire la Logique intemporelle, absolue. Ce qui suppose que Mètis ne fasse plus des siennes. Comment s'en débarrasser ? Zeus va jouer de la

ruse contre la Ruse. Il en fait sa concubine. Elle est déjà grosse
de lui. Alors, flattant sa vanité il lui demande, comme elle est
le démon des apparences et des métamorphoses, d'illustrer ses
talents : Par amour pour lui, elle se fait biche, oiseau... Il la
prie de se transformer en petite galette. Aussitôt dit, aussitôt
fait : et il l'avale.

Et la puissance de ruse est, depuis ce jour-là, enfouie au fin
fond de la raison, dans le ventre du dieu de lumière. Et la fille
que Mètis portait en son sein, c'est Zeus lui-même qui va
l'enfanter. Athéna, la vierge de bronze éblouissant, sortira de
son front. Enfantement masculin qui dit la perfection d'une
ère nouvelle. Et par bonheur, une fille : le danger est écarté
d'avoir un fils plus puissant que lui et capable de le détrôner.
L'ordre règne désormais sur l'Olympe et, malgré les apparences, sur le Monde.

Nouveau règne, miracle grec ? Dans les temps très anciens
l'intelligence rusée était valeur première. La sagesse de
Socrate, telle que ses disciples nous l'ont transmise, s'affirme
au contraire à la période classique comme la quête des vérités
incorruptibles. Zeus règne-t-il encore sur nous ? Le mythe de
Mètis engloutie par Zeus me fait penser à Piaget, à ses petites
boulettes de glaise qui, en dépit de leurs transformations, sont
déclarées invariantes par l'enfant de 6-7 ans, c'est-à-dire à
l'âge de raison. Piaget serait-il le dernier en date des jupité-
riens ? L'affectivité, les pouvoirs obscurs de l'inconscient, il ne
les nie pas. Dans sa jeunesse, avant de devenir le Piaget que
nous connaissons, il a flirté avec la psychanalyse. Mais c'est la
logique, en sa genèse, dont il sera le théoricien, et le chantre.

Si Piaget n'est plus, on parle plus que jamais cependant des
fonctions cognitives : le cognitivisme est dans le vent, en
contre-vent d'ailleurs, en contrepartie de courants obscurs qui
gagnent tout aussi bien la physique que la psychologie.

Qu'annoncent ces vents contraires, ces turbulences ? Et
quand j'encourage mes élèves à s'interroger sur l'humour ou

sur l'intelligence de tous les jours, ou sur la ruse, n'est-ce point pour Mètis que je roule ?

Pourtant un incident récent m'inquiète au point que je me demande « qui roule qui » lorsqu'on veut dénicher Mètis.

J'ai dit tout à l'heure que deux jeunes psychologues s'étaient engagés sous ma direction à la recherche de l'intelligence rusée en vue d'une thèse d'Etat.

L'un d'eux se prénomme Bruno. A le nommer à moitié, il n'y a pas d'indiscrétion puisqu'il s'est placé lui-même sur le pavois de l'actualité. En effet, il s'est porté candidat, pour les élections municipales de Lille, contre notre premier ministre, Pierre Mauroy. Rien que cela. Dois-je être fier de mon poulain en dépit de ma préférence politique pour Mauroy ? Dois-je en conclure que pour une fois la psychologie mène à quelque chose ? Que Bruno a su tirer de ses analyses des conclusions d'ordre pratique ? Ou dois-je m'en mordre les doigts ? En tout cas, et indépendamment du résultat de ces élections, Bruno commence à mordre les siens. Au cours de la campagne électorale, sa maison a été incendiée, des tracts anonymes l'ont traîné dans la boue, tracts dont on sait aujourd'hui qu'ils sont l'œuvre d'un de ses colistiers...

Tout s'est passé comme si Mètis avait mis à l'amende l'universitaire indiscret : on ne joue pas impunément avec elle aux apprentis sorciers. Bruno n'est pas Zeus, ni même encore Jacques Chirac. Sans doute va-t-il s'aguerrir en guerroyant. Mais je crains en effet que notre ami ne revienne jamais, après une telle expérience, à son projet de thèse.

Quant à l'autre collègue, je n'en dirai rien, ni son nom ni même l'université où il travaille. Je ne veux pas que ses collègues et les politiciens du coin se méfient de lui.

Perros-Guirec, mars 1983.

2.

A propos de ces enfants que vous dites exceptionnels

(Congrès de Québec, novembre 1980)

Longtemps séparés, au-delà des amertumes et des nostalgies, au-delà des faux souvenirs et des oublis, nous sommes devenus différents, chacun évoluant sur son continent, selon sa propre histoire, selon ses propres combats.

Nous sommes devenus différents, mais nos racines communes demeurent, et voilà que petit à petit nous nous retrouvons.

Nous nous retrouvons non pas dans un pèlerinage larmoyant vers le passé, mais dans le présent, en quête de l'avenir.

Pour travailler ensemble sur les problèmes d'aujourd'hui, pour poser et penser ces problèmes dans la langue que nous partageons, et donc avec la sensibilité et l'esprit propres à cette langue.

Qu'on me comprenne bien : je ne veux pas faire de chauvinisme linguistique, je n'ai aucune tendance à l'impérialisme francophone.

Et, comme scientifique, je parle aussi une langue qui n'a pas de frontières, j'ai tout un bagage de notions et de mots qui me sont communs avec les scientifiques du monde entier. Et avec ce bagage, avec ce langage, je communique avec eux alors que je ne pourrais pas d'emblée communiquer avec des non-spécialistes.

Est-ce à dire qu'il y a en moi une double nature, l'homme scientifique et l'homme quotidien, deux hommes s'ignorant l'un l'autre : celui qui pense et qui parle dans sa langue maternelle, celui qui vit dans l'univers apatride de la science ?

Langue savante et langage quotidien

La question est importante. Elle ne concerne pas *essentiellement* ma propre personne. Elle nous interroge sur la séparation entre la pensée scientifique et la pensée quotidienne, entre notre langue de tous les jours et le langage secret des savants, entre la science et le grand public.

Mon avantage, c'est de vivre en moi cette menace de divorce, cette prétendue séparation et que je peux la dénoncer, la dissiper en essayant de vous dire ce qu'est vraiment le travail scientifique, notamment en psychologie. C'est de démystifier l'image de la science. Non pas en la dévalorisant, en cultivant un scepticisme qui redevient à la mode. Tout au contraire. Mais en la faisant descendre d'un Olympe imaginaire pour vous montrer ses cheminements réels dans le monde réel.

Et pour bien marquer tout de suite, sans aucun suspens, le sens de ma démonstration, je dirai ceci :

Tout ce qui est sur terre, même le plus sublime, le plus aérien, le plus spirituel, vient de la terre, de même toute pensée scientifique, même la plus abstraite, a comme point de départ la pensée de tous les jours. Point de départ et, à plus ou moins longue échéance, point de retour.

Il ne s'agit pas en effet d'une filiation linéaire avec illumination progressive du plus concret au plus abstrait, du plus naïf au plus sophistiqué.

Il arrive que la science renverse, dans un bruit de scandale, les évidences les plus solides : c'est la Terre qui tourne autour du Soleil et non le Soleil autour de la Terre ; les espèces animales n'ont pas été créées une fois pour toutes en quelques jours comme le dit la Genèse, mais par une lente évolution qui a duré des millénaires. Des exemples empruntés à la psychologie : jusqu'à l'âge de 8-9 ans, l'enfant affirme qu'une boulette de glaise n'a plus le même poids et le même volume lorsqu'on la transforme en galette ou en boudin ; la sexualité n'émerge pas avec la puberté, elle travaille déjà sous des formes archaïques le corps du nourrisson.

La plupart des découvertes scientifiques n'ont pas, notamment en psychologie, ce caractère abrupt et révolutionnaire qui frappe les esprits, et sont faciles à comprendre, sinon à accepter parce qu'elles sont comme le négatif d'une idée familière. Les novations de la science sont en général plus menues, imperceptibles au grand public, même si elles préparent, comme par un sourd travail de termites, l'effondrement ou du moins la modification d'idées anciennes.

Mais de toute façon, chez les scientifiques, une circulation secrète subsiste, de complicité ou de conflit, entre les idées anciennes et les idées nouvelles. Celles-ci restent souvent, et pendant longtemps, polluées, infiltrées par celles-là. Il y a même des idées prétendues neuves qui ne sont que le camouflage ou la forme pédante de vieilles lunes. Par exemple, en psychologie, l'idée d'une spontanéité créatrice de l'enfant, spontanéité qui lui serait un don de nature, indépendant du milieu dans lequel il vit.

Enfin, plus ou moins rapidement, plus ou moins profondément, les données de la science transforment la pensée quotidienne. En psychologie de l'enfant, le bon sens d'aujourd'hui n'est plus ce qu'il était au début du siècle.

Ce qui ne veut pas dire que l'assimilation de la science psychologique par le grand public ou par les praticiens se fasse toujours de façon correcte, satisfaisante.

Les mécomptes de cette assimilation tiennent tout autant, je crois, à ceux qui donnent et à ceux qui reçoivent, aux profanes et aux scientifiques.

Parce que la tâche est ardue ou parce qu'ils se complaisent à cultiver un jargon qui assure leur prestige, les scientifiques traduisent rarement en termes clairs ce qu'ils apportent, et d'autre part ils n'ont pas toujours la lucidité ou l'honnêteté qui consisterait à dire : ceci est une idée solide, un fait parfaitement vérifié, cela n'est encore qu'une hypothèse, mais une hypothèse qui s'accorde à mon esprit ou à mon cœur.

Alors comment les profanes pourraient-ils distinguer entre ce qui est certain et ce qui ne l'est pas ? Comment ne seraient-ils pas fascinés dans tout ce qu'on leur donne, par ce qui se présente avec le plus d'éclat, même si c'est l'éclat de la pacotille, le brillant éphémère d'une idée à la mode.

Mais tous ces mécomptes et malentendus ne tiennent pas à la seule responsabilité des scientifiques. Pour toute idée neuve, quelles que soient sa solidité et sa simplicité, l'assimilation par le grand public est presque toujours une assimilation *déformante*.

C'est quasi inévitable, au moins dans un premier temps, et pas seulement d'ailleurs pour le grand public.

Physiquement, comme psychologiquement, comme étymologiquement, *assimiler* c'est rendre semblable.

Assimiler une nourriture, c'est transformer cette nourriture en notre propre substance, *assimiler* des immigrants, c'est les rendre semblables au reste de la communauté, *assimiler* une idée neuve, c'est la déformer plus ou moins pour l'incorporer à nos idées anciennes.

Mais par une sorte de choc en retour, si l'assimilation déforme ce qui est étrange ou nouveau, elle ébranle en même temps l'ancien état de choses, elle déclenche notre transformation.

Tout est alors question de temps, de persévérance, d'éducation.

Et il y a là un principe pédagogique à retenir : les enfants sont capables de recevoir facilement certaines nouveautés de la pensée parce que pour eux tout est neuf ou plus exactement parce que, contrairement à nous, ils n'ont rien à oublier.

Quant aux adultes, la bonne façon de les préparer à recevoir les données de la science, ce n'est pas de leur présenter ces données toutes faites, bien empaquetées dans des formules plus ou moins magiques, c'est de leur dire comment, en vérité, la science se fait, se construit. L'esprit scientifique c'est cela et je crois que n'importe qui peut le comprendre.

Je n'oublie pas que notre congrès est consacré à l'enfance exceptionnelle et que j'ai été invité comme spécialiste de l'arriération mentale.

D'arriération mentale, je parlerai.

Mais ce que j'ai à vous dire, dans un discours que je ne veux pas technique, s'inscrira comme un ultime exemple de ce qu'est la démarche scientifique en psychologie.

Le chercheur est chasseur avant d'être comptable

Cette démarche je veux tenter de l'expliquer en vous parlant d'expériences que j'ai vécues dans la plupart de mes recherches consacrées tout aussi bien à l'enfance normale qu'à l'enfance exceptionnelle, et cela pendant plus de quarante ans, tout aussi bien sur le terrain qu'en laboratoire. L'expérience de mon *combat avec les mots*, l'expérience de mes *hypothèses que les faits ne vérifiaient pas*, l'expérience de mes *découvertes inattendues*.

Et ces expériences ne me sont pas particulières. Elles sont le pain quotidien de la plupart des chercheurs.

D'abord le combat avec les mots, le problème du vocabulaire. Sans doute est-on obligé de créer parfois des mots nouveaux, des termes techniques, pour désigner des réalités, des concepts qui ne correspondent exactement à rien de connu jusqu'alors. Ainsi quand je parle d'hétérochronie à propos de la débilité mentale ou de cryptophasie pour désigner le jargon secret des jumeaux.

Ces mots sont sans grande ambition, malgré l'allure savante que leur donne le grec. Ils sont un moyen commode de désigner des faits d'observation, et il est facile de les expliquer à tout lecteur, même profane. D'emblée, ce sont des termes techniques, d'autant plus stricts qu'ils n'évoquent rien dans ma langue quotidienne.

Il en va tout autrement quand je parle par exemple de la mémoire, de l'affectivité, de l'instinct, de l'apprentissage, de l'hérédité, de l'amour, de l'intelligence.

Ces mots familiers sont lourds de nos expériences communes et personnelles. Ces mots sont porteurs de notre psychologie quotidienne, un art de penser, de vivre, de communier avec autrui qui remonte aux premiers temps de notre enfance. Cette psychologie-là précède donc de loin la science psychologique, elle la précède dans l'histoire et en chacun de nous.

Chacun de nous, fût-il spécialiste, est psychologue avant d'être un psychologue.

En fait, c'est à partir de cette psychologie première avec ces mots de tous les jours que la psychologie scientifique a posé ses maîtres problèmes. Et c'est là que la bataille commence. Ces mots de tous les jours sont en même temps une source vive et une tare originelle, une inspiration et un piège. Il faut écouter ce qu'ils disent, mais il ne faut pas les laisser parler, les laisser penser à notre place.

Ils sont fluctuants, approximatifs et infidèles, ces mots, leur sens varie à notre insu pour s'adapter aux mille circonstances de la vie, c'est leur fonction, mais en conséquence ils sont lourds de malentendus et de préjugés. Chacun d'eux est une nébuleuse.

Francis Bacon, au XVIIe siècle, à l'aurore de la science moderne, disait déjà que les mots étaient les idoles du forum, et que ces idoles il fallait les briser.

Et le philosophe d'aujourd'hui, Gaston Bachelard, déclare dans sa *Psychanalyse du feu :* le verbe, qui est fait pour chanter et séduire, rencontre rarement la réalité des êtres et des choses. Il dit encore : « A l'égard des mots, la science doit adopter une vigilance malveillante, elle doit ironiser. »

D'ailleurs, avec ou sans ironie, on se rend vite compte que les mots échappent à toute définition précise, univoque. On le verra tout à l'heure à propos de la débilité et de l'intelligence.

Mais n'est-il pas déjà inquiétant par exemple que le terme d'affectivité n'existe pas en anglais ni en allemand, que le mot de stress n'a pas d'équivalent en français ? Que l'expression pourtant éloquente d'intelligence sociale ne soit pas entendue de la même façon par les Yankees et par les Français : pour ceux-ci elle est intelligence des relations à autrui, pour ceux-là elle signifie compétence et réussite sociale, efficacité.

Dans son travail qui consiste à découvrir l'être humain tel qu'il est, le psychologue est donc amené à remettre en question les notions communes en fonction des faits : alors les mots originels vont subir eux-mêmes la question, les uns disparaîtront comme le mot instinct par exemple, les autres éclateront en multiples éclats : c'est le cas de l'intelligence.

La patience et le hasard

Il ne faut pourtant pas croire que le psychologue passe son temps à ironiser sur les mots. Cette ironie est chez lui une attitude permanente, et non pas une tâche ponctuelle ; elle accomplit une révolution tranquille et discrète, et non pas des découvertes brutales. Les découvertes brutales appartiennent à un autre registre, à une autre forme de la vigilance.

Je voudrais en parler parce qu'elles sont ignorées je crois du grand public, et parce qu'elles jettent un éclairage inattendu sur la vie et l'activité du chercheur.

J'en donnerai deux exemples personnels.

Le premier est relatif à la psychologie du nourrisson. Je suis alors un jeune père de famille, déjà psychologue. Je tiens entre mes bras, entre mes mains, mon jeune fils alors âgé de 3 semaines. Je lui souris et je m'amuse à lui tirer la langue. Et voilà que mon fils réagit en me tirant la langue lui aussi. Je m'arrête et il s'arrête. Je recommence et il m'imite à nouveau. C'est pour moi un choc. Non pas bien sûr que j'interprète la conduite de mon fils comme une insolence. Mais parce que cette conduite n'est pas de son âge ! Je sais, j'ai appris, que l'imitation n'est pas possible avant 2 ou 3 mois. Alors comment interpréter cette performance ? Je consulte trois de mes maîtres. Le premier me fait remarquer qu'à l'âge de 3 semaines les voies nerveuses ne sont pas encore suffisamment mûres pour que cette conduite de perception et d'imitation soit possible. Le second invoque, contre mon observation, les fameux stades de l'intelligence sensori-motrice du nourrisson. Le troisième pousse de grands soupirs et me dit que cette observation contredit les siennes. Tous trois insinuent avec courtoisie que mon fils ne m'a pas imité mais que c'est moi qui ai imité mon fils.

Par prudence, je n'ai pas publié immédiatement mon observation. Pendant des mois et des mois j'ai tiré la langue, ou fait tirer la langue par mes collaboratrices à des dizaines d'enfants et j'ai constaté alors que la performance en question était possible dès l'âge de 8 ou 10 jours. Et il y a cinq ou six ans des psychologues américains ont redécouvert ce phénomène d'imitation précoce, sans savoir d'ailleurs que je l'avais observé déjà en 1947. Un phénomène qui, s'ajoutant à d'autres, modifie profondément l'idée qu'on avait naguère de la psychologie du nourrisson.

Deuxième exemple : avec le même enfant, deux ans plus tard. Je passe avec lui devant un grand miroir mural. Et je constate qu'à la vue de son image, il rougit et détourne la tête. J'en déduis qu'il s'est reconnu pour la première fois, d'autant que pour la première fois, placé devant ce miroir, il va dire son nom.

Nouvel étonnement, mais mêlé d'inquiétude. Avec l'imitation de la langue, il était alors trop précoce. Avec cette réaction devant le miroir, il devient suspect de débilité. En effet, il a déjà 2 ans et 3 mois, alors que c'est vers l'âge de 9 mois qu'un enfant *doit* se reconnaître : c'est Darwin qui l'a dit voilà près d'un siècle et tous les psychologues l'ont répété après lui.

Cette observation faite par hasard fut le point de départ, vingt-cinq ans plus tard, de recherches systématiques sur plusieurs centaines d'enfants : et j'ai montré alors, et pour quelles raisons, mon fils avait raison contre Darwin [1].

On pourrait, en cherchant bien, dans tous les domaines de la science, multiplier les exemples à l'infini.

Tout proche de nous c'est René Spitz, le fameux psychologue, qui dans les années 40 a constaté, *par hasard,* que les enfants de quelques mois souffraient de la perte de la mère jusqu'à en mourir, que le nourrisson n'était pas seulement un nourrisson, un petit être végétatif ; qu'il n'avait pas seulement besoin de lait ; qu'il avait tout autant besoin d'une figure maternelle, de sa chaleur, de sa tendresse.

Et plus loin de nous, plus loin en tous les sens du terme, Newton et sa pomme. Newton, voyant tomber une pomme à ses pieds, aurait eu l'idée de la loi d'attraction universelle. La

---

1. En fait, l'erreur n'est pas imputable à Darwin, mais à tous ceux qui ont rapporté ses propos sans l'avoir lu ou en le lisant mal.

terre attire la pomme et la loi d'attraction terrestre il l'étend jusqu'à la Lune, puis au Soleil et aux planètes et tout cela, dit la légende, dans une illumination soudaine. Pourquoi pas ?

C'est l'*eurêka !* d'Archimède qui, plongé dans sa baignoire, découvre subitement la loi de la pesanteur spécifique des corps ; *Eurêka !* « j'ai trouvé ! » le cri de joie de celui qui trouve sans chercher ; au moment où il ne s'y attendait pas.

On peut conclure de cela que paradoxalement la découverte peut se produire hors de toute recherche, et même parfois hors de toute interrogation. Plus exactement d'ailleurs qu'elle peut être au départ de la recherche, non à son terme. Car la découverte, qu'elle soit relative au tirage de langue ou à la chute d'une pomme, ne deviendra vraiment une vérité scientifique qu'après un difficile travail de *vérification* et d'*explication*. Un fait non vérifié, non expliqué, reste en attente, au plan de l'anecdote.

J'ai parlé de hasard. Oui, en un sens, mais c'est un hasard qui n'est pas donné à n'importe qui, c'est un hasard qui suppose presque toujours la capacité d'étonnement, la capacité de voir des choses banales avec des yeux neufs.

Combien d'hommes, depuis Eve et Adam, ont vu tomber des pommes sans s'en étonner, en se disant tout simplement que la pomme tombe parce qu'elle est lourde.

Si la réaction de mon fils m'a perturbé c'est que je ne l'attendais pas. C'est qu'elle était en contradiction avec mes idées reçues, avec les théories habituelles. Un père ou une mère non psychologues ne se seraient étonnés de rien. L'étonnement suppose un savoir antérieur et la capacité de rejeter ce savoir.

Combat avec et contre les mots familiers, combat avec et contre les savoirs solidement établis. Rien ne serait possible sans ces mots et sans ces savoirs. Nous ne partons jamais de zéro. Nous ne sommes jamais naïfs et innocents. Mais il faut être capables de retourner ces mots et ces savoirs contre eux-mêmes. Et pour cela les qualités fondamentales du chercheur, c'est l'ironie, comme le dit Bachelard, la curiosité sans cesse aux aguets, et la capacité de s'étonner non pas pour rien, mais pour un rien.

C'est dire que les combats dont je parle ne sont pas prémédités, qu'ils ne procèdent pas d'un plan préalable. Je ne sais pas d'avance leur lieu et leur objet. Je ne dis pas : je vais combattre ce mot, cette notion, ce savoir. Et d'autant moins que ces idoles, si idoles il y a, font partie de moi-même. Tout simplement je suis disponible pour les dénoncer, pour m'en débarrasser. La découverte, par définition, ne se programme pas.

Il ne faudrait pas croire, pourtant, que le chercheur doive attendre bouche bée que les cailles lui tombent toutes rôties du ciel par la seule grâce de l'étonnement. On enseigne dans nos universités que tout chercheur doit établir des plans de recherche avec, en bonne succession, des questions clairement formulées, des hypothèses solidement argumentées, et des dispositifs expérimentaux propres à éprouver ces hypothèses.

C'est exact. Et pas seulement pour les recherches de laboratoire dont je vais vous parler. Mais pour les recherches sur le terrain, pour les expériences et projets dont il sera question en ce congrès. Il faut un plan préalable. Il faut des questions formalisées. C'est absolument nécessaire. Il ne faut pas, au départ, s'employer à démontrer ce que l'on désire. *Il ne faut pas vouloir prouver, mais éprouver,* mettre en cause ce que l'on désire. Et pour cela des précautions sont à prendre, des contre-hypothèses.

Mais ce qu'on ne dit pas, et ce que les chercheurs n'avouent pas toujours eux-mêmes, c'est que le déroulement des choses se passe rarement comme prévu.

Sauf si la recherche consiste seulement à préciser un point de détail, à fignoler une analyse, dans un champ déjà bien délimité, bien balisé.

Si, au contraire, le chercheur se lance dans un domaine encore mal connu, mal défriché, il a toutes les chances de s'engager sur de fausses pistes. Il doit s'y attendre en toute sérénité.

Et l'on comprend aisément pourquoi : les pistes, c'est-à-dire ses hypothèses, sont fausses parce que les questions auxquelles ces hypothèses prétendent répondre étaient de mauvaises questions, fausses elles-mêmes ou mal formulées.

Et il est difficile qu'il en soit autrement dans ces recherches-explorations parce que les questions qu'on se pose au départ dépendent plus ou moins fortement de nos notions habituelles, de nos savoirs antérieurs, de notre prétendu bon sens.

Par exemple, en toutes les recherches que j'ai poursuivies depuis 1972 sur la façon dont l'enfant se reconnaît dans le miroir, toutes mes hypothèses ont été démenties, toutes plus ou moins sans exception.

Faut-il dire que j'ai fait contre mauvaise fortune bon cœur ? Non, car c'est une bonne fortune de se tromper ainsi.

Je m'explique :

En constatant que mes pistes étaient des impasses, j'ai été conduit à modifier mes questions, et du même coup mes idées de départ. C'est une nouvelle illustration de ce que je disais tout à l'heure : pour découvrir, pour faire du neuf, il faut se débarrasser de l'ancien.

Et le neuf n'est connu comme tel que par contraste avec l'ancien. C'est la dialectique de toute découverte véritable.

D'ailleurs avec les exemples que je viens de vous donner vous saisissez bien comment cette dialectique opère.

Ce n'est pas une idée qui s'oppose à une idée. C'est un fait qui s'oppose à une idée ancienne et qui va obliger le chercheur à construire une idée nouvelle. Puisque un fait d'observation, ce que j'appelle un constat, ne devient un fait scientifique, je l'ai déjà dit, que lorsqu'il s'élabore en idée, c'est-à-dire lorsqu'il nous devient intelligible dans un système de relations.

Le plan de recherche est donc bouleversé, remanié en cours d'exploration. Mais il était nécessaire, absolument nécessaire. Les faux pas, les fausses pistes, devaient être repérés et en même temps nos idées fausses, pour que s'ouvrent les chemins de la découverte.

Ce type de recherche est alors une aventure que j'aime

comparer à la chasse du dieu Pan. Le chercheur s'enfonce dans la forêt, il ne sait pas trop ce qu'il va y trouver. Mais bientôt, à son approche, c'est l'effervescence de tout ce qui vit dans la forêt, c'est la panique des gibiers inconnus, des troupeaux sauvages, des nymphes.

Cette image de chasse est encore de Francis Bacon que j'ai déjà cité.

Nous n'avons pas la prétention de nous identifier complètement au dieu Pan, mais nous sommes les élèves de Francis Bacon, l'iconoclaste, le briseur d'idoles.

La notion de débilité mentale : comment s'en débarrasser

Il se fait tard et je n'ai encore rien dit de l'enfance que vous appelez ici exceptionnelle[1], je n'ai rien dit de nos travaux consacrés à la débilité mentale.

Je n'en ai rien dit de particulier. Mais dans ma tentative de démystifier ce qu'est la recherche scientifique, en essayant de vous faire goûter à ce qu'est le pain quotidien du chercheur, j'ai caractérisé du même coup comment nos collaborateurs et moi nous avons abordé le terrain plein d'embûches de la débilité et des débiles mentaux.

Ce terrain est cependant différent, d'un certain point de vue, de ceux auxquels j'ai déjà fait allusion et qui concernaient l'enfant ordinaire.

Lorsqu'on s'emploie à décrire, à expliquer la croissance de l'enfant normal, la genèse de l'homme, on ne se préoccupe guère ou pas du tout d'applications pratiques. Si le chercheur est préoccupé d'applications, il restreint le champ de ses problèmes, s'il s'occupe de problèmes qui lui paraissent urgents à résoudre, il risque des solutions hâtives, factices ; il est l'avocat d'une cause, pas un chercheur.

Le chercheur fondamentaliste ne doit pas être un homme pressé. Ce qui ne veut pas dire que la recherche fondamentale soit stérile. Bien au contraire. Elle est féconde à plus ou moins

1. « Exceptionnel », au Québec et dans les pays anglo-saxons.

longue échéance en nous faisant pénétrer les secrets de la nature humaine.

Mais lorsqu'on s'occupe d'êtres en difficulté, d'enfants exceptionnels, alors les problèmes d'application se posent, du moins à moyen terme.

Les problèmes d'application sont d'ailleurs, en notre domaine, de divers ordres : thérapie, éducation, diagnostic.

Je ne dirai rien ou presque, ce soir, sur la thérapie et sur l'éducation.

En revanche, il apparaîtra clairement, j'espère, comment *la recherche fondamentale* en matière d'arriération est solidaire, très étroitement solidaire, des questions de diagnostic. Et ces questions de diagnostic orientent plus ou moins directement les praticiens, médecins et instituteurs, vers des applications d'ordre institutionnel, éducatif et thérapeutique.

Voilà donc la particularité de ce champ d'étude.

Pour le reste, c'est la même histoire que je vous ai longuement racontée.

D'abord des ruptures avec nos habitudes, avec nos certitudes. Des ruptures, des étonnements.

Des étonnements parfois désagréables, parfois agréables.

Il est probable que l'histoire de la petite Josiane fut pour moi un des chocs, et le plus extraordinaire, qui ont remis en cause la notion de débilité.

C'était en 1945 ou 1946. Josiane était une petite fille de 12 ans qui avait passé toute sa vie d'écolière dans une classe de perfectionnement. Pour tous ses maîtres, et pour ses parents, pour son entourage, elle était une débile incontestablement. Incontestablement, elle ne savait ni lire ni écrire, à l'âge de 12 ans.

Selon notre habitude, nous lui avons fait passer le test de Binet-Simon pour évaluer avec précision son niveau de développement mental. Or cette petite débile de 12 ans a atteint à ce test un niveau mental de 14 ans. Soit *grosso modo* un Q.I. de 120.

Tout au long de ma carrière, je n'ai jamais rencontré un tel phénomène. Mais un cas, et un seul, que je voyais de mes propres yeux, suffisait à remettre en question une foule de notions, à me bombarder d'une rafale de questions.

Comment, avec une telle intelligence, Josiane n'était-elle pas parvenue à lire. Et qu'est-ce que l'intelligence en fin de compte ? Est-ce mon test qui avait raison ou les parents ? Et qu'est-ce que cela veut dire : être débile ? Peut-on être débile avec un Q.I. de 120 ?

Avant de vous donner réponse à ces questions, je voudrais rester encore quelques instants avec Josiane. J'ai essayé de comprendre la nature de l'obstacle qui l'empêchait de lire et j'ai trouvé qu'elle était incapable d'organiser des sériations (mettre en série des couleurs, des bâtonnets de longueurs différentes) malgré des capacités logiques excellentes, qu'elle était incapable d'organiser (haut-bas, droite-gauche) la surface d'une feuille de papier. C'était là un cas très pur et très particulier de dyslexie. La dyslexie avait créé l'illusion de débilité.

Les petites épreuves que nous avons imaginées avec J. de Ajuriaguerera pour analyser son déficit, je les ai utilisées ensuite comme moyens d'éducation, comme exerciseurs. Entraînement systématique de sériations de plus en plus difficiles, exercices pour l'organisation spatiale de la feuille de papier [1].

Un an plus tard, elle avait sauté l'obstacle, elle savait lire couramment... et en moins de 2 ans elle a rattrapé son retard scolaire.

Nous l'avons aidée à résoudre ses problèmes. Ce n'est pas pour autant que nous avions réglé les nôtres. Mais c'est elle qui nous a forcés à les poser.

Histoire banale dans les va-et-vient de la recherche et surtout à l'hôpital : un cas singulier nous propulse dans une recherche fondamentale de longue haleine et, si la recherche

---

1. Le cas Josiane fut à l'origine de tout un travail d'équipe qui devait aboutir en 1951 à un numéro spécial de la revue *Enfance* et surtout au *Manuel pour l'examen psychologique de l'enfant* (1960).

aboutit, elle fait retour par ses applications à des cas singuliers.

Ce qu'il y a d'original, de paradoxal dans le cas de Josiane, c'est qu'un enfant non débile nous ait embarqués vers une recherche sur la débilité. Et cette recherche a duré plus de dix ans et elle a mobilisé à temps partiel une dizaine de chercheurs. Je vous ferai grâce de tous les incidents de parcours.

Je vous dirai seulement nos conclusions majeures :

La notion de débilité a littéralement éclaté. Et dans le même temps la notion d'intelligence elle-même a perdu pour moi son apparente simplicité. Je ne parle plus de *l'intelligence* mais, au pluriel, d'intelligences.

La notion de débilité a éclaté, et c'est un bel exemple du combat avec les mots. Un combat que nous ne sommes pas seuls à avoir mené. En Europe, en Amérique, de nombreux chercheurs ont travaillé dans la même direction que nous, et sont parvenus *grosso modo* aux mêmes conclusions. Et il est banal aujourd'hui parmi les spécialistes de reconnaître que la débilité n'est pas une. Mais il y a vingt-cinq ans la plupart des psychologues croyaient encore dur comme fer à la débilité une et simple, corsetée dans les bornes immuables 50 et 70 du quotient intellectuel, et le grand public à l'heure actuelle y croit encore.

Et puis il y a par-ci par-là, quelques illuminés ignares et quelques charlatans qui s'emploient à faire croire que la débilité sous quelque forme que ce soit n'existe pas, qu'elle n'est qu'une apparence, qu'il s'agit en fait d'une obnubilation provoquée par des facteurs d'ordre affectif, notamment par une mauvaise relation de la mère avec son enfant. Cette attitude relève de bons sentiments, elle cultive de fausses espérances, elle peut aboutir à des conséquences catastrophiques.

Et pourtant il est facile d'admettre la vraisemblance de cette hypothèse : le développement de l'intelligence peut être freiné, retardé, perturbé *par toutes sortes de causes*.

On peut alors formuler une seconde hypothèse : *à causes différentes de l'arriération, tableaux psychologiques différents*. Et je ne parle même pas ici, ce qui est trop évident, de la relation entre la gravité des causes et la profondeur de l'arriération. Je considère des enfants dont le niveau mental est le même, dont le Q.I. est identique, mais dont le retard provient de causes différentes. Eu égard à la nature de ces causes je peux prévoir, sans grand risque de me tromper, qu'à déficit intellectuel égal, le profil psychologique de ces enfants ne sera pas le même.

Et s'il en est bien ainsi, c'est la notion de débilité mentale qui éclate. Ou plus exactement il faut distinguer entre la *débilité* mentale relative exclusivement au secteur intellectuel du développement, et les *débiles mentaux* (que vous désignez aussi comme enfants exceptionnels) en la globalité de leur psychisme. L'erreur tenace, aux conséquences désastreuses au plan des interventions pédagogiques et thérapeutiques, est de confondre les deux notions, de réduire le débile mental à la seule mesure de son retard cognitif. Ce qui n'a pas seulement comme résultat au plan notionnel, de mettre tous les débiles mentaux dans le même sac, d'ignorer leur diversité psychologique, mais aussi d'assimiler purement et simplement *le* débile mental à un enfant plus jeune, l'enfant de même niveau intellectuel qui sert de référence.

Cette erreur illustre à la perfection l'illusion des mots, renforcée ici par la caution d'un chiffre. On dit, par exemple, niveau mental de 7 ans pour 10 ans d'âge réel, et tout est dit. Mais ce ne sont pas seulement les psychologues, les testologues, les pédagogues, les rééducateurs qui vivent dans l'illusion. Dans une revue de question encore inédite, notre collègue et ami Serban Ionescu constate que les travaux consacrés à la psychologie et à la psychophysiologie des débiles mentaux ne mentionnent pas, à deux exceptions près (Clausen et Karrer), l'étiologie des déficients qu'ils étudient. Comme s'ils l'avaient ignorée, comme s'ils ne s'étaient pas posé la question. Ce qui est un comble pour des gens qui travaillent au niveau des processus et déterminants physiologiques. Or les deux seuls auteurs qui s'en sont préoccupés nous montrent bien qu'avec des déterminants différents les réalités psychophysiologiques sont différentes.

Cependant, en ce qui nous concerne, il fallait non seulement éprouver nos hypothèses générales de diversité, mais découvrir aussi du même coup comment s'exprime cette diversité. Quelles diversités psychologiques correspondent à la pluralité des causes, des étiologies ?

Voici comment nous avons procédé :

Nous avons examiné plusieurs centaines d'enfants d'âge scolaire dont les Q.I. se situaient dans la zone 50 à 70 environ. Pour les enfants âgés de 10 ans par exemple, le niveau mental était de 5 ans pour les plus retardés, de 7 ans pour les moins retardés.

Chacun des enfants était examiné à une dizaine d'épreuves : motricité, attention, lecture, calcul, développement psychosocial, logique, affectivité, etc. Ainsi pour chacun d'eux, on obtenait un tableau, un profil psychologique.

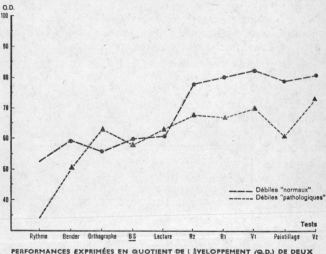

PERFORMANCES EXPRIMÉES EN QUOTIENT DE DÉVELOPPEMENT (Q.D.) DE DEUX GROUPES DE DÉBILES D'ÉTIOLOGIE DIFFÉRENTE (VALEURS MÉDIANES)

Parallèlement, nous avons recueilli toutes les informations utiles sur leur situation actuelle et sur leur passé : antécédents personnels et médicaux, accidents de santé, milieu familial et socioculturel. On obtient ainsi pour chaque enfant une sorte

de *carte d'identité* biologique et sociale, fondée sur l'anamnèse.

Puis nous avons mis en rapport les informations fournies sur
ces cartes d'identité avec les informations fournies par les
tests.

On voit alors se dégager deux catégories majeures d'arriération et plusieurs catégories moins importantes ou non clairement identifiées.

Tout d'abord la catégorie que je désignerai par la lettre A.
Du point de vue des antécédents, elle se définit par des
atteintes du système nerveux central, conséquences de maladies ou d'accouchements précoces : rubéole de la mère
pendant la grossesse, asphyxie prolongée du bébé à la
naissance, etc.

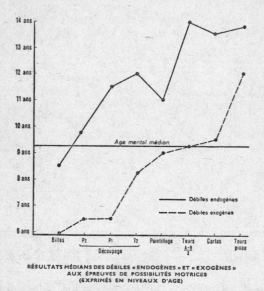

RÉSULTATS MÉDIANS DES DÉBILES « ENDOGÈNES » ET « EXOGÈNES »
AUX ÉPREUVES DE POSSIBILITÉS MOTRICES
(EXPRIMÉS EN NIVEAUX D'AGE)

La catégorie B. Aucune maladie, aucun accident relevé
dans l'anamnèse, et non plus aucun trouble moteur ou
sensoriel associé à l'arriération. En revanche, très souvent,

d'autres cas d'arriération dans la famille proche, parents, frères et sœurs, cousins. On peut alors supposer qu'il s'agit là d'une pauvreté mentale due à la pauvreté du patrimoine héréditaire. Ce n'est pas une maladie, ce n'est pas de la pathologie. C'est pourquoi on parle en ce cas de débilité *normale* (c'est-à-dire qui s'inscrit dans la distribution normale des performances intellectuelles) alors que la catégorie A est qualifiée aujourd'hui par la plupart des auteurs comme débilité *pathologique* (ou *exogène,* alors que A est *endogène*).

La catégorie A (étiologie présumée lésionnelle) et la catégorie B (étiologie héréditaire, qu'on dit encore « familiale ») présentent chacune des tableaux ou profils psychologiques typiques (*cf.* schémas ci-joints) très différents l'un de l'autre. De sorte que lorsqu'un enfant arriéré, dont on ne connaît rien des antécédents familiaux et personnels, obtient un profil semblable à A, nous considérons comme probable que l'origine du déficit est d'ordre lésionnel, et s'il obtient un profil B, nous sommes enclins à conclure que le déficit est héréditaire, endogène.

Mais pour 20 % environ des arriérés, l'anamnèse ne fournit aucune information qui permette de les classer dans les catégories étiologiques A et B. Si le profil, cependant, est identique à A ou à B, nous faisons l'hypothèse que l'information obtenue par l'anamnèse n'est pas valable, qu'elle est incomplète, et comme pour les enfants dont nous n'avons pas l'anamnèse, nous concluons en fonction de ce tableau : A ou B.

Cependant, pour la plupart de ces 20 %, le profil ne s'apparente ni à A ni à B. De quoi s'agit-il ?

La réponse est claire pour certains cas. Il s'agit d'une arriération due à une aberration de gènes ou d'un chromosome. L'exemple le mieux connu est celui des mongoliens, que les spécialistes désignent comme trisomiques 21 depuis la découverte par les biologistes français Lejeune, Gautier et Turpin, en 1959, du mécanisme responsable de l'anomalie. Trisomique parce que au lieu des deux exemplaires d'un certain chromosome, ce qui est la formule normale lors de la fusion de l'apport maternel et de l'apport paternel, on en compte trois. Vingt et un parce que l'anomalie concerne le chromosome désigné par le chiffre 21, selon le classement de 1 à 22 des chromosomes non sexuels (de l'espèce humaine) par ordre de grandeur décroissante.

Cette découverte d'ordre scientifique, de 1959, rendue possible par une découverte technique permettant d'isoler, d'identifier les chromosomes et d'analyser leur morphologie a marqué le début d'une ère nouvelle en matière de génétique normale et pathologique. On connaît aujourd'hui d'autres trisomies, notamment celles qui affectent le chromosome 13 et le chromosome 18, et d'autres formes d'aberrations. Certaines d'entre elles peuvent être mortelles. Pour d'autres on a trouvé le remède : c'est le cas de certaines anomalies de gènes pour lesquelles on a mis en évidence que leur action sur le développement cérébral s'exerçait par un dysfonctionnement du métabolisme. Par exemple, l'oligophrénie phénylpéruvique, maladie qui se développe au cours de la première année, et qui s'accompagne d'arriération, fréquemment sévère. Un régime alimentaire permet une croissance normale, tant mentale que physique, à condition qu'il ait été institué avant toute atteinte cérébrale. Le dépistage de cette anomalie par le test de Guthrie (examen des urines du nouveau-né ou de quelques gouttes de sang) est actuellement systématique. On n'en est pas encore là pour les déviations chromosomiques, le mongolisme notamment, dont la fréquence est relativement élevée. 7 % environ des arriérés mentaux (qui eux-mêmes représentent 2,5 % de la population générale) sont des mongoliens. En d'autres termes : sur 600 nouveau-nés, on compte un mongolien[1].

Ces aberrations, nous pouvons les réunir sous la catégorie C, mais c'est seulement une façon de les distinguer, globale-

1. Pour plus de précisions sur les aberrations chromosomiques, géniques et métaboliques, responsables de diverses formes d'arriération mentale, et d'une façon plus générale sur nos connaissances actuelles en matière d'étiologie, on lira dans la 3ᵉ édition de notre ouvrage collectif *Les Débilités mentales* (Paris, A. Colin, 1979) le chapitre « Etiologie de la débilité mentale », rédigé par Matty Chiva et Yvette Rutschmann (pp. 87-148) avec une bibliographie d'environ 200 références.

ment, des deux types précédents d'étiologie. En fait, c'est une extrême diversité d'étiologies et de syndromes qui sont ainsi regroupés et, pour le plus fréquent d'entre eux, la trisomie 21, nous n'avons pas de profil typique qui soit comparable à ceux que nous avons établis pour A et B. Notre équipe n'a pas eu les moyens de constituer une population assez nombreuse de mongoliens, et on peut d'ailleurs se demander si la batterie d'épreuves que nous avons créée avec comme cibles principales les A et les B serait pertinente, suffisamment riche en indices de motricité et d'émotionnalité, pour mettre en évidence les éventuelles spécificités de ce type d'arriération.

Si j'ai consacré à ces aberrations plus de temps qu'il n'en fallait pour en signaler l'existence, c'est que je voulais en prendre prétexte pour dissiper une illusion relative à la notion d'hérédité.

Une fois apparue, une aberration peut se transmettre à la descendance. La mère mongolienne par exemple, transmet à ses enfants la trisomie 21. Mais quand l'aberration apparaît pour la première fois, elle est un accident de la division cellulaire : les parents ne la possèdent pas dans leur patrimoine génétique. L'aberration appartient en propre à l'enfant : elle marque bien et en toutes les cellules de son corps sa formule chromosomique mais il ne l'a pas héritée. C'est un fait génotypique, mais non d'hérédité.

Or, dans les débats, passionnés et confus, confus parce que passionnés, sur le rôle de l'hérédité dans l'inégalité des intelligences, j'ai noté plus d'une fois que les auteurs hostiles par principe à l'existence d'un tel rôle, lui faisaient cependant une toute petite place sous le couvert des aberrations : « Je ne nie pas absolument, disent-ils, le facteur d'hérédité, mais il intervient très rarement : ce sont les cas d'aberration... » C'est comme une concession, mais qui ne concède rien puisque l'hérédité générale dont on discute est tout autre chose. Nos auteurs se donnent un ton de tolérance, doublé d'un brevet de compétence ès génétique qui peut impressionner le profane. Mais ils trichent avec les mots.

Ce sont en général les mêmes qui s'insurgent lorsqu'on parle de dommage cérébral minimal. Nous constatons bien un tableau psychologique semblable à celui que produit d'habitude une lésion cérébrale (type A) mais l'examen neurologique ne révèle rien. Parler d'un dommage cérébral minimal, c'est-à-dire *invisible,* disent-ils, est un non-sens.

On pourrait respecter ce décret comme dicté par une attitude de prudence, fût-elle excessive à nos yeux. Après tout ce sont des médecins qui parlent ainsi et on comprendrait que les critères neurologiques priment pour eux nos critères psychologiques.

Mais leur ton n'est pas celui de la prudence, du doute méthodique. Ils sont cassants, sûrs de leur vérité qu'ils sortent immédiatement de leur manche : l'affectivité selon le credo de la psychanalyse ou d'un existentialisme dans le vent : si cet enfant apparaît comme un débile, c'est que son intelligence est entravée, obnubilée par un complexe mal résolu, une relation mal établie avec la mère, une incertitude de filiation avec le père, un vécu malheureux... Pourquoi pas ? Mais alors on revient au plan psychologique, qu'on semblait refuser tout à l'heure, et quant à l'objection de non-visibilité des causes, elle se dévoile pour ce qu'elle est : l'argument d'un mauvais procès. Œdipe est-il plus visible qu'une discrète injure cérébrale ? Dans un cas comme dans l'autre, la cause ne saute pas aux yeux, sauf à chausser des lunettes magiques. Alors on la postule, ou bien si l'on est honnête, on s'emploie à la rechercher, tout prêt à reconnaître qu'on a fait fausse route dans le cas où l'on ne trouve rien.

Nous sommes ainsi conduits à parler de la catégorie D, les arriérations d'origine affective. Si je refuse d'en faire une cause universelle ou le fourre-tout de nos ignorances, j'en admets l'existence comme hautement probable. Reste à savoir quels en sont les signes et, si possible, comment elles s'installent.

J'ai dit : origine affective. Et ce mot d'*origine* vaut d'être souligné. Il s'agit bien d'arriérations dont le déterminant, la cause première, est un accident d'ordre affectif. Si j'insiste sur ce point qui peut paraître évident, c'est que dès l'instant où l'on décèle un trouble affectif, on a tendance à en faire une cause originelle, alors qu'il peut tout aussi bien être la conséquence de la situation d'arriération. Et comme cette situation d'arriération peut toujours s'accompagner d'une perturbation émotionnelle, ou la produire, on peut toujours dire que toute arriération est affectogène. On prend un effet pour la cause. Le tour est joué : on se sert de l'affectivité comme d'une baguette de magicien. Plus d'hérédité, plus d'injure cérébrale, plus de débilités « vraies » mais seulement des « pseudo ».

L'existence des arriérations affectogènes est cependant hautement probable. René Spitz nous en a donné une preuve assez solide il y a déjà une quarantaine d'années lorsqu'il observa, tout à fait par hasard, chez des bébés hospitalisés, les dégâts physiques et mentaux provoqués selon toute vraisemblance par leur séparation d'avec leur mère [1]. Ce qu'on désigne, de façon d'ailleurs trop restrictive, comme « syndrome d'hospitalisme ». Trop restrictive parce que la perte de la mère par le nourrisson peut survenir en bien d'autres circonstances qu'une hospitalisation.

Mais cette question de terminologie est secondaire. La découverte sensationnelle de Spitz valait d'être approfondie et précisée sur deux points essentiels : les dommages subis par l'enfant en sa première année étaient-ils réparables et dans quelles conditions ? l'enfant marqué par cette séparation resterait-il débile toute sa vie ? mais d'abord et surtout la perte de la mère entraîne-t-elle ce blocage, ce freinage du développement chez *tous les enfants ?* S'il n'en est pas ainsi, alors une étude comparative entre les enfants qui pâtissent de cette séparation et les enfants qui n'en pâtissent pas ou peu nous permettrait d'analyser finement les conditions et processus en jeu et d'intervenir au bénéfice des enfants à haut risque avec une plus grande efficacité.

Lorsque René Spitz vint à Paris après la guerre et que, sur l'initiative de Robert Debré, directeur de l'hôpital des Enfants malades, nous constituâmes un groupe de travail avec Bowlby,

---

1. Pour l'historique des recherches déclenchées par les observations de Spitz, voir le premier chapitre de *L'Attachement* (R. Zazzo et al. ; 2ᵉ édit., Delachaux et Niestlé, 1979).

Ainsworth et Roudinesco, je posai mes deux questions en insistant sur la première : le syndrome apparaît-il chez tous les nourrissons privés de leur mère ?

René Spitz me répondit que la question n'était pas absurde, mais que son intérêt était purement spéculatif. De toute façon, la réponse exigerait de longues recherches, sur de vastes populations, or il fallait aller au plus urgent.

Le plus urgent était de prendre des mesures contre l'hospitalisme, c'est-à-dire de maintenir pour les nourrissons hospitalisés le lien avec la mère. Et Robert Debré, convaincu par Spitz, donna l'exemple, au grand scandale de l'ordre des médecins, au grand effroi de la population parisienne alertée par les journaux : l'hôpital des Enfants malades fonctionna toutes portes ouvertes, ce qui signifiait que les services de contagieux cessèrent d'être des lieux d'isolement. Les mères purent aller au chevet de leurs petits, les nourrir et les caresser. Et Paris ne connut pas la catastrophe d'une épidémie. Et les méfaits de l'hospitalisation s'estompèrent.

Je ne pouvais que m'en réjouir mais la question posée à Spitz restait entière. C'est quinze ans, puis trente ans plus tard, que j'obtins des éléments de réponse grâce aux travaux de deux de mes élèves, devenus mes collègues à l'université : Michel Hurtig et Nathalie Loutre. Leurs démarches furent rétrospectives, mais cependant très différentes l'une de l'autre.

Parlons d'abord du travail de Michel Hurtig[1]. Son objectif général est d'étudier la capacité des écoliers à bénéficier des explications qu'on leur fournit pour la solution d'épreuves d'intelligence (Matrices 47 de Raven), en faisant l'hypothèse que la « perfectibilité » ainsi mise en évidence est une meilleure évaluation du potentiel intellectuel que la performance obtenue en première passation, avant toute explication. Dans un premier temps, Michel Hurtig compare à des écoliers « normaux » des débiles mentaux (endogènes) de même âge mental que ceux-là. Les débiles mentaux (préado-

---

1. Etude expérimentale des possibilités d'apprentissages intellectuels d'enfants débiles et d'enfants normaux, *Enfance*, 1960, pp. 371-383.

lescents) ne bénéficient presque pas des explications, alors que les enfants normaux améliorent très nettement leurs performances. Dans un second temps, et c'est cela qui nous intéresse ici, Michel Hurtig soumet au même « traitement explicatif » des enfants de l'Assistance publique, séparés de leurs parents, qui ont vécu jusque-là « dans un milieu social et affectif d'une extrême pauvreté ». Ils sont débiles selon les tests classiques (Q.I. maximum de 70) et du même âge que les écoliers constituant les groupes témoins (7 ans et demi et 8 ans et demi). Or, contrairement aux débiles endogènes, ces enfants carencés progressent d'une séance d'explication à l'autre, autant et même plus que les enfants normaux (Voir graphique ci-dessous). Cette recherche, souvent citée, n'a pas été approfondie par son auteur, ni reprise par personne. Elle est cependant d'un intérêt considérable pour le diagnostic des origines de l'arriération, mais aussi pour l'étude fondamentale des déterminants sociaux et affectifs de l'intelligence.

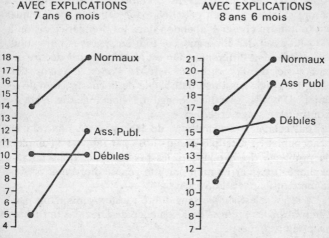

AVEC EXPLICATIONS
7 ans 6 mois

AVEC EXPLICATIONS
8 ans 6 mois

Le travail de Nathalie Loutre, beaucoup plus récent, est d'un tout autre ordre[1]. A trente ans de distance, elle reprend explicitement la question posée à Spitz : « Existe-t-il des enfants qui ne pâtissent pas de la perte de la mère ? » La réponse, elle va tenter de la trouver à partir des documents d'un centre de Placement familial. Elle y repère les noms de 16 enfants qui ont été abandonnés par leur mère précocement, c'est-à-dire à des âges qui se situent « entre quelques jours et 10 mois ». Elle retrouve ces 16 enfants qui ont alors entre 6 et 7 ans. Pour chacun d'eux elle procède à un examen psychologique très complet. Si l'on en juge d'après les résultats de Nathalie, Spitz avait *presque* raison. 13 enfants sur 16 présentent des troubles plus ou moins graves du comportement. Mais le déficit du développement intellectuel est moins grave que prévu et n'atteint pas tous les enfants. La moyenne des Q.I. est 85. Cinq enfants seulement ont un Q.I. inférieur à 80.

Chemin faisant, Nathalie Loutre fait une découverte autrement importante : s'inspirant à la fois de Freud et de Wallon, utilisant les notions d'objet libidinal et du stade émotionnel, René Spitz avait cru qu'avant 4-5 mois le nourrisson pouvait perdre sa mère sans en pâtir. Nathalie constate sur quelques cas tout autre chose. L'abandon dans les premiers mois de la vie peut avoir des conséquences tout aussi graves, sinon plus, et sensiblement différentes. On est alors conduit à décrire une pathologie de la perte du lien de l'objet d'amour déjà constitué, mais aussi une pathologie de la construction de cet objet. D'où le sous-titre imagé de l'ouvrage de Nathalie Loutre : le tissage et le lien.

Tout cela, les contributions de Hurtig et de Loutre, c'est beaucoup et ce n'est pas grand-chose par rapport à l'ampleur du problème. Mais pourquoi les psychologues qui tendent à expliquer toute arriération par une genèse d'ordre affectif ne se mettent-ils pas à l'ouvrage ?

La réponse est simple sans doute : les croyants n'ont pas à administrer les preuves de l'existence de Dieu. Ils ont trouvé avant de chercher.

---

1. *Le Devenir des enfants abandonnés : le tissage et le lien,* Paris, P.U.F., 1981.

C'est la même tournure d'esprit, la même tendance à hypostasier un facteur en cause, qui conduit pas mal de psychologues à attribuer la plupart des arriérations aux méfaits du milieu social et culturel. Sauf accident (aberration de chromosomes, de gènes ou dommage cérébral) tous les individus possèdent, selon eux, le même potentiel intellectuel et ce sont les conditions du milieu qui les font inégaux. Comment expliquent-ils alors qu'un enfant d'un milieu défavorisé peut être brillant, ou, à l'inverse, qu'on rencontre des faiblards de l'intelligence dans la progéniture des beaux quartiers ? Ils ne veulent pas le savoir ou, si on les oblige à répondre, ils s'en tirent avec des pirouettes. De toute façon, on ne leur fera jamais avouer, même à titre d'hypothèse, que la nature est inégalitaire tout autant que la société. Ils argumentent comme si la dénonciation des inégalités sociales exigeait, pour être convaincante, la négation des inégalités de nature. Comme si la reconnaissance de celles-ci conduisait tout droit à la négation de celles-là. Et c'est exactement cette solution de rechange dont s'emparent leurs adversaires, tous ceux qui ont intérêt à fonder en nature les inégalités sociales. Ainsi bien loin de mettre en évidence les *facteurs sociaux* d'inégalité intellectuelle, en les distinguant irrécusablement des facteurs génétiques, ils entretiennent la confusion et certains d'entre eux vont jusqu'à proscrire l'usage des tests, de toute évaluation des inégalités intellectuelles comme si c'était l'évaluation qui créait l'inégalité, comme si, de façon générale, un objet naissait de son objectivation.

La tentation est forte d'analyser la testophobie, jumelle de la testomanie, comme l'hérédophobie est sœur jumelle de l'hérédomanie.

Mais le temps presse, il nous faut revenir directement à notre sujet.

Facteur de développement parmi d'autres, le milieu peut-il engendrer des enfants exceptionnels au sens anglo-saxon du terme, c'est-à-dire des enfants arriérés ? (mais on pourrait tout aussi bien l'entendre dans le sens laudatif — les prétendus « surdoués » — et poser à leur propos la même question).

Partons de quelques constats bruts, mais d'abord, précisons quelques notions clés.

Le terme de milieu défavorisé est évidemment relatif. C'est question de degré et aussi question de nature. Question de degré : en un même pays, en une même société, on peut observer toute une graduation des milieux défavorisés, sans solution de continuité avec les milieux plus ou moins privilégiés. Mais quel est le critère de la hiérarchie ? économique, culturel ? Pour savoir si le milieu agit sur le développement intellectuel de l'enfant, et comment, il faut identifier les facteurs éventuels de cette action. Ils peuvent être multiples et différents.

Dans nos pays où la malnutrition a pratiquement disparu, ce qui distingue un milieu défavorisé d'un milieu privilégié, c'est principalement le niveau culturel des parents. Dans la plupart des pays du Tiers Monde, le critère du culturel serait dérisoire lorsqu'on sait que 15 millions d'enfants y meurent avant leur cinquième anniversaire, par manque de soins et par malnutrition.

Le problème de la débilitation, tant mentale que physique, se pose donc tout autrement chez eux que chez nous.

Retenons donc cette notion : au-dessous d'un certain niveau de vie, les facteurs « sociaux » du développement intellectuel de l'enfant sont d'abord d'ordre économique, c'est-à-dire au plan individuel d'ordre physiologique.

Chez nous il y a sans doute une corrélation entre le niveau culturel et le niveau économique, mais celui-ci a dépassé, en général, la barre de la malnutrition. Alors la richesse relative des milieux se définit en termes de culture. Une preuve frappante : à revenus familiaux égaux, les enfants d'instituteurs ont un développement intellectuel plus rapide (ce qu'exprime le fameux Q.I.) que les enfants d'ouvriers. Pour expliquer cette différence, il n'y a pas lieu d'invoquer des facteurs de nutrition ou des facteurs d'hérédité, mais tout simplement les stimulants d'ordre culturel. L'intelligence se nourrit d'intelligence.

Cependant, en nos pays, où l'analphabétisme est rare, où l'enseignement est obligatoire pour tous jusqu'à 14, 15, ou 16 ans, depuis au moins un quart de siècle, peut-on imputer l'arriération mentale des enfants à la pauvreté culturelle des parents ?

Très rarement. La pauvreté socioculturelle ne saurait, à elle seule, déterminer une arriération sévère, mais elle peut jouer comme facteur secondaire.

Considérons par hypothèse deux jumeaux identiques, médiocrement doués au sens génétique du terme. On les sépare. L'un est élevé dans un milieu riche culturellement, l'autre dans un milieu pauvre. Le premier, favorisé, se développera par exemple avec un Q.I. de 85, l'autre avec un Q.I. de 70, c'est-à-dire dans la zone de débilité.

Pour deux autres jumeaux, séparés eux aussi, et placés dans des milieux semblables à ceux de mon précédent exemple, le premier pourrait atteindre un Q.I. de 120 et l'autre de 90 si leur patrimoine génétique est de richesse moyenne. Dans ce cas-là, le moins favorisé des deux échapperait, et de loin, à l'arriération mentale malgré la pauvreté culturelle de son milieu.

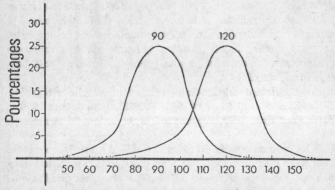

Distribtion des Q. I. de deux populations
très constrastées par le milieu socio-culturel.

A partir de ces exemples gémellaires, passons à un schéma général bien connu depuis plus de cinquante ans. Considérons deux populations contrastées par leur milieu socioculturel. Les uns sont des enfants de milieu défavorisé ; les autres d'un milieu favorisé. Soumettons-les à une épreuve d'intelligence globale. Pour chacune des populations les résultats se présentent selon la fameuse cloche de Gauss (voir graphique p. 95) : aux extrémités de cette cloche, un faible pourcentage d'enfants faibles, un faible pourcentage d'enfants brillants ; au centre, un pourcentage massif d'enfants moyens. Les deux cloches, les deux courbes, ont exactement la même forme, mais celle du milieu défavorisé est déportée vers la gauche (valeurs faibles), celle du milieu privilégié est déportée vers la droite. Je suppose des milieux tels que le Q.I. moyen (lisible au sommet de chaque cloche) soit de 90 pour l'un, de 120 pour l'autre. Donc 30 points d'écart attribuables à la différence de « nourritures culturelles » offertes par les deux milieux en question (en supposant, sans grand risque de se tromper, que le patrimoine héréditaire des deux milieux est le même).

Maintenant voyons combien d'enfants se situent à la barre de 70 (définissant traditionnellement la frontière de la débilité) et au-dessous. On y trouve à peu près 1 % d'enfants de notre milieu privilégié, mais 8 % d'enfants de notre milieu défavorisé : 8 fois plus. Voilà la réponse à la question relative à l'impact du milieu sur la construction de l'intelligence, la réponse et son explication : c'est le déplacement de la courbe vers la gauche, l'infériorisation générale de la population défavorisée, qui entraîne un plus grand nombre d'enfants dans la zone de débilité.

Zone définie d'ailleurs de façon conventionnelle en fonction des exigences de l'école et de la société. Jusque vers 1950 la barre était fixée à 70, aujourd'hui on la situe à 75 et même à 80.

Si les enfants qualifiés d'exceptionnels, d'arriérés, sont alors beaucoup plus nombreux, ce n'est pas que la population dans son ensemble soit devenue plus bête, mais parce que l'intelligence coûte plus cher, en d'autres termes parce qu'on est devenu plus exigeant pour définir le bagage intellectuel

« normal » des enfants, c'est-à-dire qui leur permet de suivre sans trop de difficulté le cursus normal des études, beaucoup plus long aujourd'hui qu'au début du siècle.

Et qu'on n'aille pas raconter que la différence constatée en fonction des milieux est due aux tests, à l'instrument de mesure. Quel que soit le test, verbal ou non verbal, de raisonnement ou d'intelligence pratique, la différence de milieu engendre une différence de performances, et toujours dans le même sens. Les tests ne créent pas la différence, mais ils l'objectivent et du même coup ils dénoncent les méfaits des inégalités familiales qu'une école mieux organisée, qu'une éducation mieux éclairée devrait combattre et réduire. Il faut qu'on se mette bien dans la tête *qu'à partir de la donne initiale,* génétique, *variable d'un enfant à l'autre,* mais non d'un milieu social à l'autre, l'individu édifie son intelligence (en toutes ses formes) avec les matériaux que lui fournit son milieu, avec les nourritures culturelles qu'il ingère, qu'il assimile d'âge en âge. L'intelligence n'est pas un objet que l'enfant porte en lui dès sa naissance et qui se révélerait, qui s'épanouirait comme une fleur japonaise. Elle est une construction, une création. Il ne faut pas se bercer de l'illusion que derrière les apparences d'une intelligence médiocre ou débile, il y a une intelligence qui sommeille et qu'une épreuve indépendante de la culture (le mythe américain des free-culture tests) pourrait découvrir. Il n'y a rien à découvrir au-delà de ce qui a été construit. Sauf pour des sujets victimes d'un blocage d'ordre affectif à un moment donné, la notion d'un potentiel psychologique est un leurre. Le potentiel, s'il a un sens, est d'ordre cérébral, héréditaire. Mais il ne faut pas confondre les conditions d'existence de l'intelligence (ici le patrimoine génétique) avec l'intelligence elle-même. Celle-ci n'existe que dans la mesure où elle s'est faite. Elle n'est que ce qu'elle est, telle qu'elle s'exprime dans les conduites de l'enfant, dans les tests qui en fournissent un échantillon.

Et si l'on veut obtenir mieux d'un enfant sous-alimenté du point de vue socioculturel, ce n'est pas en lui appliquant des épreuves vides de toute culture qu'on y parviendra (qui d'ailleurs n'existent pas), mais en le suralimentant, en stimulant son autocréation.

La longueur de mon propos est à la mesure de la ribambelle des mots à désenchanter, des préjugés à casser, de l'énumération pourtant incomplète des déterminants de l'arriération mentale. Tout cela dans le but de faire éclater la notion de débilité et, du même coup, de dénoncer toutes les monomanies explicatives.

La tendance hélas persistante, en effet, est de parler de la débilité, de l'arriération, au singulier, et d'expliquer cette singularité, cette exceptionnalité comme vous dites, par une cause *unique,* ou du moins fortement dominante.

Une seule débilité, mais plusieurs explications qui chacune prétend occuper tout le terrain. Car toute monomanie est hégémonique, intolérante et massacrante[1].

Un Dieu unique, mais pas le même d'une religion à l'autre. Une seule Cause, mais, pour le malheur des populations, pas la même d'une chapelle à l'autre. A croire que l'esprit de religion, le besoin d'une explication totalisante perdurent où rien ne les justifie.

Sur le plan de la science qui est celui des faits dûment vérifiés ou vérifiables, il serait pourtant bien simple de reconnaître la multiplicité des facteurs. Alors tout en disparaissant, chacune des chapelles retrouverait dans la diversité du réel sa part de vérité.

En bref : l'arriération mentale n'est pas une, mais plusieurs, selon la diversité de ses facteurs ou conditions. L'efficacité de

---

1. Comme pour les drogues, il y a des monomanies dures et douces. Elle est douce, sans grand risque pour personne, la manie du Pr Beech que Saul Bellow nous présente dans son roman *L'Hiver du doyen.* Pour Beech, la source de tous nos maux, c'est le plomb que nous buvons, mangeons et respirons. Un empoisonnement général : « Le système nerveux est touché de façon permanente. Les gosses deviennent des problèmes de comportement... et l'intelligence s'affaiblit de façon irréversible » (p. 263).

nos interventions suppose qu'on en admette l'existence, et qu'on sache les reconnaître dans la singularité de chaque cas.

Les connaître par les aboutissements de la recherche fondamentale est une chose. Les reconnaître chez un individu en est une autre, souvent plus difficile.

La reconnaissance suppose que l'on dispose de tableaux typiques (comme c'est le cas pour les catégories que nous avons désignées A, B et C), et d'autre part qu'on sache déceler chez le patient les signes qui nous permettent de l'apparenter à l'un des tableaux connus. C'est ce qu'on appelle le diagnostic. Un travail pour lequel les tests, avec leurs deux qualités pascaliennes de finesse et de géométrie, avec leur esprit de *probabilité,* sont indispensables.

Mais les cas d'arriération ne rentrent pas tous dans les tableaux dont on dispose. D'une part, comme je l'ai déjà dit, parce que nous n'avons pas encore pour toutes les étiologies le tableau psychologique qui pourrait leur correspondre.

D'autre part parce que plusieurs facteurs peuvent jouer dans la genèse d'une arriération. La pauvreté génétique, par exemple, n'est pas une assurance contre un dommage cérébral ou contre la pauvreté culturelle.

Avec le cumul de deux ou plusieurs facteurs, le tableau n'aura plus rien de typique. Un jour peut-être nous deviendrons capables de démêler l'écheveau des facteurs, d'identifier exactement la nature de l'arriération atypique. Je l'espère. Le traitement par ordinateur des informations nous y aidera. C'est probable. Mais ce jour n'est pas pour demain. Alors il faut faire avec ce qu'on a.

C'est l'art du clinicien. Cet art d'expérience, d'intuition et de synthèse, est indispensable. Mais lorsqu'il ne peut s'étayer sur les appuis d'un savoir certain, le risque est grand qu'il n'aille à la dérive. Alors l'individu, parce que singularité et profondeur, sert de refuge à l'irrationnel, d'alibi à notre ignorance. Et l'ignorance se proclame vérité, et le clinicien se fait gourou. Sur le terrain des incertitudes cliniques, la certitude des monomanies, charlatanes ou sincères, s'installe.

Comme antidote à cette perversion, le psychologue clinicien doit posséder deux qualités : l'esprit du probable et la vertu d'humilité.

Pour garder le droit de dire *je sais,* ou je comprends en partie, il faut avoir le courage d'avouer « je ne sais pas ».

Faute de quoi les psychologues et la psychologie auront perdu avant la fin du siècle, ce qui leur reste de crédit.

3.

Le psychologue à la rencontre de l'enfant
(Congrès de psychologie de l'enfant, Madrid, octobre 1979)

Le psychologue est un adulte particulier qui, armé de son savoir et de ses techniques, possède le pouvoir de comprendre, d'expliquer les conduites et les attitudes des enfants.

Ce pouvoir risque d'être contesté par d'autres adultes si le psychologue ne connaît pas les limites de ce pouvoir et les conditions de son exercice.

On distinguera tout d'abord entre l'examen de l'enfant en situation de laboratoire et son observation dans ses conditions habituelles de vie (notamment dans la famille et à l'école).

On s'interrogera ensuite sur la connaissance des aspects particuliers du développement (par l'usage des tests et autres instruments de description différentielle) et la connaissance de l'individu comme totalité.

Le problème est en effet de ne pas confondre entre psychologie des différences individuelles et psychologie de l'individu. Il est aussi de poser correctement le problème des déterminismes biologiques et sociaux de la personnalité sans nier les valeurs de « dignité et de liberté » qui définissent l'individu humain, c'est-à-dire la *personne*.

Le psychologue à la rencontre de l'enfant... Cette phrase met en scène deux personnages, et elle énonce une action.

Aller à la rencontre. La rencontre n'a pas encore eu lieu. On n'a pas encore fait connaissance. Il s'agit donc d'une recherche, une recherche délibérée. Et, bien entendu, sur l'initiative du psychologue.

Alors tout le problème est de savoir quels sont les chemins de cette connaissance, les moyens que le psychologue va mettre en œuvre, les obstacles auxquels il risque de se heurter.

Et l'idée d'obstacle, de difficulté, elle est centrale quand je parle d'aller à la rencontre de l'enfant. En effet, j'aurais pu intituler mon discours plus simplement : méthodes et techniques pour la connaissance psychologique de l'enfant.

En disant *aller à la rencontre,* j'ai employé une métaphore, une image qui évoque une distance. La distance entre le psychologue et les enfants qu'il se propose de comprendre, plus généralement la distance entre l'adulte et l'enfant.

Qu'en est-il vraiment de cette distance, c'est-à-dire pour parler sans métaphore, des différences de mentalités qui peuvent faire obstacle à la compréhension de l'enfant par l'adulte et réciproquement ?

Voilà la première question à régler. Elle est un préalable à tout ce qui va suivre.

Qu'il y ait des différences entre l'enfant et l'adulte, tant sur le plan affectif que sur le plan de l'intelligence, c'est une évidence, c'est un truisme.

Il s'agit de savoir si ces différences sont telles qu'elles dressent entre les deux un obstacle infranchissable : non seulement l'enfant serait incapable de comprendre l'adulte, mais l'adulte, psychologue ou pas, serait incapable de comprendre l'enfant.

Les difficultés de compréhension existent. Nous en avons tous fait l'expérience. Si elles sont insurmontables, nous devons en conclure que la psychologie de l'enfant est une science impossible.

C'est effectivement la conclusion à laquelle sont parvenus certains auteurs, il y a une cinquantaine d'années, au moment même où l'on découvrait les particularités de la mentalité enfantine : mentalité prélogique, égocentrisme, syncrétisme.

Jusqu'alors on avait plutôt tendance à considérer qu'il n'y avait entre l'enfant et l'adulte qu'une différence de degré :

l'enfant avait *moins* de logique que nous, mais sa logique était de même nature que la nôtre.

Quand on découvre que les différences ne sont pas de degré mais de qualité, on proclame entre l'enfant et l'adulte *une différence de nature :* c'est la théorie des *mentalités hétérogènes,* hétérogènes donc impénétrables l'une à l'autre.

Jusqu'alors on avait considéré la croissance psychique à l'image de la croissance physique : comme une ligne continue.

Avec la théorie des mentalités hétérogènes on opère une coupure radicale entre l'enfant et l'adulte.

Cette façon de voir est contraire aux faits autant que la précédente. De plus elle est absurde. Que les théoriciens le veulent ou non, l'enfant devient un adulte.

Il n'y a de coupure, de rupture à aucun moment.

La théorie des mentalités hétérogènes est un bon exemple du glissement qui conduit d'observations exactes à une systématisation fausse.

Plus particulièrement elle illustre notre difficulté à opérer la dialectique quantité-qualité, à penser la durée créatrice, le changement.

L'enfance, c'est à la fois une croissance *quantitative,* et une modification *qualitative.*

L'enfant augmente petit à petit son vocabulaire, son pouvoir de raisonnement, son contrôle émotionnel, il gravit progressivement les degrés de son autonomie.

Mais par là même s'accomplissent des changements qualitatifs : les structures mentales se transforment et elles s'engendrent l'une l'autre.

Il ne faut pas opposer la croissance quantitative, qui serait *continue,* au changement qualitatif qui serait *discontinu.*

Si l'on rejette l'idée saugrenue d'une rupture, d'une coupure, comprendre l'enfant n'apparaît plus comme une impossibilité.

Mais ce n'est pas pour autant que les difficultés réelles sont résolues.

Quelles sont ces difficultés ? Quels sont les pouvoirs et les moyens dont nous disposons pour les résoudre ?

Pour poser en toute clarté le problème de notre connaissance de l'enfant, je distinguerai deux niveaux, deux plans : la *compréhension* que nous avons de lui dans notre expérience quotidienne et, à un autre niveau, la connaissance scientifique.

Nous comprenons les enfants et les enfants nous comprennent pour l'essentiel de la vie quotidienne. Faute de quoi, d'ailleurs, la vie serait impossible.

Tous *nous sommes psychologues avant d'être des psychologues*. Et cela de très bonne heure, dès les premiers échanges du bébé avec son entourage. Le petit enfant sait comprendre et tout d'abord se faire comprendre. Séduire, faire du chantage, diviser pour régner. Il dispose pour cela d'un registre émotionnel et de mimiques que nous comprenons fort bien, parce que nous les possédons aussi, parce qu'ils traduisent des sentiments que nous éprouvons aussi.

Matty Chiva a analysé récemment les réactions du nouveau-né aux quatre saveurs fondamentales : le sucré, le salé, l'acide, l'amer. Ces quatre saveurs provoquent chez le nouveau-né des réflexes, des mimiques faciales très caractéristiques. Or l'adulte présente exactement les mêmes réactions à ces mêmes stimuli [1].

Mais ce qu'il convient de souligner c'est que, peu après l'âge d'un an, le petit enfant saura utiliser ses mimiques de plaisir et de déplaisir de façon symbolique. Il exprimera un sentiment de douceur sans avoir de sucre dans la bouche, il aura une grimace d'amertume sans rien d'amer sur les lèvres. Il est passé du propre au figuré, et alors interviendront toutes les codifications sociales.

Le langage des émotions et des sentiments s'institue dans la première enfance.

Mais nous n'avons pas à accomplir une régression pour comprendre ce langage et pour l'employer nous-mêmes. Il est aussi le nôtre. Notre seule différence avec l'enfant est que

---

1. *Cf.* « Goût et communication non verbale chez le jeune enfant », *Enfance*, n° 1-2, 1983, pp. 53-65.

nous savons le contrôler mieux que lui ; mieux que l'enfant nous savons faire semblant : feindre, camoufler, mentir.

On ne peut même pas dire que ce langage des émotions soit puéril, puisque nous le possédons en commun avec l'enfant, puisqu'il est de tous les âges. Et qu'on en trouve même déjà certaines expressions chez l'animal. Il n'est pas puéril, il est archaïque. Il est le moyen primaire de notre communication avec autrui, de notre compréhension mutuelle.

Voilà en quoi et pourquoi nous sommes psychologues avant toute science. Cette psychologie-là est une fonction vitale au même titre que de manger et de respirer. Mais de surcroît elle exprime le fait que nous ne sommes pas des êtres solitaires. Que notre adaptation, que notre survie suppose la solidarité. En conséquence, que nous sommes faits pour nous comprendre, au moins à un niveau de minimum vital.

A cet univers de signaux et de signes, chargés d'émotion, qui assurent notre communication avec autrui, s'adjoint ce que nous désignons avec Henri Wallon comme *intelligence des situations*.

Elle est la capacité pour l'individu de saisir, avant toute analyse, la signification du champ de forces, d'un système de rapports inter-individuels, dans lequel il est impliqué.

Cette intelligence d'avant la raison, d'avant le verbe, s'instaure dès la première année de la vie et elle subsiste dans toutes les conduites relationnelles et sociales de l'adulte sous le masquage de l'intelligence logique et verbale.

On voit donc que l'enfant n'est pas pour l'adulte une réalité impénétrable. L'adulte a été lui-même un enfant et d'une certaine façon, dans une certaine mesure, il l'est resté. Plus exactement, il a gardé en lui, au tréfonds de lui-même, les pouvoirs des premiers âges. En de nombreuses situations, il trouve donc l'enfant sans avoir besoin d'aller à sa rencontre. En tout cas il possède en lui les moyens de le rencontrer.

Paradoxalement ce n'est pas l'enfant mais c'est l'adulte qui pose un problème, qui est un problème. Je dis paradoxalement parce qu'on a tendance à considérer l'adulte comme la référence absolue.

Terme du développement, et modèle à réaliser, c'est par rapport à l'adulte que toute l'enfance se définit.

Alors pourquoi sommes-nous toujours si embarrassés quand nous cherchons à définir ce que c'est qu'un adulte? Je parle évidemment de l'adulte au sens psychologique du terme et non pas de la seule maturité physiologique.

Nous sommes embarrassés sans doute parce que nous sommes piégés par la notion théologique de perfection. Un père jésuite du XVIIIᵉ siècle disait brutalement que l'enfance est un âge d'imperfection en tout et que toute l'enfance consistait à atteindre la perfection de l'adulte. Mais on ne définit pas la perfection, pas plus qu'on ne définit Dieu.

En fait l'adulte réel ne se définit pas en termes d'imperfection ou de perfection, ni même en termes d'achèvement.

L'être humain ne cesse jamais de se transformer, en mieux ou en pis.

Si l'on peut dire que l'adulte est l'individu devenu capable de subvenir à ses propres besoins, il n'y a pas de critère universel pour définir cette capacité. La définition de l'état adulte n'est possible que dans une conception relativiste de ce qu'est l'être humain. L'être humain dans la diversité des sociétés qu'il a créées et qui le recréent à chaque génération.

Mais le mot *adulte* porte avec lui une croyance qui a des racines profondes. Dans son étymologie, dans l'inconscient de notre langage, adulte signifie perfection. Perfection au double sens du mot *perfection* : achèvement et modèle.

Cette croyance, cette idée que nous-mêmes adultes nous nous faisons de l'adulte, on peut supposer qu'elle est un héritage de notre enfance : l'image de la grande personne dominant le petit enfant de toute sa taille et de toute sa puissance.

L'adulte était alors la contrepartie de notre faiblesse. Nous n'en sommes pas débarrassés. C'est pourquoi d'ailleurs nous avons si souvent le sentiment de n'avoir pas atteint le but, de n'être pas tout à fait adulte. Mais cette image est un mirage.

Le long temps que je viens de consacrer à la compréhension originelle montre assez l'importance que je lui accorde.

Toute psychologie scientifique serait impossible si cette compréhension, si cette psychologie première n'existait pas. Nous ne pourrions pas étudier l'amour ou la haine si nous n'en avions pas une certaine expérience, nous ne pourrions pas analyser l'angoisse si nous n'étions pas nous-mêmes capables d'angoisse. Il nous faut donc reconnaître que la psychologie scientifique a ses points d'appui et sans doute son ciment dans la psychologie première qui est subjectivité, inter-subjectivité.

Quand nous entreprenons un travail scientifique, nous ne devons pas laisser dessécher en nous les sources vives de notre compréhension.

Mais il serait insensé de croire que notre connaissance de l'enfant, de l'être humain puisse se réduire à cette compréhension-là, qu'il suffise de se mettre « à l'écoute » pour entendre, pour comprendre vraiment.

Et d'autant moins que cette mise à l'écoute qui se veut pure et naïve est toujours plus ou moins une sophistication, avec tous ses risques et ses pièges.

La compréhension est nécessaire mais elle ne suffit pas à la connaissance d'autrui, et ceci pour deux raisons principales.

Tout d'abord cette compréhension ne concerne que l'affectivité. Ce n'est pas elle qui nous fera pénétrer les échelles de valeur et les motivations de l'enfant, les particularités de la logique enfantine, les difficultés de l'écolier à assimiler un théorème de géométrie, même si des facteurs d'ordre affectif peuvent aggraver ces difficultés. Si nous pouvons être de plain-pied avec l'enfant sur le plan des émotions et des sentiments, il n'en est pas de même sur le plan cognitif : et c'est alors vraiment que nous devons faire un effort pour aller à sa rencontre. Ce qui exige que nous ayons de lui, de ses manières de penser, une connaissance objective.

La deuxième raison est plus importante encore. La compréhension ne nous livre rien des causes, des facteurs, des mécanismes qui sont en jeu dans une attitude ou dans une

conduite. La compréhension est conscience globale et signification d'une manière d'être. Elle n'est pas conscience de ce
qui la détermine.

Or si la psychologie veut être autre chose qu'une rêverie,
qu'une jonglerie de mots et de sentiments, si elle veut être
efficace, elle doit comme toute autre science tendre vers
l'objectivité, c'est-à-dire rechercher l'enchaînement des causes
et des effets.

Objectivité. Objet. Comment un sujet peut-il être traité
comme un objet ? La recherche de déterminants n'est-elle pas
une négation de notre dignité et de notre liberté ? N'y a-t-il pas
un risque de se perdre ?

Peut-être. C'est un risque à envisager et qu'il faut examiner
en toute lucidité. De toute façon qui oserait dire que nous
sommes libres de tout déterminisme, biologique et social ? Qui
oserait soutenir qu'il n'y a pas intérêt à connaître ces déterminismes ? Ne serait-ce que pour les maîtriser.

Nous allons maintenant passer en revue, très rapidement,
les approches objectives de la psychologie.

La psychologie n'est pas une. Ses champs et ses méthodes
sont d'une très grande diversité, même si on se limite aux
problèmes de l'enfance.

Pour nous débrouiller dans cette diversité, je distinguerai
schématiquement d'une part entre la recherche fondamentale
et la psychologie d'ordre pratique ; d'autre part, à l'intérieur
de la recherche fondamentale elle-même, entre le travail de
laboratoire et le travail sur le terrain.

Le travail de laboratoire se définit par la méthode expérimentale.

Le chercheur est ici une sorte de démiurge, un homme
d'artifices. Il crée des situations. Il agit sur les conditions du
comportement pour en découvrir les facteurs ou les mécanismes. Son objet privilégié de recherche n'est pas l'individu dans
sa totalité, mais une fonction particulière : par exemple, chez
Piaget, la fonction cognitive.

Ma recherche sur les réactions de l'enfant devant le miroir est elle aussi un exemple de travail de laboratoire.

Le travail sur le terrain n'est pas de l'expérimentation dans le sens que nous venons de rappeler. Ici le chercheur n'intervient pas dans les situations à analyser. Il les prend telles qu'elles sont.

Bien entendu, sur le terrain comme au laboratoire, la recherche suppose l'existence de variations, faute de quoi l'analyse des facteurs en jeu serait impossible. Au laboratoire, on crée ces variations, on les *provoque*. Sur le terrain, on les *invoque*.

Ce que j'appelle variations, ce sera par exemple à l'école : les *différences* de comportement ou de rendement scolaire, pour un écolier ou une population d'écoliers, selon le type d'activité proposé par le maître, les *différences* de comportement ou de rendement constatables entre deux classes, selon la personnalité des maîtres ou leur pédagogie, les *différences* de comportement et de rendement des écoliers selon leur sexe ou selon le milieu social auxquels ils appartiennent.

Pour le recueil des données, la méthode de base quand on travaille sur le terrain est l'observation. Non pas n'importe quelle observation, plus ou moins impressionniste. Mais une observation systématique et aussi complète que possible. Les règles de rigueur sont aussi impératives que dans l'expérimentation proprement dite, mais elles sont d'un autre ordre et souvent beaucoup plus complexes.

Bien entendu l'observation n'est pas la seule démarche utilisée. Si l'on veut rechercher les relations éventuelles entre comportements, capacités, réussite scolaire, il est bien évident qu'on devra mettre en œuvre d'autres techniques.

L'observation n'est pas la seule démarche. Mais elle est l'originalité de la recherche sur le terrain, et elle en constitue l'axe principal.

La conférence que fera ici même Bianka Zazzo, illustrera très directement ce travail sur le terrain, et sur un terrain qui nous intéresse spécialement : l'école.

Quels sont les rapports entre la recherche fondamentale et la pratique ?

Plus précisément, plus brutalement : quelle est pour le praticien, éducateur, enseignant, l'utilité de la recherche fondamentale en psychologie de l'enfant ?

Elle n'est pas toujours évidente, elle est rarement immédiate.

Il faut à cet égard dissiper des illusions pour éviter des déceptions.

Ce serait une grave erreur, et un bien mauvais calcul, d'exiger de la psychologie comme de toute autre science, une rentabilité sûre et immédiate.

C'est l'histoire de la poule aux œufs d'or. A vouloir trop, tout de suite, on risque de tout perdre.

Le drame évidemment c'est que le praticien est pressé, pour trouver une solution à ses problèmes, et que le chercheur n'est pas pressé, qu'il ne peut pas se presser. La découverte est presque toujours le résultat d'une longue patience.

Pourtant la réponse est optimiste si l'on sait poser la question de rentabilité autrement qu'on ne le fait d'habitude : l'utilité de la recherche et l'intérêt de la psychologie de l'enfant se définissent à plusieurs niveaux.

A son plus haut niveau, la recherche fondamentale a pour résultat de rectifier, de modifier l'image que nous avons de l'enfant. Les psychologues ont découvert au cours des dernières années que, contrairement à ce qu'on avait cru jusqu'alors, l'enfant n'est pas à la naissance un être complètement immature, démuni de tout. Ses équipements perceptifs, contrairement à ce qu'on croyait, sont déjà prêts à fonctionner. D'autre part, il n'est pas mû par le seul besoin de nourriture pour la seule pulsion d'autoconservation. Il est déjà en quête d'autrui, il commence déjà à tisser les liens qui vont l'unir à son entourage.

La curiosité, mobile indispensable du chercheur, est satisfaite. Mais il n'y a pas que cela.

La découverte chez l'enfant de capacités et de besoins jusqu'alors ignorés, nous amène à nous interroger sur une meilleure politique de l'adoption.

Les conséquences peuvent être à plus longue portée : cette transformation de l'image que nous avions de l'enfant aura nécessairement des incidences, à plus ou moins longue échéance, sur nos attitudes éducatives.

Si l'on compare maintenant le travail de laboratoire au travail sur le terrain, on verra la plupart du temps que celui-ci apporte des renseignements d'un intérêt pratique plus direct que celui-là.

En certains cas pourtant, le travail de laboratoire, avec son analyse privilégiée des fonctions et des processus, peut aboutir à des résultats utiles plus ou moins directement. Je citerai en exemple : les travaux de Piaget et de ses élèves et les hypothèses qu'on pourrait en tirer pour un enseignement plus rationnel des mathématiques, les fameux travaux de Skinner sur le pigeon qui ont eu pour conséquence inattendue l'enseignement programmé, enfin toutes les recherches fondamentales sur les lois de l'apprentissage.

Quant au travail sur le terrain, ce qu'il faut d'abord dire c'est que sa mise en œuvre est lourde, difficile. En conséquence de quoi il constitue une aventure que les chercheurs entreprennent rarement. Et pourtant c'est ce genre de travail dont les résultats répondraient le mieux aux questions du praticien. Et l'on comprend facilement pourquoi : ce qui est décrit, ce qui est analysé, ce ne sont plus des fonctions isolées, mais des conduites complexes dans des situations concrètes.

Et c'est sur le terrain, précisément quand il s'agit de l'école, que pourrait s'opérer le mieux la jonction des chercheurs et des praticiens, de la théorie et de la pratique.

Quand j'ai commencé à organiser la psychologie scolaire en France, au lendemain de la Libération, avec l'appui de Henri Wallon, c'est cette jonction que j'espérais. Au bénéfice de la psychologie de l'enfant, ancrée dans les situations de la vie quotidienne, mais aussi au bénéfice de l'école, au bénéfice des maîtres et des écoliers.

Et quand je dis écoliers, c'est de tous les écoliers que je parle, et pas seulement des enfants arriérés et des cas pathologiques.

L'hypertrophie de l'enseignement spécial, l'industrie et le

commerce des dyslexies, des dyscalculies, des dysorthographies, des psychothérapies de tous ordres est le signe que notre école fonctionne mal ; elle prouve aussi que le psychologue n'a pas dans l'école le statut qui devrait être le sien.

Son rôle est de guidance continue et donc de prévention. Quand un psychologue est vraiment intégré dans l'école, quand il en connaît la vie réelle, quand il est en contact étroit avec les maîtres, quand il sait répondre à leurs demandes, quand il connaît les enfants, quand il sait venir à leur secours quand s'amorce un problème d'adaptation ou de rendement, alors le taux des échecs scolaires dans cette école diminue ; l'apparition des dyslexies et autres accidents se fait de plus en plus rare.

L'erreur est de demander en priorité au psychologue de réparer les pots cassés ou, tout bêtement, d'en dresser l'inventaire. La tâche prioritaire du psychologue à l'école, ce ne sont pas les enfants-problèmes, ce sont les problèmes des enfants, problèmes normaux et quotidiens.

Le psychologue scolaire, dans l'exercice habituel de sa fonction, n'est donc pas un chercheur au sens fondamentaliste du terme. La recherche est un métier. La psychologie appliquée en est un autre. Le psychologue à l'école est un praticien.

Le but vers lequel nous devons tendre, c'est que les différentes activités relatives à la connaissance de l'enfant soient à la fois bien distinguées l'une de l'autre et cependant articulées entre elles.

Le praticien psychologue doit être capable d'assimiler les travaux et les données nouvelles de la recherche, l'enseignant doit être capable de comprendre les notions, les moyens et les démarches du psychologue scolaire. Et pour fermer la chaîne, le psychologue scolaire doit comprendre les problèmes de l'école tels qu'ils sont formulés par les enseignants eux-mêmes.

Je ne voudrais pas terminer sans dire un mot des moyens dont dispose le psychologue pour accomplir son travail à l'école. Je ne dirai rien de ses capacités de compréhension.

J'en ai parlé suffisamment tout à l'heure. Elles sont toujours au premier plan dans une psychologie pratique qui se préoccupe de l'individu.

Je n'énumérerai pas non plus toutes ses techniques, qu'elles soient d'observation, de questionnement, voire d'expérimentation. Je parlerai seulement des tests, parce que tout le monde en parle, et souvent passionnément, dans une confusion regrettable.

Alors voici ma déclaration liminaire : l'usage des tests est absolument nécessaire, je dis bien ABSOLUMENT, comme technique de description d'un individu.

De toute façon on est conduit à évaluer l'individu. Quand on abandonne les tests pour se fier à son intuition, on risque pire. Dans un test, on connaît assez exactement sa marge d'erreur. Dans une évaluation intuitive, on ne la connaît pas.

Un test, faut-il le rappeler, est une technique qui permet de situer un individu, sous le rapport d'un trait physique ou mental, dans un groupe clairement défini. Par exemple, un enfant de 10 ans, sous l'angle de l'efficience en calcul, ou de l'orthographe, ou du développement moteur, ou du développement de l'intelligence logique. On peut encore préciser la définition du groupe : par exemple, garçons de 10 ans d'un milieu ouvrier.

C'est dire que le résultat d'un test n'a de signification que relative, et que sa valeur dépend des conditions d'étalonnage et d'application.

La manie et la peur des tests, la testomanie et la testophobie, procèdent au fond d'une même erreur : elles les considèrent comme la mesure absolue d'une réalité absolue. Elles s'en font une représentation métaphysique.

Mon opinion est qu'il vaut mieux ne pas faire de tests du tout que de les faire mal. Et je sais que très souvent on les fait mal. Je sais qu'on les fait passer parfois collectivement. Ce qui est un scandale. A moins qu'on ne prenne en compte que les résultats positifs. En effet, un résultat positif, à moins qu'il n'ait été obtenu par tricherie, suppose des qualités positives, alors qu'on ne peut rien dire d'un résultat négatif : les raisons les plus diverses, et pas seulement l'incapacité, peuvent être à l'origine de l'échec.

Il me paraît absurde cependant de jeter l'enfant avec l'eau de la baignoire : ne condamnons pas l'usage des tests mais ses abus.

Pour un usage correct des tests, un certain nombre de mises au point sont à formuler dont les principales tournent autour de la notion de constat.

Primo : le résultat d'un test est un constat. Un constat qui ne prend sa signification que parmi d'autres constats dans une configuration d'ensemble.

Secundo : un constat n'est pas une explication. Il reste lui-même à expliquer. Je constate par exemple qu'un enfant en échec scolaire est en retard du point de vue intellectuel. Reste à savoir pourquoi il est en retard.

Tertio : un constat, fait aujourd'hui, n'autorise pas une prévision à long terme. Le rôle du psychologue consiste bien souvent à faire mentir une prévision pessimiste. Je constate une déficience, je recherche les causes de cette déficience, j'agis sur ces causes et du même coup je change le cours des choses.

Si je n'avais pas fait de constat, si je n'avais pas eu le courage de reconnaître la déficience, de la mesurer pour en évaluer la gravité, de l'analyser pour en comprendre les raisons, l'enfant se serait enlisé sans doute dans son échec.

La pratique des tests doit s'inscrire dans la perspective d'une psychologie active.

Le problème de prévision, de pronostic, que je viens de poser est peut-être au centre de la résistance contre les tests. Jadis c'étaient les gens de droite, les conservateurs, qui s'affirmaient contre les tests, contre les psychologues qu'ils appelaient ironiquement les peseurs d'âme. Et cela au nom de la spiritualité.

Aujourd'hui ce sont les gens de gauche qui s'inquiètent, qui dénoncent les tests. Au nom de la liberté.

Certes elle est légitime, leur vigilance contre tout ce qui risque de réduire chaque individu à une carte perforée, leur vigilance contre l'utilisation de la science à des fins anti-sociales.

Mais renoncer pour autant aux conquêtes de la science, ce serait une aberration, une capitulation. Je n'admettrai jamais un obscurantisme de gauche.

Militants du progrès social, nous devons revendiquer les progrès de la science, quels que soient les risques qu'ils nous font courir dans la société actuelle.

D'ailleurs quand il s'agit de psychologie, la défense du spirituel chez la vieille droite conservatrice, la défense de la liberté chez les gens de gauche, ne traduit-elle pas, sous deux couleurs différentes, la même peur du déterminisme ?

Je parlais au début de ma conférence de la difficulté de notre intelligence à comprendre la durée, le changement. La difficulté est du même ordre à comprendre le déterminisme et la liberté.

Notre pensée habituelle est figée dans des notions rigides, dans des antithèses insurmontables.

D'une part, il y a le fatalisme. D'autre part, le libre arbitre.

Ce qui fait peur dans les tests, c'est leur prétendu fatalisme. Un fatalisme cautionné par la magie des chiffres.

Et pourtant la réalité est tout autre. Déjà au niveau de la biologie, de la neurophysiologie, ce sont des lois de probabilité qui jouent. Au niveau des comportements, nous savons qu'une marge de liberté existe toujours.

Une liberté qui n'est pas n'importe quoi. Au plan de la nature comme au plan social, il y a des *conditions* de la liberté. Et c'est pourquoi justement nous pouvons agir pour elle, nous pouvons lutter pour elle.

La psychologie scientifique est seule à pouvoir nous guérir des tentations du fatalisme et du mysticisme.

Mais elle doit aussi intégrer comme donnée fondamentale la notion de liberté.

4.

Éthologie ou psychologie de l'enfant ?
Une alternative inquiétante et confuse.

L'éthologie, un mot dans le vent et que le vent emportera, ou une science neuve, une nouvelle discipline qui, tel l'anneau de Salomon, nous permet de « parler avec les mammifères, les oiseaux et les poissons », pour reprendre le titre d'un livre fameux de Konrad Lorenz, discipline qui, de conquête en conquête, s'est emparée de nous, de l'espèce humaine ?

Pendant longtemps l'éthologie fut considérée comme une science de l'animal, et la psychologie comme une science de l'homme. L'existence de l'âme, ou de la psychè, son avatar laïque, marquait explicitement ou non la frontière entre les deux. Frontière difficile à défendre, à maintenir après le triomphe de Darwin, le succès des idées évolutionnistes. Alors dans un premier temps la psychologie a franchi la frontière pour investir tout le règne animal : ce fut la zoopsychologie. Mais comme les « esprits animaux » étaient tout ce qu'on veut sauf l'Esprit, le terme de « psycho » appliqué à l'étude des bêtes avait quelque chose de sacrilège pour les uns, de ridiculement spiritualiste pour les autres. Une séquelle d'illusion à dissiper. La science n'avait que des comportements à décrire, des conduites à expliquer. Ainsi, vers le début du siècle se produisit un reflux, un mouvement en sens inverse. Au lieu que la vague d'humanité pénètre plus avant le règne animal, c'est l'animalité qui déborda — toute frontière abolie — jusqu'à son ultime création : l'homme[1].

L'émergence de l'éthologie serait incompréhensible hors de ce mouvement. Mais pourquoi ce mot d'éthologie qui évoque les mœurs et la morale (*ethos*) ? Pourquoi ne pas parler, comme le proposait Watson, de science du comportement ? Et pourquoi faire la distinction entre éthologie animale et éthologie humaine ? Pas de raison, apparemment, puisque l'approche est la même. Et puis la distance entre le poisson et le chimpanzé est-elle plus courte qu'entre le chimpanzé et *homo sapiens sapiens* ? Alors si on ne distingue pas entre éthologie du poisson et éthologie humaine par opposition à éthologie animale (toutes espèces non humaines confondues), c'est sans doute parce que la frontière n'est pas totalement effacée, ou qu'on veut ménager la susceptibilité des gens de notre espèce, comme on ménage dans un premier temps la sensibilité d'un peuple colonisé en attendant sa complète assimilation.

En ce qui me concerne, j'accepte fort bien d'être un animal, je n'y perds pas mon identité puisque de toute façon je puis le dire et l'écrire ici même, ce dont les autres espèces ne sont pas capables. Par contre, de n'être plus psychologue, mais converti en éthologiste, cela fait problème.

Dieu merci, un excellent collègue et ami, Floyd Strayer, passé de l'éthologie animale à l'éthologie des petits enfants de l'homme, s'interroge lui aussi. L'analyse qu'il fait de la situation et du statut du mot « éthologie » est excellente. On la trouvera sous le titre « Child Ethology and the Study of Preschool Relations » qui constitue le chapitre 9 d'un ouvrage collectif récent[2].

---

1. Sur l'ascension de l'éthologie et sa rencontre avec la psychologie de l'enfant sur le thème de l'attachement, on lira avec intérêt, du moins je l'espère, les Actes du colloque épistolaire que j'ai organisé avec toute une pléiade de collègues (Anzieu, Bowlby, Chauvin, Duyckaerts, Harlow, Koupernik, Lebovici, Lorenz, Malrieu, Spitz, Widlöcher), *L'Attachement,* Delachaux, 2ᵉ édit., 1979.

2. *Friendship and Social Relations in Children* (sous la direction de H. Foot, A. Chapman, J. Smith), New York, John Wiley, édit., 1980.

Je ne peux faire mieux que d'en conseiller la lecture et, pour l'instant, d'en présenter le compte rendu.

Le chapitre de Strayer comporte trois développements ou sections : éthologie sociale et organisation sociale, éthologie sociale préscolaire, dimensions de l'organisation sociale préscolaire. Les deux premiers développements ou sections sont d'ordre notionnel, le troisième est l'exposé technique et le compte rendu de quatre recherches récentes de l'auteur où il s'emploie à analyser des conduites propres à illustrer le champ éthologique : hiérarchie, relations de dominance et conflit social, activité affiliative et liens de cohésion, activité pro-sociale et relations altruistes.

En fait, l'intérêt de ce chapitre tient non seulement aux observations nouvelles qu'il nous livre, mais à son introduction intitulée « Ethological Approaches to Social Behaviour » où Strayer s'emploie à cerner, de façon exemplaire, la notion d'éthologie dont on use et abuse depuis une quinzaine d'années.

L'intérêt de cette introduction est d'ailleurs triple pour nous : tout d'abord elle est la contribution d'un spécialiste éminent à notre réflexion sur la comparabilité entre l'homme et les autres espèces animales ; d'autre part, et c'est l'intention explicite de l'auteur, elle énumère des critères pour une définition univoque de l'éthologie, balayant ainsi le bavardage de controverses sans issue ; enfin, ce faisant, elle me fournit un nouveau cas de figure pour mon entreprise de mise en garde contre les mots-pièges.

Pour apprécier à leur juste valeur les propos de Strayer il faut les situer au terme d'une longue histoire. D'une histoire au cours de laquelle l'éthologie a connu des acceptions diverses pour tendre à englober au cours des dix dernières années la quasi-totalité de ce qu'on désignait jusqu'alors comme psychologie.

Cette histoire mériterait d'être contée minutieusement pour

elle-même, parce qu'elle témoigne éloquemment du progrès des sciences de la vie et aussi de ses enjeux d'ordre politique, de ses dérives d'ordre idéologique. Bornons-nous à quelques points de repère, noms et dates, puisque ici notre objectif est le texte de Strayer.

Lorsqu'il est apparu au XIXe siècle, le terme d'éthologie a été entendu en des intentions et des sens radicalement différents : une science de l'homme exclusivement et une science de l'animal. Mais contrairement à ce que l'on croit d'habitude, il a d'abord désigné le projet d'une science de l'homme. Le premier à avoir employé ce néologisme fut J. S. Mill en 1843 dans sa *Logique.* Il définit l'éthologie comme la science déductive des lois psychologiques connues « qui déterminent la formation des caractères » tant individuels que collectifs. Wundt, en 1880, dans un ouvrage également intitulé *Logique,* reprend ce terme d'éthologie mais il l'entend autrement : la science qui a pour objet « l'étude historique des mœurs et représentations morales ». Mœurs et morale, deux vocables issus du latin *mores,* équivalent du grec *ethos.* Voilà donc, pour Wundt et quelques psycho-philosophes qui vont suivre, l'objet de l'éthologie, objet en sa double face indissociable de conduites (les mœurs) et de représentations (la morale). Cette acception du terme d'éthologie, tombée en désuétude sans d'ailleurs s'être jamais imposée, il est touchant de la trouver encore en 1968 dans la 4e édition du *Vocabulaire de la psychologie.* C'est une définition d'Henri Piéron que ses successeurs ont conservée pieusement : « étude sociologique des mœurs et de la morale humaine », mais qui était déjà un anachronisme sous la plume de Piéron puisqu'il l'a rédigée pour la 1re édition du *Vocabulaire* en 1951.

L'homonyme de l'éthologie, branche de la psychologie ou de la psychosociologie humaine, l'éthologie telle que nous la connaissons aujourd'hui, elle doit son acte de naissance à un naturaliste, Isodore Geoffroy Saint-Hilaire. Douze ans après que le psychologue J. S. Mill eut créé le mot. En 1855. Elle est alors définie, et pour longtemps, comme « la branche de la zoologie ayant pour objet l'étude du comportement des animaux *dans leur milieu naturel*[1] ».

Il faudra attendre cependant trois quarts de siècle pour qu'elle fasse sa percée en zoopsychologie, et un quart de siècle de plus pour qu'elle investisse le champ de la psychologie de l'homme.

En 1935, le Néerlandais Nicolas Tinbergen et l'Autrichien Konrad Lorenz publient leurs premiers travaux qui donnent à l'éthologie son corps de notions fondamentales : c'est ce qu'on désignera comme école objectiviste ou, de façon polémique, le néo-instinctivisme. Dans les années 50 et 60, grâce à son grand talent d'écrivain, Lorenz popularise l'éthologie à l'échelle internationale. En 1973, enfin, c'est pour l'éthologie la consécration d'un triple prix Nobel : Lorenz, Tinbergen et l'Autrichien Karl von Frish.

K. Lorenz et Tinbergen furent tout d'abord des ornithologues, von Frish s'est rendu célèbre par l'étude du langage des abeilles. En rappelant cela je ne veux pas insinuer que leurs travaux ne sauraient jeter des éclairages ou fournir des hypothèses sur le tréfonds biologique du comportement humain. Ce que j'ai dit du raisonnement analogique dans mon compte rendu de l'ouvrage d'Ann Premack va au-devant d'un tel procès d'intention à mon égard.

Je tiens seulement à bien marquer l'origine des notions éthologiques, à mettre en garde contre les dérapages du raisonnement analogique, à préparer le lecteur aux réflexions de Strayer.

Il est certain, pour Lorenz et Tinbergen en tout cas, que les recherches d'analogies fonctionnelles visaient dès le début la totalité du règne animal, et donc l'homme à travers l'observation des oies cendrées, des vairons et d'autres vertébrés. Il est même remarquable que Lorenz ait rejoint, d'une façon qu'on

---

1. A qui voudrait suivre tous les avatars du vocable éthologie, je signale ceci : à la séance du 7 décembre 1903 de l'Institut psychologique de Paris, l'éthologie a été définie comme la psychologie de réaction telle que la concevait le behaviorisme naissant (*Cf. Bulletin* dudit Institut). Ce qui ne manque pas de sel quand on sait que l'éthologie s'est affirmée ultérieurement en opposition radicale au behaviorisme.

peut juger aventureuse, le projet d'une « science des mœurs et de la morale » dans le livre qu'il a intitulé *Les Huit Péchés capitaux de notre civilisation* (Flammarion, 1973).

Mais c'est une chose de rechercher des analogies fonctionnelles qui concernent l'homme, autre chose d'instituer une éthologie humaine, ou une Child Ethology selon l'expression de Strayer, à côté de l'éthologie animale. D'ailleurs, pour des zoologistes il est pour le moins inattendu de traiter l'homme à part puisque l'homme ne saurait être, pour eux, qu'une espèce animale parmi les autres.

L'entreprise peut se justifier par la spécificité des techniques à mettre en œuvre et l'utilité incontestable d'observer l'être humain directement selon la démarche dont l'efficacité a été démontrée par l'observation d'autres espèces. Elle me paraît suspecte par l'esprit qui le plus souvent l'anime, par une sorte d'impérialisme mal justifié : il est bien connu que les colonisateurs n'apportent pas toujours avec eux ce qu'il y a de valable, de meilleur, dans leur propre civilisation.

La naissance de l'éthologie humaine est datée : 1966. Elle apparaît dans le texte d'un projet élaboré par le disciple de Lorenz, Eibl-Eibesfeldt : *Zum Projekt einer ethologish orien tierten Untersuchung menscheichen Verhaltens* (6e communication de la société Max-Planck, p. 383-396). Et depuis lors, Eibl-Eibesfeldt occupe à l'institut Max-Planck un poste autonome d'éthologie humaine, « le premier de son espèce » selon sa propre expression. Nul doute que ce chercheur y fasse un excellent travail.

Mais la notion d'éthologie humaine a fait tache d'huile dans la confusion la plus regrettable. Je n'en aurais peut-être pas pris conscience aussi clairement si cette tache ne m'avait pas atteint moi-même directement. Première alerte qui m'a d'ailleurs plutôt flatté : dans l'ouvrage collectif dirigé par Blurton Jones (*Ethological Studies of Child Behaviour,* Cambridge Un Press. 1972) mes travaux des années 50 sur les réactions des enfants pendant la projection de films sont devenus avec le temps des recherches éthologiques. Seconde alerte beaucoup plus grave : l'an dernier le directeur d'une nouvelle revue pédiatrique me demande d'ouvrir une rubrique sur la psychologie de l'enfant. Il est souhaitable, me fait-il savoir, que toutes les approches méthodologiques et théoriques apparaissent dans cette rubrique, mais dans le titre de cette rubrique le mot psychologie est à proscrire. Il faut lui substituer le terme d'éthologie. Je demande pourquoi. La réponse est claire : nos lecteurs, des pédiatres, ne veulent plus entendre parler de psychologie, de psychanalyse et autres psy. Il faut faire sérieux. J'ai refusé de placer tout sous la bannière de l'éthologie et, en guise de compromis, j'ai proposé le terme de paidologie, utilisé jadis par Piéron et Wallon pour désigner la science de l'enfant. Le terme, inconnu du pédiatre, a paru malsonnant par sa proximité avec pédophilie.

The last but not the least. Le dernier signe qui dépasse le plan de l'anecdote date de quelques mois. L'habilitation du D.E.A. que j'ai créé à Nanterre avec mon collègue François Vincent est renouvelée. Mais, comme par enchantement elle est débaptisée. L'intitulé « psychologie génétique et comparative » est devenu « éthologie animale et humaine ».

Il n'est pas possible d'analyser ici les raisons, bonnes ou mauvaises, du discrédit graduel de la psychologie. Et, en coïncidence avec ce discrédit, l'inflation sans cesse croissante de l'éthologie.

Cependant, je signalerai aux lecteurs deux ouvrages d'accès très facile donnant à voir comment dans les années 70 s'est opérée la grande invasion de la psychologie par l'éthologie, comment l'éthologie est devenue explicitement humaine. Le premier ouvrage, du naturaliste belge Jean-Claude Ruwet, a été publié en 1969 sous le titre *Ethologie : biologie du comportement* (Ch. Dessart Edit.). Le second, publié dix ans plus tard sous le titre *La Recherche en éthologie : les comportements animaux et humains,* est le recueil de quatorze articles français et étrangers, rédigés entre 1970 et 1976.

Dans le livre de Ruwet, l'expression d'éthologie humaine n'apparaît pas encore. Mais la question que l'auteur se pose dès les premières lignes traduit l'ambiguïté de sa position scientifique et de la science qu'il pratique. « Je ne sais pas, dit-il, si je dois me présenter comme éthologiste ou comme zoopsychologue. »

Tout cela dépend, dit-il avec humour, du point de vue où l'on se place. Dans la même université de Liège et en même temps, la section de zoologie a créé un cours intitulé « Ethologie *et* Psychologie animale », la section de psychologie a créé avec un contenu quasiment semblable un cours intitulé « Psychologie et Ethologie animale ». Tout le monde paraît donc d'accord pour distinguer entre psychologie et éthologie. Mais, ajoute Ruwet, l'éthologie est citée en premier par les zoologistes. Toute la différence est là « Dans les milieux scientifiques (*sic*) la psychologie n'a pas bonne réputation ». Mais Ruwet balaie les appréciations de bonne ou mauvaise réputation pour conclure : « Ethologie, psychologie animale, science du comportement des animaux sont (...) synonymes. »

Est-ce bien certain ? Et qu'adviendrait-il si Ruwet avait à se prononcer sur la psychologie *humaine ?* On a bien l'impression qu'il la rayerait du catalogue des sciences puisque, selon lui, la suspicion à son égard est justifiée dans la mesure où elle prétend « à l'étude d'opérations psychiques, de vie mentale, de conscience ». Tout annonce dans cette réflexion que la psychologie, en ces prétentions-là n'en a plus pour longtemps, et que ce qui en restera d'acceptable va se résorber dans le giron de l'éthologie.

C'est ce qu'on voit s'accomplir dans le recueil de 1979. Sous la bannière de l'éthologie on y trouve à juste titre des pionniers comme R. A. Hinde, des éthologistes qui se proclament tels, mais tout aussi bien des auteurs comme Ainsworth, Bell, Stayton, psychologues de la prime enfance qui n'ont jamais éprouvé le besoin de se dire éthologistes. En somme, des enrôlés involontaires.

Nous en avons dit assez pour en revenir à Strayer, à son texte où il s'emploie à définir l'éthologie. Sa démarche consiste non seulement à passer en revue les définitions déjà proposées, mais à examiner le contenu des recherches que leurs auteurs désignent comme éthologistes.

Il parvient ainsi à dégager quatre caractères ou critères :
Premier critère d'ordre méthodologique : *l'observation directe d'unités de comportement se produisant naturellement.* Il y a bien là une différence entre le travail des éthologistes et ce

que font d'autres biologistes et psychologues. La description naturaliste a une longue histoire en psychologie. Strayer cite notamment Margaret Barker qui, en 1930, a inauguré la célèbre technique dite des « échantillons temporels » dont on souhaiterait qu'elle fût appliquée plus souvent par certains éthologistes dont le manque de rigueur est assez stupéfiant (*A technique for studying social-material activities of young children. Bureau of publication, Columbia University*). Or, cette approche naturaliste des psychologues de l'enfance diffère de la recherche des éthologistes : une même méthode d'observation sans doute mais s'exerçant en des cadres conceptuels différents. *Le concept d'organisation ou structure des phénomènes comportementaux* est au premier plan des préoccupations de l'éthologiste : c'est le second critère.

Mais il faut aller plus loin encore : la plupart des éthologistes commencent leur observation en cherchant systématiquement « the immediate causation and (or) the immediate function of selected behavioural elements ». Sans doute la recherche des déterminants et effets immédiats n'est-elle pas une démarche nouvelle mais elle revêt en éthologie une importance majeure du fait qu'elle sert une visée théorique. *L'analyse des conséquences et des antécédents immédiats* des « unités » comportementales facilite leur regroupement en larges catégories, celles-ci sont alors interprétables en termes de similarités profondes (facteurs d'ordre causal, ou conséquences analogues) sous-jacentes à la diversité des apparences, des formes comportementales. Ainsi en est-il du comportement agressif, de l'activité affiliative, etc.

Cette dérivation inductive, à partir d'une description très ponctuelle, est probablement le principal critère, la caractéristique essentielle, de la recherche éthologique telle qu'elle s'est définie depuis 1935.

Cependant Strayer considère un dernier aspect : une analyse éthologique complète, dit-il, inclut *la considération du contexte historique* que ce soit à l'échelle de l'ontogénèse ou celle de la phylogénèse. On retrouve ici la préoccupation des antécédents et des conséquences, mais dans un cadre temporel beaucoup plus large : évolution des espèces animales, développement de l'enfant, notamment s'il s'agit d'éthologie humaine.

L'enseignement que je tire de l'article de Strayer est bien simple. Les définitions qu'on a pu donner de l'éthologie se déploient entre deux pôles : une définition par la méthode, une définition par un cadre conceptuel très strict. La première est la plus courante de toutes mais elle est beaucoup trop large et historiquement abusive : les éthologistes n'ont pas la paternité des techniques d'observations en milieu naturel ou habituel. La seconde a le mérite de bien dégager l'essentiel des options et orientations de l'éthologie telle qu'elle est. Mais elle révèle du même coup les dangers d'un cadre théorique où s'affirme, qu'on s'en défende ou non, le primat de l'innéité, l'emprise d'une idéologie. Cependant un cadre théorique a l'avantage de stimuler la recherche, de renouveler les perspectives jusqu'au sommet où il craque. C'est son destin de craquer tôt ou tard comme, à un autre niveau, il est dans la nature d'une mode de se démoder. La dernière réflexion que m'inspire l'analyse de Strayer est relative à l'extensibilité des mots et des notions que nous employons trop souvent à la légère.

En suivant ses efforts pour tenter de définir l'éthologie, j'ai pensé à l'élucidation de la notion de stade, entreprise il y aura bientôt trente ans en un colloque fameux, sur l'initiative de Jean Piaget. C'était en 1955, en un symposium tenu à Genève (*Cf. Le Problème des stades,* P.U.F., 1956). Jean Piaget souhaitait qu'on se mît d'accord sur cette notion employée en ce temps-là par la quasi-totalité des psychologues de l'enfance. Et pour ce faire, il nous propose 4 ou 5 critères ou caractères : la constance dans l'ordre de succession des phénomènes observés, le caractère intégratif des phénomènes (ce qui est acquis à un âge donné devient partie intégrante aux acquisitions de l'âge suivant), le caractère de structure d'ensemble (et non pas une simple juxtaposition de propriétés étrangères les unes aux autres), l'existence d'un niveau de préparation et d'un niveau d'achèvement réalisant un état d'équilibre.

Bien entendu, Strayer et Piaget ont des objectifs différents : le premier vise à définir le domaine d'une science, le second à définir une notion en ses acceptions plus ou moins larges.

Mais tous deux ont affaire à des *mots-accordéons*. Tous deux s'emploient à montrer que selon le nombre de critères que l'on retient la notion que le mot connote varie en extension et en compréhension. En extension, jusqu'à signifier tout et rien quand un seul critère est employé. Mais à se restreindre à un cadre théorique très exigeant, trop exigeant quand tous les critères sont appliqués. En fin de compte, la notion de stade à laquelle aboutit Piaget avec les 4 ou 5 critères qu'il propose ne convient que pour le domaine de l'intelligence, et pour l'intelligence telle qu'il la conçoit lui-même.

L'éthologie, selon les critères de Strayer, c'est essentiellement l'éthologie lorenzienne, le stade tel que Piaget nous le définit n'est rien d'autre que le stade piagetien. Des moments de l'histoire des sciences. Le principal est de savoir ce que parler veut dire.

Alors, si on parlait maintenant de psychologie, comme Strayer a parlé d'éthologie ?

Post-scriptum 1

En rédigeant mon compte rendu du travail de Strayer, un souvenir incertain me hantait d'une déclaration de Lorenz regrettant l'usage du terme éthologie. Un paradoxe puisque l'on considère que le succès de ce terme est dû principalement au succès mondial de ses œuvres !

Eh bien, non, mon souvenir n'était pas faux. C'est en recherchant dans un vieux livre[1] des propos de Margaret Mead et de Piaget sur la précocité de leur vocation scientifique (avec quoi j'ai construit mon sketch : « Piaget : un enfant arriéré ? ») que j'ai retrouvé, par hasard, la déclaration de Lorenz sur l'éthologie.

Le lecteur ne s'attardera pas aux références historiques de Lorenz. Interrogé à brûle-pourpoint par Bowlby, il a attribué à son maître Heinroth la paternité du mot éthologie. C'est inexact, mais sans importance. Par contre, les regrets relatifs à l'étiquette éthologie valent d'être reproduits *in extenso* et, pour copie conforme, en fac-similé.

En ce colloque auquel je participais, je ne sais plus si Lorenz s'est exprimé, pour cette déclaration, en anglais ou en français, deux langues qu'il parle parfaitement.

---

1. *Entretiens sur le développement psychobiologique de l'enfant* (recueillis par Tanner et Inhelder), Neuchâtel, Delachaux et Niestlé, 1960.

Alors, par souci d'objectivité, je donne d'abord le texte de la version anglaise :

« ... Tinbergen took over the term ethology, which I consider rather a pity, because it creates misunderstandings (...) the word ethology is really awful...[1]. » (*awful,* plus désobligeant encore que le français « lamentable ». Comment traduire ? terrifiant ? diabolique ?...)

Bowlby : Puis-je poser une question ? Je voudrais savoir quand le terme *éthologie* a été créé et par qui.

Lorenz : Le terme *éthologie* a été créé par Heinroth, qui, avec Whitman, a été le pionnier de cette science. Il est intéressant de noter qu'aucun des deux ne connaissait l'existence de l'autre et encore moins son travail ; Heinroth appela un de ses premiers et plus importants articles : *Beiträge zur Biologie, insbesondere Psychologie und Ethologie der Anatiden* (1911). Le sujet de cet article porte sur les activités et les réactions *innées* des oiseaux en question. Tinbergen reprit le terme d'éthologie, que je considère comme plutôt regrettable, parce qu'il crée des malentendus avec les psychologues et les philosophes. Ni Heinroth ni Tinbergen ne se souciaient le moins du monde de psychologie et de philosophie, sciences dans lesquelles les mots *ethos* et *éthique* ont un sens très différent. Aussi ne se préoccupaient-ils pas de l'ambiguïté du mot *éthologie.* Mais je pense qu'il est trop tard pour y changer quelque chose maintenant — nous sommes appelés, nous sommes catalogués « éthologistes ». Je ne me suis cependant jamais servi du mot en allemand ; je dis « *Vergleichende Verhaltenslehre*[2] » ; la terminaison allemande *-lehre* a un avantage sur l'anglais *-ology :* on peut l'adjoindre pratiquement à n'importe quoi. L'on ne pourrait pas dire en anglais *Comparative Behaviourology* — et c'est probablement ce qui a influencé Tinbergen. Mais je concède aux psychologues que le mot *éthologie* est plutôt lamentable.

---

1. *Discussions on Child Development* (Volume one), London, Tavistock Publications, 1956. Le colloque où cette déclaration a été faite s'est tenu à Genève en 1953.
2. En français « comportementologie » comparée (*N.d.T.*).

Post-scriptum 2

Cependant je dispose d'un autre texte de Lorenz, texte datant de janvier 1953 et présenté à une réunion préparatoire au Colloque officiel de juillet. Voici ce texte non publié :

« L'éthologiste qui s'attache à déterminer à un degré inférieur, c'est-à-dire dans leurs éléments et leurs fondements, la nature des lois biologiques, peut seulement *proposer* (le soulignement est de K. L.) les résultats qu'il obtient à celui qui étudie les processus vitaux d'un niveau supérieur. Il espère que ce dernier (le psychologue ? R. Z.) pourra s'appuyer sur ces résultats pour expliquer les phénomènes avec lesquels il est aux prises de son côté. »

Par ce texte il est assez clair, me semble-t-il, que Lorenz esquisse, pour l'étude des « phénomènes vitaux », ce que je désigne comme théorie des niveaux : un des niveaux est l'objet de l'éthologie, un autre est probablement celui de la psychologie bien que Lorenz ne la nomme pas. Mais lorsque, dans sa déclaration de juillet 1953, il regrette « les malentendus avec les psychologues », n'est-ce pas la confusion des deux niveaux qu'il condamne dans l'emploi abusif du mot éthologie, n'est-ce pas la réduction du psychologique à l'éthologique qu'il condamne à l'avance ?

Il ressort de la définition qu'il donne de l'éthologie, comme recherche de lois biologiques communes à toutes les espèces animales, qu'elle implique une approche comparative dans laquelle notre propre espèce peut être impliquée.

Sur le texte ci-dessus, Lorenz enchaîne ainsi :

« Deux processus particuliers connus depuis longtemps en éthologie comparée peuvent présenter de l'intérêt pour qui étudie le développement de l'enfant : la réponse provoquée par *le mécanisme inné de déclenchement* (Innate Releasing Mechanism) et le type particulier de conditionnement dénommé *impression* ou empreinte (imprinting). »

C'est peut-être la première fois que l'approche éthologique est définie explicitement par rapport à l'enfant humain. Mais après avoir bien situé cette approche à un « degré inférieur » du biologique.

5.

Les tests : pour ou contre ?

La pratique de la méthode des tests soulève encore une foule de problèmes, les uns créés de toutes pièces par les préjugés et l'ignorance de gens qui en parlent sans en savoir grand-chose, les autres bien réels, rencontrés et résolus tant bien que mal par ceux qui construisent des tests et qui les utilisent.

Il conviendrait sans doute de traiter une bonne fois, à fond, de la méthode des tests. D'en examiner les postulats. D'en définir les limites. D'en mesurer l'utilité et les dangers. D'en situer la place exacte dans les démarches de l'examen clinique, mais aussi dans le processus de certaines recherches scientifiques fondamentales. (Car le test est presque toujours un *moment* d'une investigation, qu'elle soit clinique ou expérimentale.) De dégager ce qu'il y a vraiment d'essentiel, de commun à tous les tests et ce qui les diversifie au point qu'on peut parfois se demander si le même terme convient bien à des techniques si différentes. Bref, d'en faire une critique complète.

Quand on pousse dans leurs derniers retranchements les adversaires de cette méthode, on se heurte presque toujours au spectre du Quotient intellectuel. Comme s'il était dans la nature du Q.I. de figer, de fixer, de détruire les qualités psychiques en les quantifiant, et de symboliser ainsi ce qu'il y a de fondamentalement pervers dans la psychotechnique. Comme si toute psychotechnique se rattachait plus ou moins directement à la pratique du Q.I...

Pour qu'une critique aussi indigente soit le fait de gens qui prétendent défendre la qualité contre la quantification, l'esprit de finesse contre l'esprit de géométrie, et qu'une telle critique rencontre encore un si grand crédit, il faut bien supposer qu'une passion aux racines très profondes se mêle à beaucoup d'ignorance et l'entretienne.

Mais ce n'est pas ici mon propos d'analyser cette passion et les raisons de cette ignorance.

La ténacité des critiques lui tient lieu de force et cette ténacité a du moins le mérite d'obliger le psychologue, créateur ou utilisateur de tests, à ne point s'endormir, à s'interroger constamment sur la valeur et la signification de ses instruments.

Au dernier stade de la controverse, les psychologues soviétiques ont expliqué qu'un test avait valeur psychologique s'il était l'abrégé d'une véritable expérimentation. Que n'ont-ils donné plus tôt ce critère au lieu des condamnations fracassantes qui n'ont gêné en rien ni les progrès ni les abus de la méthode des tests.

Les tests que nous publions aujourd'hui sont en effet l'abrégé d'expériences qui se sont poursuivies, pour plusieurs d'entre elles, pendant de très nombreuses années.

Un test n'est pas en effet, comme le croient trop souvent des profanes, un dispositif mystérieux qui renseigne automatiquement et infailliblement sur des facultés mystérieuses dont le nom échappe à la psychologie commune.

On confond la standardisation de l'épreuve avec une prétendue automaticité d'application. On confond aussi la nature insolite de certains facteurs que les tests essaient d'atteindre avec la nature même de la méthode : comme si un test d'orthographe ne révélait pas aussi clairement la nature de cette méthode qu'un test de facteur G par exemple.

On confond enfin la précision des mesures obtenues avec une affirmation de fixité pour la chose mesurée : comme si la température lue aujourd'hui sur un thermomètre fixait la fièvre à un niveau définitif.

Un test est une épreuve strictement définie, dans ses conditions d'application et dans son mode de notation, qui permet de situer *un sujet* par rapport à *une population* elle-même bien définie (biologiquement et socialement).

La méthode des tests est une synthèse de la méthode expérimentale et de la méthode clinique (n'est-ce point pour cela qu'elle est suspecte à la fois aux cliniciens et aux expérimentalistes ?).

Cela ne signifie pas qu'elle puisse se substituer à l'expérimentation et à la clinique. Les domaines explorés, les buts poursuivis, ne sont pas identiques. Mais en différentes étapes de ses démarches essentielles elle est, simultanément ou successivement, expérimentale et clinique.

La méthode des tests est expérimentale notamment aux étapes de construction de l'épreuve : les dispositifs, les articles sont d'abord éprouvés par diverses variations et modifications.

La méthode des tests est clinique, de toute évidence, au stade de l'application. Clinique en ce sens d'abord qu'elle définit un *individu* par rapport à son groupe. Clinique aussi parce qu'elle nous enseigne *la relativité* de chaque signe, de chaque symptôme dans un ensemble. La méthode des tests est une sémiologie systématique.

Son mérite, ou son défaut selon les cliniciens « purs », est de limiter exactement le champ d'investigation et le champ d'interprétation.

C'est évidemment à la fois un défaut et une qualité.

Une qualité parce que la justification doit fixer ses propres limites et que la méthode des tests est essentiellement une méthode de justification et de contrôle. Un défaut parce qu'elle néglige des indices et des signes, saisissables par l'intuition clinique.

Mais opposerait-on l'une à l'autre, la méthode de contrôle et l'intuition, si elles ne répondaient pas si souvent à deux tournures d'esprit, et même à deux catégories de professions ?

Jamais une méthode d'objectivation ne remplacera l'ingéniosité créatrice de l'intuition. Jamais l'intuition n'atteindra à l'objectivité de jugement d'une connaissance explicite et contrôlée. Elles sont, en fait, les deux mouvements d'une même intention, d'une même recherche ; mais dont le *tempo* est, hélas, bien différent. Le diagnostic est urgent pour le clinicien. La construction d'un nouveau test est longue pour le psychologue.

Il faut en prendre son parti.

Les techniques de la psychologie ne progressent que lentement, mais leurs progrès se cumulent et sont transmissibles.

Au stade de l'application, le test peut apparaître comme un moyen trop rigide de diagnostic et de description psychologique. Les notions qui le définissent, les variables qu'il prétend mesurer ne sont évidemment pas en discussion au moment où le test est appliqué à un individu. Ainsi quand je teste l'intelligence d'un enfant ou sa capacité d'organisation spatiale ou sa persévération je ne m'interroge pas sur la nature de l'intelligence, de l'organisation spatiale ou de la persévération. J'accepte les définitions impliquées par le test (encore convient-il que je connaisse clairement ces définitions, c'est-à-dire ce qu'on appelle le rationnel du test).

On pourra alors me reprocher d'être prisonnier de mes tests, de réduire le psychisme à mes instruments de mesure. Ce reproche appelle deux réponses : 1) la saisie objective suppose toujours le moyen d'un instrument et le danger de l'instrumentalisme est évité pourvu qu'on reste conscient des limites de cet instrument ; 2) la méthode des tests n'est en rien responsable de la pauvreté, de l'imperfection, de l'erreur notionnelles de tel ou tel test. Un test est simplement la mise en forme d'une notion qui lui est antérieure. C'est un « modèle » qui permet un « constat ». Un point c'est tout.

Si le constat ne signifie rien, c'est que le modèle est faux ou inadéquat, c'est que la notion de base est erronée ou illusoire. A partir d'une hypothèse fausse, la conclusion est évidemment dépourvue de toute valeur. Mais la méthode des tests n'en est pas responsable.

On pourrait alors rétorquer que le test, avec son appareil de quantification et d'objectivation, donne une caution scientifique à l'idée fausse. Assurément. Mais l'erreur notionnelle, parce que clairement exprimée, devient aussi beaucoup plus vulnérable, beaucoup plus facilement repérable que dans le contexte d'un discours. Le test prépare une critique impitoyable de toutes les notions psychologiques. Le renouvellement de la psychologie de l'intelligence, de la mémoire, de l'attention, de toutes les facultés classiques est dû, en grande partie, à la méthode des tests, à tous les efforts de validation poursuivis depuis un demi-siècle.

Ce n'est pas dire que cette méthode puisse à elle seule accomplir ce renouvellement. Mais elle maintient une exigence de contrôle systématique. Et ses prétendus échecs sont en fait les échecs des idées qu'elle a traduites en modèles. Ils doivent être portés à son crédit.

DEUXIÈME PARTIE

UN ÉCHANTILLON DE TRAVAUX RÉCENTS

1.

« François, quel âge as-tu[1] ? »

Le questionnaire-test sur la notion d'âge, dont nous présentons ici un préétalonnage, fait partie d'une batterie d'épreuves que nous avons mise au point au laboratoire de psychologie de l'hôpital Henri-Rousselle pour une étude des troubles du sentiment de filiation chez l'enfant : problème formulé par Pierre Bourdier, médecin responsable de notre service de Guidance infantile.

La notion d'âge implique la notion de temps. Et nous savons que la genèse de celle-ci est longue et difficultueuse : les travaux de Wallon et ceux de Piaget, pour ne parler que des auteurs de langue française les plus célèbres, en témoignent abondamment.

L'enfant peut savoir dire son âge sans avoir acquis pour autant la notion d'âge. L'âge qu'il se donne est un savoir reçu : on lui a dit, maintes fois, qu'il a tel âge, et il le répète. C'est un attribut de sa personne, comme son prénom ou sa position (de frère, de fils, par exemple) dans la constellation familiale, ou encore c'est un chiffre qui traduit le fait d'être petit ou grand au sens physique du terme, puisque l'âge est alors souvent conçu par l'enfant comme une simple question de taille.

1. En collaboration avec Marianne Ziadé et Françoise Cronier.

L'âge, en tant que notion, c'est le temps écoulé depuis la naissance. Ainsi, avoir 6 ans, c'est évidemment avoir vécu six années. Cette évidence-là, l'enfant ne la possède pas d'emblée. La question qui se pose pour nous est donc la suivante : à quel âge et de quelle façon l'enfant va-t-il parvenir à cette évidence ?

Il faut avouer que notre questionnaire âge nous a été suggéré par les propos inattendus d'un enfant de notre consultation. Qu'il est le résultat de notre étonnement. Et pourtant ce que nous savions sur la genèse de la notion de temps aurait pu nous guider et, à tout le moins, nous prémunir contre la surprise. Une fois de plus nous avons vérifié cette règle selon laquelle on n'assimile bien que ce qu'on a redécouvert soi-même. Et puis, de toute façon, il nous fallait étalonner et analyser les réponses d'une population d'enfants dans la perspective de recherche qui était la nôtre.

Voici donc l'incident qui fut à l'origine de notre travail : François venait de déclarer son âge, 9 ans, sans hésiter une seconde. Alors, histoire de plaisanter, hors de tout esprit d'examen, nous lui avons demandé : « Tu peux me dire maintenant depuis combien d'années tu es né ? » L'enfant s'est mis à réfléchir, il a chuchoté à voix basse et, en fin de compte, il a répondu : 11 ans. A notre demande, il nous a expliqué qu'il avait fait un calcul à partir de l'année de sa naissance, mais qu'il avait pu se tromper. Que c'était peut-être 10 au lieu de 11. Il a recommencé son calcul à haute voix, en comptant 1 pour l'année de sa naissance et en aboutissant ainsi au chiffre de 10.

Si François avait répondu exactement 9 ans après avoir fait son calcul, notre étonnement aurait sans doute été moindre, bien que sa démarche eût prouvé, tout autant, que la notion d'âge n'était pas vraiment acquise. Mais la preuve était plus flagrante du fait que François ne s'étonnait pas lui-même que le total de ses années ne correspondît pas au chiffre de son âge.

L'erreur de calcul, la faute de métrique qui consiste à compter l'origine de naissance pour 1 au lieu de 0 était sans importance. Que le calcul soit exact ou non, l'étonnant pour nous c'est le calcul lui-même, c'est la non-évidence pour l'enfant que l'âge correspond au nombre d'années, que le calcul est inutile.

On peut sans doute faire l'hypothèse que cette conduite du calcul prépare la notion d'âge en même temps qu'elle la nie, qu'elle l'ignore. Elle la prépare par une prise de conscience du temps parcouru depuis la naissance. Elle la nie puisque l'âge déclaré et le nombre d'années calculé sont traités comme des réalités distinctes. Celui-ci est le résultat d'une opération, d'une construction intellectuelle. Celui-là est un savoir reçu, un témoignage venu d'autrui.

En conséquence de cela on peut supposer, sans grand risque de se tromper, que la conduite de calcul apparaît, comme période intermédiaire, entre l'aveu d'ignorance (« je ne sais pas »), le recours au témoignage d'autrui (« il faut demander à ma mère ») et l'affirmation immédiate d'évidence qui signe l'acquisition de la notion d'âge (« je suis né depuis 9 ans puisque j'ai 9 ans »).

Mais il convient d'ajouter que l'aveu d'ignorance est plus difficile à interpréter que la conduite de calcul : il peut s'agir d'une ignorance totale concernant la durée comme une suite d'années. Ou bien d'une ignorance de la date de naissance, à quoi s'ajoute éventuellement l'incapacité du comptage. Notre questionnaire n'a pas été conçu pour tenter d'élucider ce type ambigu de réponse.

Nous avons interrogé, dans une école du 14ᵉ arrondissement de Paris, 88 enfants, garçons et filles, répartis sur cinq niveaux d'âge : 6, 7, 8, 9 et 10 ans [1]. Chaque groupe d'âge est défini par une marge d'un mois, en deçà et au-delà de l'anniversaire.

La procédure qui consiste à restreindre la fourchette des mois autour de l'anniversaire a pour but de réduire la

1. La recherche a été conduite à l'Ecole maternelle du 77, rue de la Tombe-Issoire, Paris, 14ᵉ et dans deux écoles élémentaires des 12 et 14, rue d'Alésia. Nous remercions les enseignants et chefs d'établissement (Mᵐᵉ Beaucourt, Mᵐᵉ Richard, M. Dusserre) qui nous ont accueillis et aidés.

dispersion des résultats, autant qu'il est possible, aux seules différences individuelles. Dans cette perspective l'idéal serait de pouvoir examiner tous les enfants d'une population d'étalonnage le jour de leur anniversaire.

Cette procédure qui nous est habituelle (notamment quand nous travaillons sur de faibles effectifs) et qui se justifie pleinement pour l'ensemble de notre batterie « filiation », présente cependant un inconvénient pour le questionnaire « âge », plus exactement pour la première question que nous posons : « Quel âge as-tu ? »

En effet, si la réponse est un écho de ce que disent les parents, on peut supposer qu'aux alentours de l'anniversaire, l'enfant répondra plus souvent avec exactitude du seul fait que son âge lui aura été maintes fois seriné. Il serait donc intéressant de reprendre l'investigation, du moins avant l'âge de six ans, pour savoir ce que l'enfant répondrait quand il n'est pas proche de son anniversaire.

L'entretien avec chaque enfant comporte deux questions principales :

— *Quel âge as-tu ?*
— *Depuis combien d'années tu es né ?*

A cette seconde question, deux réponses sont possibles : ou bien l'enfant donne un chiffre, ou bien il déclare qu'il ne sait pas.

Alors on tente de pousser plus loin l'investigation. Si l'enfant a donné un chiffre, qu'il soit exact ou pas, on lui demande une justification : « Comment tu as fait ? » Si l'enfant a répondu qu'il n'en sait rien, on l'incite à chercher une solution par des suggestions convenablement graduées et adaptées à ses propres réactions : est-ce qu'on pourrait le savoir... comment est-ce qu'on pourrait le savoir... On pourrait le deviner... Comment... est-ce que tu pourrais le calculer, le compter... est-ce que ta mère le saurait ?

La connaissance de l'âge

A l'âge de 6 ans, tous les enfants que nous avons interrogés déclarent exactement leur âge.

Sur les 88 enfants de notre population, deux seulement donnent une réponse inexacte. Evelyne, âgée de 7 ans et 1 mois au moment de l'examen, répond qu'elle a 5 ans. Sylvie, âgée de 9 ans et 1 mois, répond qu'elle a 8 ans. Ni l'une ni l'autre ne savent dire depuis combien d'années elles sont nées. Elles n'y ont pas réfléchi, elles ne savent deviner, ni calculer; elles disent qu'il faut demander à leur mère.

Comme on le verra plus loin, leurs réponses relatives au nombre d'années ne sont pas exceptionnelles à 7 ans, ni même à 9 ans. L'ignorance de leur âge est, par contre, exceptionnelle. Et nous n'avons pas d'explication à proposer: leur niveau de développement mental n'a pas été évalué.

On aura remarqué que l'âge déclaré par ces deux filles est erroné par défaut: c'est un âge antérieur qu'elles donnent (5 au lieu de 7, et 8 au lieu de 9) comme par un effet de persévération.

Pour les 86 enfants qui ont donné exactement leur âge, on peut se demander si le fait d'avoir été interrogés avant ou après le jour de leur anniversaire pouvait modifier quelque peu leur réponse. Il faut d'abord dire que, dans le mois qui précède l'anniversaire, nous avons admis l'âge antérieur comme réponse exacte. Ainsi jusqu'à la veille de 7 ans, on peut encore déclarer qu'on a 6 ans. C'est peut-être une erreur de métrique, mais pourquoi ne pas la tolérer chez les enfants alors qu'elle est encore commise, plus ou moins innocemment, chez tant d'adultes? A tel point, par exemple, que ce serait un compliment de mauvais goût de souhaiter une bonne quarantième année à une femme, ou même à un homme, le jour de ses 39 ans. La trente-neuvième année s'éteint avec les 39 bougies, et pourtant on garde souvent l'illusion, on feint de croire qu'elle ne fait que commencer.

Tout compte fait, dans la période pré-anniversaire où nous avons opéré, les réponses des enfants sont assez précises. Sur le total des 8 enfants interrogés *avant* leur sixième anniversaire, trois répondent *j'aurai bientôt 6 ans* (ou) *je n'ai pas encore 6 ans*; anticipant de quelques jours, l'un répond *j'ai 6 ans*; trois répondent *j'ai 5 ans et demi*, un seul déclare qu'il a 5 ans.

Les six enfants interrogés *après* leur anniversaire répondent tous qu'ils ont 6 ans, sans plus de précision.

On obtient à peu près le même type de réponses, avec une même fréquence, à tous les groupes d'âge. Dans le mois qui précède son anniversaire, il est rare que l'enfant déclare son âge antérieur (5 ans pour 6 ans, 8 ans pour 9 ans). Ou bien il utilise la formule *j'aurai bientôt,* ou bien, un peu plus fréquemment, il déclare la demi-année. La demi-année apparaît comme le degré de sensibilité de son évaluation. Mais on peut considérer qu'il s'agit pour lui non d'une quantification véritable, d'une grossière approximation comme elle peut l'être dans les propos de ses parents, mais une façon de se situer qualitativement entre deux âges : j'ai plus de 8 ans, je n'ai pas encore 9 ans. Evaluation qualitative qu'il tient de ses parents. Et, hors de notre expérience, nous avons rencontré des enfants, fils ou filles de psychologues qui, bien avant d'avoir acquis la notion de temps, déclarent leur âge au mois près. C'est Antoine, par exemple, qui dit : « J'ai 6 ans et 4 mois. » On s'attend presque qu'il indique, à la façon des faiseurs de tests, le point-virgule qui doit séparer par convention les années et les mois.

L'indication de la demi-année, on l'obtient aussi, quoique beaucoup plus rarement, chez les enfants interrogés dans le mois qui suit leur anniversaire. Au moins jusqu'au groupe de 8 ans. Ainsi Robert, qui a fêté son huitième anniversaire une semaine plus tôt, déclare qu'il a 8 ans et demi.

On peut douter qu'il tienne cette réponse de ses parents. Mais l'expression de demi qu'il a pu leur emprunter auparavant apparaît d'autant mieux ici dans l'usage qualitatif qu'il en fait. Le *demi* pour l'enfant, et dans ce contexte, n'est pas un adjectif signifiant une moitié, c'est un adverbe synonyme de un peu ou beaucoup plus.

Les enfants interrogés le jour même de leur anniversaire devraient avoir la réponse facile. Mais ce n'est pas toujours le cas. Les plus âgés, bien sûr, n'hésitent pas et l'un d'entre eux va jusqu'à préciser : « J'ai 10 ans, aujourd'hui, il y a 20 minutes. » Cependant un garçon de 9 ans hésite et se trouble : « J'ai 9 ans et demi... non 8 ans et demi... non, 9 ans. »

« DEPUIS COMBIEN D'ANNÉES TU ES NÉ? »
réponses de 86 enfants de 6 à 10 ans
qui ont préalablement déclaré leur âge exactement

ÂGES et EFFECTIFS	RÉPONSE CHIFFRÉE			« JE NE SAIS PAS »			
	sans calcul apparent	calcul spontané		calcul suggéré		recours à la mère	
	(1) Ev. +	(2) +	(3) −	(4) +	(5) −	(6) elle sait	(7) elle ne sait pas
6 ans n = 14	1 (?)		3			9	1
7 ans n = 21	5		1			13	2
8 ans n = 19	5	3		1	1	9	
9 ans n = 16	7	1	2	1		5	
10 ans n = 16	16						

L'âge n'est pas conçu comme un continuum. Le passage d'un âge à l'autre est une rupture, un changement de qualité. Rien d'étonnant à ce que certains enfants témoignent par leurs réponses du désarroi que tous doivent plus ou moins éprouver. L'âge est, pour l'enfant, un attribut de son identité. Mais, au contraire du prénom, c'est un attribut changeant, et donc déroutant aussi longtemps qu'il n'est pas intégré dans la notion de temps.

L'âge comme notion temporelle

On sait déjà que 2 enfants sur 88 n'ont pas su donner leur âge. Le tableau ci-dessus présente les réponses des 86 autres enfants au questionnement concernant le nombre d'années qu'ils s'attribuent.

Ces réponses sont classées en 7 rubriques.

Les trois premières rubriques concernent les réponses où l'enfant a donné spontanément un chiffre.

Ce chiffre peut être justifié par l'évidence : je suis né depuis 9 ans puisque j'ai 9 ans. C'est la rubrique Eval. + (colonne 1).

Les deux rubriques suivantes (colonnes 2 et 3) présentent les réponses qui ont été justifiées par un calcul. Les signes + et − indiquent si le calcul est exact ou non.

Les quatre autres rubriques présentent les propos des enfants qui ont d'abord répondu « je ne sais pas ».

Le recours au calcul peut aboutir à un résultat exact (+) ou faux (−) (colonnes 4 et 5).

Le recours à la mère ou au père peut se traduire par une affirmation (il faut demander à ma mère, elle sait) ou par une négation (non, ma mère ne sait pas) (colonnes 6 et 7).

Une conclusion se dégage immédiatement de ce tableau : *à l'âge de 6 ans, les enfants ignorent la notion d'âge. A 10 ans, tous les enfants l'ont acquise.*

Le seul enfant de 6 ans qui ait répondu correctement sans dire qu'il avait compté reste cependant un cas douteux : il n'a pas su, comme les enfants plus âgés, exprimer la notion d'âge en disant que c'est la même chose d'avoir 6 ans et d'être né depuis 6 ans.

Lorsque l'enfant répond « je ne sais pas », le recours au témoignage de la mère est beaucoup plus fréquent que l'essai de calcul, pourtant suggéré. Et ce recours est encore constaté pour un tiers des enfants de 9 ans.

A cet âge de 9 ans, on enregistre encore deux erreurs de

calcul, c'est-à-dire des chiffres qui ne correspondent pas à l'âge exact déclaré quelques instants plus tôt : et les deux enfants qui ont ainsi répondu ne perçoivent pas la contradiction.

Les effectifs de notre recherche sont trop limités pour nous permettre d'élaborer les résultats en fonction du niveau socio-culturel, en fonction du sexe, et pour nous fournir un étalonnage.

Mais l'évolution constatée est suffisamment nette pour nous autoriser à dire que la conquête de la notion d'âge s'accomplit entre 6 et 10 ans.

Le texte intégral de quelques protocoles restituera pour le lecteur le ton des réponses que les enfants nous ont données et lui suggérera peut-être quelques façons d'améliorer notre questionnement s'il avait l'intention de le reprendre.

Amélie (6 ans et quelques jours)
— J'ai 6 ans.
— *Depuis combien d'années ?...*
— Il y a dix ans que je suis née peut-être.
— Pour savoir j'ai compté tous les doigts jusqu'à 10 ans, tous ensemble.
— Maman ? Oui, elle sait. Mais elle compterait pas sur ses doigts.

Sylvie (8 ans et 1 mois)
— J'ai 8 ans.
— *Depuis combien d'années ?...*
— Non, je ne sais pas. Ah si ! Depuis 8 ans, puisque j'ai 8 ans, je le sais. Au début je ne savais pas parce que j'avais pas réfléchi. Après, je me suis dit que c'était logique. J'avais 8 ans alors je suis née depuis 8 ans.

Mathieu (9 ans et un jour)
— ... J'ai 8 ans et hier j'ai eu 9 ans, alors j'ai 9 ans.
— *Depuis combien d'années ?...*

— Ben, 10 ans je crois parce que hier c'était mon anniversaire et ma mère m'a dit : ça fait ta dixième année.

— *Tu aurais pu calculer tout seul ?...*

— Oui, j'aurais pu calculer toutes les années. Je compte
8 ans, plus une année pour quand je venais de naître, plus une
année pour mes 9 ans que je viens d'avoir, donc en tout, ça fait
10 ans.

— Si ma mère ne me l'avait pas dit, j'aurais mis plus
longtemps à le calculer.

Sébastien (10 ans, 3 semaines)

— J'ai 10 ans.

— *Depuis combien d'années ?...*

— Ben 10 ans ! Je suis né en 70, ça fait 10 ans, il y a
10 bougies et je sais que je suis né depuis 10 ans.

— *Mais tu l'as deviné ou tu l'as calculé ?*

— On me l'a dit mais maintenant je peux calculer quand je
veux... je prends les deux derniers chiffres de l'année, 80, et je
soustrais mon année de naissance, 70, alors ça fait 10.

Carole (10 ans, 3 semaines)

— J'ai 10 ans.

— *Depuis combien d'années ?...*

— Ben 10 ans !

— *Mais tu l'as deviné ou tu l'as calculé ?*

— Non j'ai pas calculé, ni deviné. Pas besoin. Si j'ai 10 ans
j'ai dix années car l'âge ça compte par années. Donc 10 ans ça
fait dix années.

La réponse de Sébastien n'est pas la plus pittoresque mais
elle a le mérite de souligner le brouillage, le désarroi que les
questions du psychologue peuvent provoquer. Par le ton de sa
toute première réponse (« ben 10 ans ! ») nous sommes
persuadés que la notion d'âge est acquise. Mais voilà qu'il se
met à se référer aux bougies de son anniversaire puis, relancé
par nos questions, à soustraire 70 de 80 pour justifier
l'exactitude de sa réponse.

On peut facilement imaginer que certains enfants soient

perturbés quand un adulte leur pose sur un ton sérieux une question absurde. Ce n'est pas le cas de Carole qui, comme d'autres enfants de son âge, nous envoie paître. C'est, probablement, le cas de Sébastien. Ou bien l'évidence (la notion d'âge) est encore fragile pour lui, et nos questions puis ses réponses révèlent cette fragilité. Ou bien l'évidence est parfaite mais l'enfant croit que cet adulte bizarre lui réclame une démonstration, un calcul, comme il a l'habitude d'en faire en classe.

Il n'y a pas là une autocritique de nos techniques de questionnement. Tout psychologue sait bien qu'une réponse obtenue n'est pas nécessairement univoque, mais aussi que ses questions peuvent avoir des impacts variables d'un âge à l'autre et, pour un même âge, selon les enfants. En conséquence de quoi la relation n'est pas simple et invariante entre une question et une réponse.

Ainsi, lorsque l'enfant répond « je ne sais pas » à notre seconde question, ou qu'il effectue un calcul faux sans s'en rendre compte, sa réaction est sans ambiguïté : la notion d'âge n'existe pas pour lui.

Mais à partir d'un certain âge notre question peut provoquer une prise de conscience chez l'enfant : la démarche de calcul le conduit alors subitement à l'évidence.

A l'inverse, comme pour Sébastien, la question risque d'être déroutante. Et il s'agit alors de savoir si cela tient à la fragilité de la notion ou au caractère de l'enfant. Mais nous sommes alors au plan de la psychologie individuelle et non plus d'une recherche sur la genèse d'une notion.

2.

Du nouveau sur le nouveau-né

Si j'avais à recommander un livre, et un seul, qui informe les lecteurs, spécialistes ou non, sur les toutes dernières avancées en psychologie génétique, et notamment de la prime enfance, je citerais sans hésiter *L'Enfant,* publié récemment au Québec, avec comme sous-titre « Explorations récentes en psychologie du développement [1] ».

Comme le suggère ce sous-titre, il s'agit de revues de question. Mais pas seulement. Les auteurs qui sont au nombre de cinq, sans compter le « directeur » de l'ouvrage Jean-François Saucier, sont tous des chercheurs impliqués directement dans les explorations dont ils parlent : de sorte que leurs revues de question se prolongent par l'exposé de leurs propres recherches ou projets.

Ce livre illustre la convergence qui s'opère depuis une dizaine d'années entre des orientations pourtant fort différentes : deux des auteurs sont des psychologues (Thérèse Gouin-Décarie, Jean-Louis Laroche), un autre est pédiatre (Gloria Jéliu), deux sont psychanalystes (Gabrielle Clerk, Yvon Gauthier), Jean-François Saucier, lui-même est médecin, psychanalyste et orienté vers l'anthropologie culturelle.

Les cinq chapitres traitent, dans l'ordre où nous venons de citer les auteurs, de découvertes récentes concernant : les capacités perceptuelles du nouveau-né, l'échange verbal et

1. *L'Enfant* (sous la direction de J.-F. Saucier) Presses de l'Université de Montréal (C.P. 6128, Succ. A, Montréal, Qué. Canada, H3C 3J7), 1980.

non verbal dans l'interaction mère-nourrisson, plus précisément les effets structurants du langage maternel, l'évolution des enfants à haut risque à propos de l'anoxie néo-natale et de la carence affective, le syndrome de l'enfant maltraité ou négligé, enfin des effets sur l'enfant du divorce des parents.

Tous ces chapitres m'ont beaucoup appris, m'ont ouvert des perspectives nouvelles tant du point de vue pratique que du point de vue théorique, mais je ferai un sort à part à la contribution de Thérèse Gouin-Décarie. Du fait qu'elle englobe un champ plus large que ne le font ses collègues, peut-être aussi parce que ses préoccupations rejoignent plus directement les miennes, enfin parce que, grâce aux deux ouvrages qui jalonnent son itinéraire (*Affectivité et intelligence chez le jeune enfant,* Delachaux, 1968, et *La Réaction du jeune enfant à la personne étrangère,* P.U. de Montréal, 1972) on est mieux à même de percevoir les dépassements qu'elle opère personnellement, mais aussi les découvertes qui ont modifié notre vision de l'enfance au cours des dix dernières années.

Dans son ouvrage de 1968, Thérèse Gouin-Décarie avait été le premier psychologue à s'attaquer expérimentalement au problème des relations entre l'intelligence et l'affectivité. Plus précisément, par l'étude de 90 nourrissons suivis de 3 à 20 mois, elle analysait l'évolution conjointe de la relation objectale et de la notion d'objet. En d'autres termes, elle coordonnait deux approches : celle de Piaget et celle de la théorie psychanalytique.

Aujourd'hui, c'est encore le double aspect cognitif et socio-affectif qu'elle s'emploie à élucider mais d'une tout autre façon.

D'une tout autre façon parce qu'on a mis en évidence, au cours des dernières années, l'extrême précocité des capacités sensorielles du nouveau-né. On sait notamment que, dès les premiers jours de la vie, l'enfant est orienté visuellement vers un objet mobile, aux contours curvilignes, relativement brillant, contenant plusieurs gros éléments. Bref un pattern correspondant *grosso modo* au visage humain. De même les sons dont la fréquence, l'intensité et la structure se rapprochent de la voix humaine sont les plus attrayants pour lui.

Ces données, et bien d'autres probablement concernant les sensibilités thermiques et olfactives, sont d'un intérêt considérable. Elles s'opposent à la notion de « confusion » initiale, « the blooming buzzing confusion » de William James, elles nous font entrevoir autrement les processus de la relation à autrui et les origines de la socialisation. La notion d'étayage de la psychanalyse et la notion de dépendance des théoriciens de l'apprentissage paraissent éliminées définitivement. Mais sont aussi remis en question, au moins en partie, la théorie classique de l'attachement, et le constructivisme de Piaget.

Dans ces travaux en cours, Thérèse Gouin-Décarie s'emploie à répondre à trois questions, relatives à trois dimensions de l'activité : la personne humaine constitue-t-elle pour l'enfant humain un objet *perceptif* privilégié, un objet *cognitif* privilégié, un objet *affectif* privilégié ? Et ces questions viennent après une discussion sur les notions de social, socialité, sociabilité, en tenant compte des progrès d'ordre technique et méthodologique qui ont bouleversé depuis une dizaine d'années notre conception de l'enfant préverbal.

L'introduction de Jean-François Saucier s'emploie, en quelques pages d'une parfaite clarté, à brosser un tableau des changements de méthode et des novations techniques (entre autres la miniaturisation récente de l'électronique permettant des expérimentations décisives sans perturbations du sujet) qui ont marqué l'histoire récente de la recherche sur l'enfant.

Post-scriptum : Les tout premiers résultats du travail annoncé en 1980 par Thérèse Gouin-Décarie ont été publiés dans *La Recherche* (décembre 1982, nº 1388-1396) sous le titre « La socialisation du nourrisson » avec la collaboration de Marcelle Ricard. Au moyen d'expériences ingénieuses et simples les auteurs analysent comment, jusque vers l'âge de 15 mois, l'enfant apprend progressivement à identifier les personnes et les objets, animés ou non.

On retrouve Thérèse Gouin-Décarie et une vingtaine d'autres psychologues, français et étrangers, dans un numéro double de la revue *Enfance* consacrés à « la première année de la vie » (nᵒˢ 1-2 de 1983).

3.

Le tissage et la rupture des premiers liens : Sous le signe de Clotho et d'Atropo

Ce que Nathalie Loutre du Pasquier nous apporte au terme de sa recherche était inattendu pour elle comme pour nous [1].

Elle visait une cible que de nombreux auteurs avaient contribué à lui désigner et c'est une autre qu'elle atteint. Non pas par le heureux hasard d'une maladresse mais parce que, ses observations modifiant ses idées de départ, elle a su rectifier le tir. A la recherche des effets à long terme de la perte de la mère par le nourrisson, elle constate bien que la rupture du lien, que la perte de l'objet ne parviennent pas à guérir, mais elle découvre aussi que les obstacles au tissage de ce lien dans les tout premiers mois de la vie, alors qu'il n'y a encore apparemment rien à perdre, peuvent avoir des conséquences aussi graves et peut-être plus.

Elle est ainsi conduite à distinguer, au moins à titre d'hypothèse, entre la pathologie déjà connue de la rupture du lien et la pathologie du tissage de ce lien. D'où le sous-titre de son ouvrage *Le Tissage et le Lien* qui n'est pas une formule de coquetterie littéraire, mais l'expression imagée d'un problème fondamental en psychiatrie infantile et, plus largement, en psychologie de l'enfant.

La découverte faite par Nathalie Loutre remet en cause en

---

1. Loutre du Pasquier (Nathalie) *Le Tissage et le Lien : le devenir d'enfants abandonnés*, Paris, P U F (collect. « Croissance de l'enfant, genèse de l'homme ». n° 8) 1981. 254 p.

effet l'idée traditionnelle qu'on peut avoir du nourrisson, de la nature de ses besoins et, en conséquence, de son élevage. Si le nourrisson est déjà capable de souffrir d'un manque de communication, d'une insuffisance de nourriture affective, c'est qu'il n'est pas, au sens étymologique du terme, un « nourrisson », un être dont l'unique besoin est de manger. Les toutes neuves constatations de Nathalie Loutre viennent enrichir tout un courant de recherches par quoi se transforme actuellement sous nos yeux l'image de l'enfant humain. C'était déjà un grand progrès de savoir, en toute objectivité, grâce à Henri Wallon et à René Spitz, qu'un enfant de 5 ou 6 mois n'était pas un être purement végétatif ou isolé dans une sorte d'autisme. Mais nous savons aujourd'hui, et le travail de Nathalie Loutre nous le fait comprendre mieux encore, qu'il est présent au monde bien avant l'âge de 6 mois, bien avant la construction achevée d'objets invariants, choses et personnes.

La façon dont Nathalie Loutre est parvenue à ce problème de la toute première enfance est intéressante. Elle ne relève pas de l'anecdote. Elle illustre la démarche du chercheur qui n'est pas prisonnier d'une idée fixe ou d'un dispositif expérimental adopté une fois pour toutes.

Tout d'abord, et dans le contexte de nos travaux sur les débilités mentales, Nathalie Loutre s'était mis en tête de combler une lacune de nos connaissances en s'appliquant à rechercher et à analyser des « arriérés à étiologie affective », ces enfants dont on parle beaucoup, mais dont on ne sait pas grand-chose en toute rigueur. Par l'ampleur des effectifs, par la lourdeur du dispositif à mettre en place, l'entreprise est apparue comme irréalisable par une seule personne.

Alors tout en gardant sa préoccupation fondamentale relative aux facteurs affectifs du développement de l'enfant, Nathalie Loutre a changé d'interrogation : existe-t-il des enfants qui ne pâtissent pas de la perte de la mère et, dans l'affirmative, pourquoi ?

La question était ancienne mais elle n'avait jamais été vraiment traitée. Au lendemain de la Libération, et alors que, sur l'initiative de Robert Debré, un petit groupe de travail avait été créé pour tirer les conséquences pratiques des travaux de Spitz, j'avais posé cette question à Spitz lui-même, ainsi qu'à Bowlby et à Mme Roudinesco. Spitz m'a alors répondu que notre devoir était de prendre des mesures générales contre le risque d'hospitalisme (Robert Debré devait, quelques mois plus tard, ouvrir aux mères les services de contagieux à l'hôpital des Enfants malades dont il était le directeur), qu'on n'avait donc pas le temps d'organiser la recherche minutieuse que ma question supposait et que, de toute façon, il était persuadé que la séparation prolongée, dans la période critique de 3-6 mois, avait des effets nocifs pour tous les enfants.

Trente ans plus tard, Nathalie Loutre a donc été la première à entreprendre cette recherche. Ses résultats tendent à donner raison à Spitz avec, cependant, des réserves importantes. Les 16 enfants qu'elle a étudiés, selon une méthodologie exemplaire, conservent tous, semble-t-il, à l'âge de 6-7 ans, des traces de la séparation. Pour trois d'entre eux, cependant, les troubles sont très légers et on peut se demander si ce sont là vraiment des « traces » de la séparation ancienne.

Mais, comme on l'a déjà dit, la découverte de Nathalie Loutre s'est opérée ailleurs, et comme marginalement à son objectif principal. C'est que son dispositif d'investigation n'était pas exclusivement centré sur cet objectif, qu'il débordait intelligemment le champ de ses hypothèses. Alors elle a trouvé que l'origine des troubles pouvait être bien antérieure à la période prétendue critique de 3-6 mois.

Mais pour autant le problème des différences individuelles dans la façon de réagir n'était pas abandonné. Il prenait une nouvelle ampleur.

Et c'est là, certainement, la seconde contribution importante de Nathalie Loutre à la psychologie des premiers temps de la vie. Elle note d'abord chez les enfants des différences de réceptivité, de réactivité qu'on peut attribuer à l'équipement physiologique. Mais, elle observe aussi les mères (ou la personne qui en tient lieu), leurs différences d'attitudes, de modalités de communication avec leur enfant.

En bref, sans rien rejeter de ce qui peut être le facteur constitutionnel, elle substitue à la perspective de la *one-body psychology,* de la psychologie de l'individu isolé, le point de vue d'une psychologie duelle. Rien ne peut se comprendre ni s'expliquer hors de l'interaction de l'enfant avec son milieu et plus particulièrement avec la mère, avec celle (ou celui) chargée de la couvade.

Toutes les conclusions de Nathalie Loutre sont données sous le signe de la prudence. Une prudence qui crée le besoin d'en savoir plus, d'aller plus loin sur les pistes qu'elle a tracées.

4.

L'enfant et l'humour

Il faut avoir beaucoup d'humour, ou pas du tout, pour oser se lancer dans une recherche sur l'humour. S'il n'y a de science que du mesurable ou de l'opérationalisable, comme on dit aujourd'hui, alors l'humour est bien un des objets, en supposant qu'il existe, à laisser au discours philosophique ou littéraire.

D'ailleurs si les humoristes en tout genre sont légion, les psychologues de l'humour se comptent sur les doigts de la main, et ce qu'ils nous disent apparaît dérisoire, sinon risible, en comparaison de ce que nous donnent, par exemple, Daninos, Tati, Queneau, Bretecher et, superbement, Devos, Rocheman avec son grand-père Shlomo, et Finkielkraut avec son *Petit Fictionnaire illustré*. Pour ne citer que des Français.

Quant à la genèse de l'humour chez l'enfant, ou même plus modestement aux réactions d'humour dont l'enfant est capable, nous ne savons pratiquement rien.

Alors avec le livre récent de Françoise Bariaud, voilà enfin quelque chose. Quelque chose de clair, de solide. De limité sans doute, mais peut-il en être autrement [1]?

Le projet idéal serait de saisir l'humour au moment de son émergence, lorsqu'il commence à se différencier des formes jusqu'alors confondues du sourire, du rire, des peurs de l'enfant. A propos d'un tel projet Françoise Bariaud parle

1. *La Genèse de l'humour chez l'enfant*, Paris, P U F., 1983.

d'une recherche sur les racines de l'humour. L'image complémentaire qui me vient à l'esprit est celle d'arborescence. A partir des racines, d'un tronc commun, des branches jaillissent, et sur les maîtresses branches des rameaux, pour former en fin de compte l'unité d'une frondaison où s'enchevêtrent inextricablement feuilles et fleurs.

En admettant même que ce projet ne soit pas fou, que la notion d'indifférenciation primitive soit valable, il est pratiquement irréalisable avec les moyens dont dispose un chercheur isolé.

Ainsi très tôt Françoise Bariaud en a fait son deuil. Elle a considéré un âge de l'enfance où l'on pouvait être à peu près certain que l'humour existât. Ce qui ne signifiait pas pour autant qu'il fût facile à identifier, qu'il soit branche nettement séparée, multitude de rameaux, fleurs aux couleurs variables selon le terrain ou la saison.

Dans une telle incertitude, en une recherche où l'objet qu'on cherche a bien un nom mais pas encore de contours précis, où il est un mot mais pas encore une réalité tangible, la meilleure démarche sinon la seule est de trancher dans le vif. On se donne arbitrairement un objet. « Je décide que l'humour est ceci ou cela. » C'est là une définition *décisoire* et, considérée comme telle, provisoire. Pour user d'une autre métaphore je dirai que chaque fois qu'il s'aventure sur un terrain incertain ou inexploré, le chercheur doit commencer par délimiter étroitement son champ. Le petit arpent du Bon Dieu ? Il faut l'espérer. Le territoire à défricher, à conquérir, pourra servir ultérieurement de base pour une pénétration en profondeur. A condition que la définition décisoire ne soit pas pervertie en définition essentielle, que le territoire initial ne soit pas érigé en cadre théorique inébranlable, que la conquête ne devienne pas un impérialisme, la dictature d'une idée simple sur la complexité des faits.

Voyons donc comment Françoise Bariaud s'y est prise. Sa démarche est d'autant plus exemplaire que son pari consiste à viser une cible mouvante, évanouissante, l'humour, qu'on a peine à distinguer clairement du risible, du drôle, du comique, de l'ironie, comme elle le dit explicitement au départ.

Première limitation : elle décide d'étudier non pas les créations humoristiques dont les enfants seraient capables, mais leurs *réactions* à certains stimuli humoristiques. Deuxième limitation : ces stimuli elle a décidé que ce seraient *des dessins* sans légende. Cette option pour l'expression graphique, et la nature des dessins choisis, détermine une troisième limite relative à l'âge minimal des enfants de la population d'expérience : *7 ans*. S'il ne s'agit plus de découvrir une genèse en ses origines Françoise Bariaud n'abandonne pas pour autant le moyen d'analyse que constitue la perspective génétique ou développementale : avec les onze dessins qu'elle a sélectionnés elle s'emploie à décrire et à expliquer comment la capacité humoristique évolue chez les enfants entre 7 et 11 ans.

Ainsi se délimite, par le dispositif d'expérience, le territoire que nous allons explorer. Mais l'essentiel n'est pas encore dit : comment Françoise Bariaud a-t-elle choisi ses dessins ? Sur quel critère ? En somme quelle définition décisoire donne-t-elle de l'humour ? Deuxième question : quelle réaction témoignera, selon elle, de la sensibilité, de la réceptivité humoristique de ses sujets ?

En un premier temps, en première approximation, la réponse à ces deux questions fondamentales est simple. Du côté du stimulus, des dessins, le critère est *l'incongruité*. Du côté de la réaction, des enfants, le critère est *le rire ou le sourire* avec, en plus, une confirmation d'ordre verbal : « C'est drôle. » Bien entendu, on ne pourra en rester là.

Il est évident que le rire ou le sourire n'est pas un indicateur spécifique de l'humour. On peut rire pour tout autre chose. Et s'agissant des dessins en question, l'enfant peut rire à des stimuli que l'expérimentateur n'avait pas prévus, pour des raisons qui ne correspondent en rien à l'intention de l'humoriste, une bizarrerie du graphisme par exemple. L'humour n'est pas au rendez-vous, pas du moins au lieu fixé à l'avance. Heureusement, l'auteur n'escamote pas ces *réactions non pertinentes* qui nous donnent en prime des clartés inattendues sur la psychologie des 7-11 ans.

Françoise Bariaud ne se borne donc pas à enregistrer le rire

ou l'absence de rire de l'enfant. Elle s'entretient avec lui pour
savoir ce qu'il a perçu, pour déceler l'éventuel déclencheur
de sa réaction. Nous en venons alors à la question première.

L'incongruité ? Françoise Bariaud prend la précaution de
préciser que ce terme ne doit pas être entendu dans le sens
d'inconvenance qu'il a dans la langue courante. Il désigne plus
largement la non-congruence, une discordance dans l'ordre
habituel des mots ou des choses. C'est dans ce sens, conforme
à l'étymologie, que la plupart des auteurs admettent que tout
humour est création ou perception d'un incongru. Mais pour
spécifier un peu mieux l'incongru humoristique, du point de
vue du récepteur, on fera intervenir la notion de *résolution.* Il
ne suffit pas de percevoir une incongruité pour qu'elle soit
drôle, il faut en plus qu'elle soit résolue, c'est-à-dire qu'on en
pige l'astuce, qu'on ait compris le jeu de l'humoriste.

Jouir d'une incongruité c'est donc résoudre un problème.
Mais cette explication qu'on peut qualifier de « cognitiviste »
suffit-elle à résoudre vraiment le problème de l'humour ?

Du seul fait qu'on s'interroge, on a tendance à dire non.
Cependant le « non » de Françoise Bariaud n'est pas un pari
et moins encore une attitude de démission. Ce sont les enfants
qui l'y ont conduite dès ses préexpériences et qui, du même
coup, l'ont orientée vers un complément d'explication.

C'est ici sans doute la découverte majeure de Françoise
Bariaud : elle observe chez certains enfants et pour certains
dessins des réactions qu'elle désigne comme *réalistes.* L'enfant
perçoit bien l'incongruité mais il déclare que « c'est pas
drôle ». Avec des jeunes adultes j'ai obtenu jadis des réponses
analogues. Ils voyaient bien l'incongruité, ils étaient même
capables d'analyser les ressorts de la prétendue drôlerie mais
considéraient que l'effet était raté, que le dessin était débile.
Et j'en avais conclu, banalement, que l'humour est question
d'humeur.

Mais ce qui distingue des enfants ces adultes réfractaires
c'est que leurs réponses, apparemment, ne sont jamais « réalistes ». Le réalisme consiste à rester dans la conformité du
réel, en conséquence à réagir à l'invraisemblable en disant

« ça ne se peut pas » alors que la réaction d'humour, justement, c'est d'accepter et de jouer avec le non-sens ou l'impossible. L'adulte réfractaire ne refuse pas ce jeu, mais il n'est pas satisfait du dessin qu'on lui montre. Logique trop rigide de l'enfant, humeur morose chez l'adulte ? Le schéma est séduisant.

Mais par l'analyse en finesse des réactions « réalistes », et constatant que la fréquence de ces réactions ne diminue que faiblement entre 7 et 11 ans, Françoise Bariaud en vient à se demander si le réalisme est seulement, et en tous les cas, un manque de souplesse cognitive ; si l'humeur, la personnalité dit-elle, n'y joue pas discrètement un rôle.

Et je me demande à mon tour si, en dosage inverse, un certain réalisme n'a pas joué chez mes adultes.

Alors, une nouvelle clarté viendrait à poindre. En choisissant l'âge de 7 ans comme le seuil présumé de l'humour, en prolongeant ses observations jusqu'à 11 ans, Françoise Bariaud aurait visé juste. Elle aurait découvert la période où s'élabore une nouvelle façon de penser et de rire, où la logique devient suffisamment sûre d'elle-même pour larguer ses amarres, où l'espace de jeu n'est plus uniquement celui du faire-semblant, d'un réel imaginaire, mais de sa subversion.

Le modèle étroitement cognitiviste ne saurait rendre compte de cette genèse. Il a lui-même trop de logique et pas assez d'esprit (ce jugement est de moi, non de Françoise !). Perception de l'incongru ? Evidemment. Résolution ? Sans doute, mais à condition de ne pas la définir comme une démarche raisonnée et consciente d'elle-même. Elle est une réorganisation souvent subite. Un « insight ». Celui qui rit avec retardement nous paraît risible, et dépourvu d'humour. En plus de la perception et de la résolution, Françoise fait donc intervenir un troisième processus ou facteur : *l'adhésion affective*.

En somme il ne suffit pas de résoudre, de trouver pour trouver drôle. Il ne faut pas seulement saisir intellectuellement le jeu de l'humoriste, il faut aussi entrer dans son jeu, se faire complice.

Faire sienne, par exemple, l'agressivité que l'incongru

comporte, ou la mise en dérision des mots, des choses, d'un système de valeurs.

En écrivant agressivité et dérision un doute vient de naître en moi... Cette complicité est-elle de l'humour ou de l'ironie ? La question ne manquera pas de perturber notre auteur et j'imagine ce qu'elle va me rétorquer : problème de définition, de décision, monsieur.

Oui, Françoise, il y a votre décision, et toujours révisable, mais il y a aussi la résonance inaliénable des mots, cette psychologie implicite que le psychologue ne doit pas ignorer. Ecoutons en nous comment tintent « humour » et « ironie ». L'ironie est malveillance et, en comparaison, l'humour est moquerie gentille ou, s'il s'agit de soi-même, humilité. D'ailleurs vous l'avez dit vous-même, citant Jankélevitch.

Alors, en fin de compte, Françoise Bariaud a-t-elle traité de l'humour ou de l'ironie chez l'enfant ? De l'ironie sans doute. Mais n'a-t-elle pas utilisé des dessins que tout le monde s'accorde à qualifier d'humoristiques ? L'inconséquence n'est pas d'elle mais dans les usages langagiers. Selon les critères de la gentillesse, de la bonhomie, de l'humilité, les dessins humoristiques ne sont jamais, ou rarement, humoristiques. L'humour habite plus aisément les mots que les traits graphiques. Le trait graphique est pointe acérée d'ironie. Comment imaginer d'ailleurs qu'un dessin puisse exprimer l'humilité, la distance à soi-même ? Sa cible est extérieure au dessinateur, et à son destinataire.

Non, je ne démolis pas l'œuvre de Françoise Bariaud et si j'ironise c'est avec bienveillance. C'est elle qui, par ses révélations, m'a conduit à ce point critique où je constate qu'elle a bien visé, mais probablement en atteignant une cible imprévue. Rien n'est plus fécond qu'une recherche où l'on trouve ce qu'on n'avait pas cherché. D'ailleurs, l'humour comme distance à soi je doute qu'on puisse le déceler, même en ses expressions verbales et spontanées, avant l'adolescence. Il est une forme très tardive de l'intelligence et la plus fragile de toutes : c'est lui qui disparaît en tout premier lieu chez le malade mental.

Et l'on peut faire l'hypothèse que l'ironie, en parole, en

acte, ou en dessin, précède de loin l'humour, qu'elle le précède et le prépare.

S'il en est bien ainsi, Françoise Bariaud nous donne à voir les préludes de l'humour. Et, ce faisant, à propos d'une forme d'intelligence jusqu'alors méconnue, comment s'accomplit en une même conduite le mariage heureux ou conflictuel entre processus cognitifs et facteurs affectifs.

5.

Un travail de terrain : filles et garçons de 10 à 13 ans

Dans son livre intitulé *Un grand passage* (P.U.F., 2ᵉ édit. 1979), Bianka Zazzo nous avait montré comment les enfants s'adaptent plus ou moins facilement au changement que constitue pour eux l'entrée à la grande école.

C'est un second « grand passage » qu'elle nous invite à suivre aujourd'hui, et toujours avec comme technique privilégiée l'observation directe des comportements de l'enfant dans les situations réelles de l'école telle qu'elle est, avec les maîtres tels qu'ils sont[1].

Pour le passage au collège comme pour le passage au cours préparatoire, c'est d'une rupture qu'il s'agit. Et de nouveau, ce sont des perturbations qu'on observe, variables d'un enfant à l'autre, plus ou moins bien dominées et plus ou moins rapidement, selon le milieu culturel d'origine.

Donc à cinq ans de distance se reproduit et se confirme ce qu'on peut désigner comme effet de rupture. Cependant la rupture se produit dans des conditions profondément dissemblables. Entre les 5 à 7 et les 10 à 13 la différence n'est pas simple question d'arithmétique, ni pour l'écart des âges en question, ni pour l'importance du changement à affronter.

Le passage à la grande école est perçu par l'enfant, par la plupart des enfants, comme la promotion dans l'univers des

---

1. *Les 10-13 ans ; garçons et filles en C.M. 2 et en sixième,* Paris, P.U.F., 1982, p. 222

grands, l'entrée dans la carrière prestigieuse de l'écolier. Le passage au collège n'a pas de tels enchantements : l'enfant sait alors à quoi s'en tenir sur la condition d'écolier et si cette nouvelle promotion a pour lui quelque valeur il appréhende aussi un regain de difficultés et d'efforts.

Quant à la différence des âges considérés elle peut être trompeuse, au-delà même du fait qu'en ce domaine l'arithmétique est dépourvue de sens : dans la perspective du développement 10 ans ce n'est pas deux fois 5 ans. Ce qu'il peut y avoir d'illusion dans la comparaison entre les 5 à 7 ans et les 10 à 13 ans tient à la différence d'homogénéité entre ces deux périodes étudiées par Bianka Zazzo. Du début de la grande section d'école maternelle à la fin du cours préparatoire, la population scolaire est relativement homogène du seul fait que l'âge de 6 ans est une obligation, une définition légale et égale pour tous lors de l'entrée à la grande école, même si un écart de douze mois sépare les enfants nés en janvier de ceux qui sont nés en décembre.

Cette homogénéité s'affaiblit et disparaît en cours de route. De sorte que l'expression des 10 à 13 prend une double signification. De façon normative, administrative, ces chiffres désignent deux bornes de la scolarité : le début du C.M. 2 et, avec une petite marge de tolérance, la fin de la sixième. Mais en fait des enfants de 10 à 13 ans on en trouve déjà ensemble en C.M. 2. Hétérogénéité des âges qui traduit des différences de progression scolaire, qui se traduit par des différences de développement physique. Hétérogénéité où s'inscrivent l'influence des facteurs de milieu, et les différences entre garçons et filles au plan du rendement scolaire.

Garçons et filles. La différenciation des sexes était déjà apparue, comme impromptue, dans *Un grand passage* lors de l'observation des conduites et de l'analyse des processus d'adaptation au changement. Délibérément cette fois, pour les 10 à 13, le projecteur est dirigé sur cette différenciation ; et son importance est telle qu'elle est soulignée par l'auteur dans le sous-titre de son livre : garçons et filles en C.M. 2 et en sixième.

La comparaison présente d'abord l'intérêt d'affiner, de renouveler dans une large mesure les images contrastées des deux sexes. Et l'on voit alors que, scolairement, les filles dament le pion aux garçons, à intelligence égale et à milieu socio-culturel semblable.

Mais le mérite principal de l'auteur est d'avoir fait de cette comparaison une méthode à portée générale. L'intervention qu'elle a faite au colloque de l'E.P.H.E. et publiée intégralement dans *Enfance*[1] est tout entière consacrée à cette question méthodologique fondamentale. C'est en comparant les comportements des deux sexes que Bianka Zazzo met en évidence la nature et le poids des facteurs non cognitifs de la performance cognitive et donc de l'efficacité scolaire. Il ne suffit pas d'avoir de l'intelligence, conclut ici l'auteur, il faut aussi savoir s'en servir.

Les filles s'en servent mieux que les garçons. Mais ce n'est là, il faut le souligner, qu'une vérité de moyenne. L'essentiel est que ces facteurs non cognitifs existent avec plus ou moins de force chez les deux sexes et pour tous les enfants. Leur mise en évidence est intéressante pour le psychologue, leur mise en valeur est de première importance pour l'enseignant.

Cette découverte, parmi bien d'autres, illustre la fécondité du travail sur le terrain encore trop peu pratiqué par les psychologues et les psychopédagogues de notre pays. Il ne s'agit d'ailleurs pas d'opposer le terrain au laboratoire. Chacune des approches a ses mérites et rien n'empêche d'ailleurs de les combiner comme notre auteur en donne l'exemple puisque ses observations s'accompagnent d'analyses par tests, d'entretiens avec les maîtres, les parents et, s'agissant des 10-13 ans, avec les enfants eux-mêmes.

Un des mérites du terrain est d'aboutir, plus facilement, plus directement que l'analyse de laboratoire, à des conséquences d'ordre pratique. Sur le terrain, ce n'est pas seulement l'enfant qui est étudié, ce ne sont pas seulement des fonctions psychologiques prises isolément qui sont analysées et évaluées, pas seulement les différences interindividuelles qui sont décrites. C'est le *terrain* lui-même, ici l'école, qui est mis

---

1. « Conduites adaptatives en milieu scolaire : intérêt de la comparaison entre garçons et filles », *Enfance*, n° 4, 1982, p. 267-282.

en question. Le terrain en tant que *territoire* qui donne à la recherche ses frontières, ses limites, mais aussi et surtout le *terreau* plus ou moins riche où va se nourrir chacun des individus, s'affirmer l'individualité de chacun.

L'expression de « jardin d'enfants » convient à tous les niveaux de la scolarité. Et si l'on s'intéresse au terreau, aux plantes qui croissent sur lui plus ou moins vigoureusement, il faudrait aussi se préoccuper des compétences du jardinier. C'est un problème que formule Bianka Zazzo quand elle met l'accent fortement sur *les facteurs scolaires* de la réussite scolaire, et des échecs.

Pourtant Bianka Zazzo n'a pas tellement la prétention de donner des leçons aux pédagogues. C'est plutôt à une amélioration de l'institution qu'elle pense et sans avoir au départ une conception pédagogique à défendre, une démonstration à conduire. La vocation du scientifique est de voir, de montrer, non de démontrer.

Les faits que le scientifique met au clair, les déterminismes qu'il découvre, chacun peut en tirer les conséquences qu'il veut, en fonction d'une option, d'un idéal social, politique, pédagogique qui ne sont plus du ressort de la science.

Et l'auteur, comme c'est son droit au-delà de l'investigation, formule les siennes :

Si l'on tient à respecter les différences où s'affirment la personnalité des enfants et, à partir d'un certain âge, la diversité des orientations, si l'on veut en même temps lutter contre les différences d'origine sociale qui sont effet et cause d'inégalité, si l'on veut concilier autant qu'il est possible les besoins des enfants, de chaque enfant, avec les besoins de la nation, bref si l'on est mû par un idéal démocratique que faut-il faire ?

Mais d'abord que faut-il savoir ? Il va de soi, dit-elle, que tout enseignant devrait connaître les contraintes des matières qu'il enseigne, et aussi, sans se transformer en psychologue au sens technique du terme, être préparé à comprendre ses élèves en leur diversité. Ce sont là les deux exigences premières d'une bonne formation des maîtres d'où seraient bannies toutes sortes de gavages inutiles.

Quant à une politique touchant à la structure de l'école et à l'art pédagogique Bianka Zazzo nous incite à nous poser trois questions :

Ségrégation des sexes ou mixité ? La question est déjà réglée et il est difficilement imaginable qu'on abandonne la mixité. Mais alors il convient de prendre en compte ce que nous apprend la comparaison entre filles et garçons. Les qualités de maîtrise de soi que manifeste la majorité de filles sont à cultiver chez tous les enfants.

Non-directivité, oui ou non ? La dispute doit être débarrassée de tous ses présupposés idéologiques.

Bianka Zazzo constate, et quelle que soit la doctrine du maître en la matière, que toute tâche scolaire bien cadrée tend à développer l'autonomie de l'enfant, qu'elle aboutit à de meilleurs résultats et ceci aussi bien pour les élèves de milieu défavorisé que pour les autres. Par contre les tâches peu cadrées (celles notamment où domine le discours du maître) accentuent les différences au bénéfice des élèves favorisés. Le non-cadrage est élitiste, en tout cas pour les périodes d'âge considérées.

Collège unique, oui ou non ? Notre auteur dénonce, après d'autres, ce qu'il y a d'illusoire en cette unicité. Au seuil du collège l'inégalité s'est déjà fortement instaurée, inégalité que le changement brutal d'institution scolaire aggrave encore.

Bianka Zazzo souhaite donc que le passage s'accomplisse graduellement et, pour ce faire, que les maîtres du primaire et ceux du secondaire reçoivent une même formation pédagogique de base.

Ce serait sans doute bouleverser des structures fort anciennes de notre école et qui se sont inscrites profondément hélas dans les mentalités.

Puissent au moins les observations de notre auteur commencer par ébranler celles-ci.

6.

Le rôle du mouvement
dans la construction de l'image de soi
(Congrès de psycho-motricité, Nice, mai 1974)

Les organisateurs du congrès ont eu l'amabilité de m'inviter à vous parler d'une de mes recherches actuelles sur la prime enfance.

J'ai hésité entre le thème de l'attachement et le thème de la genèse de l'image de soi.

J'ai choisi la genèse de l'image de soi.

Le thème de l'attachement était peut-être plus excitant. En effet la découverte récente des mécanismes de l'attachement dans la prime enfance entraîne, je crois, à une révision des conceptions de la psychologie traditionnelle et de la psychanalyse. Mais justement il m'a paru trop difficile de traiter clairement en une heure un problème qui bouleverse notre savoir et qui soulève déjà tant de passions.

Le problème de l'image de soi n'est sans doute pas plus facile mais les passions doctrinales ne s'en mêlent pas, ou pas encore.

Et puis nous avons l'avantage, en ce domaine, de pouvoir partir d'un film, qui sera projeté tout à l'heure [1], d'observations précises au sujet desquelles une discussion pourrait s'instaurer.

On se demandera peut-être, d'ailleurs, ce qu'un exposé sur la genèse de soi vient faire dans un congrès sur la psychomotricité. Et je serais assez embarrassé pour répondre en quelques mots.

---

1. *A travers le miroir*, 1971.

Bien sûr la motricité intervient dans toute genèse, dans toute conduite. Cette réponse semblera sans doute beaucoup trop générale pour être convaincante.

Mais cette réponse acquiert un sens précis si, en quelque domaine que ce soit, on parvient à observer, à analyser le détail et le mécanisme des faits. Alors la notion de motricité devient valable, c'est-à-dire profondément explicative. C'est ce qui apparaîtra, du moins je l'espère, à la projection du film.

Comment l'enfant parvient-il à s'identifier dans l'image du miroir ? Certainement pas, nous en sommes persuadés actuellement, par illumination soudaine.

La connaissance d'autrui, on pourrait croire à la rigueur que l'enfant l'acquiert par les sens (la vue, l'audition) sans qu'intervienne la motricité. La connaissance de soi, de l'image de soi, ne peut d'aucune façon s'expliquer ainsi.

Se voir directement (pas seulement pour l'enfant bien entendu) est impossible. L'identification de soi dans le miroir n'est pas à proprement parler une *reconnaissance*.

Comme nous l'a montré le film projeté ce matin, l'enfant reconnaît sa mère, dans l'image du miroir, par comparaison avec la vision directe qu'il en a[1]. D'ailleurs il éprouve la validité de cette reconnaissance en se retournant vers elle. Pour soi-même la comparaison de l'image au modèle n'existe pas, n'existera jamais.

L'appropriation de l'image de soi dans le miroir est une construction, une construction motrice. Et comme nous le verrons dans notre film cette construction est lente, fluctuante, difficultueuse, avec des régressions étonnantes pour le même enfant d'un jour à l'autre.

Pour être bref, j'indiquerai les deux hypothèses majeures pour expliquer cette construction que j'ai formulées au début de ma recherche.

1. *Les jeux de main et les jeux de bouche.*

Jeux de main :

L'enfant reconnaît d'abord dans le miroir les parties de son corps directement visibles.

---

1. *L'Image qui devient un reflet,* 1981.

Cette identification est éprouvée, renforcée par un va-et-vient de l'image au modèle : il regarde ses mains, il regarde l'image, et la comparaison se répète plusieurs fois de l'image au modèle, du modèle à l'image. Et pour cela non par une simple perception passive (il n'existe d'ailleurs aucune perception qui soit passive) mais par la mise en mouvement de la main et des doigts.

Jeux de bouche :

La bouche n'est évidemment pas visible. Mais appliquée sur le miroir elle y laisse des traces. Et par ces traces que l'enfant voit, qu'il touche, c'est comme un décalque de lui-même, comme un symbole matériel qu'il se donne.

La construction de l'image de soi, de la représentation du visage s'ébauche donc par l'identification spéculaire des parties visibles du corps. Mais, contrairement à ce qu'ont cru les premiers auteurs (Darwin, Baldwin, Preyer), ce travail d'identification partielle n'est pas suffisant pour expliquer la découverte du visage et, en conséquence, l'appropriation totale du corps propre.

J'ai fait alors une seconde hypothèse comportant elle-même deux propositions :

2 a) *L'appropriation du visage s'accomplit par la prise de conscience de la solidarité entre le mouvement propre de l'enfant et le mouvement de l'image spéculaire ;*

2 b) *Cette appropriation, cette reconnaissance de soi dans le miroir, se manifeste par un changement de comportement : l'enfant ne réagit plus comme s'il croyait voir un autre enfant.*

Je dois dire tout de suite que cette hypothèse était fausse.

Mais elle a eu du moins le mérite de nous dicter un dispositif expérimental efficace.

Techniquement il s'agissait de pouvoir observer à quel âge et de quelle façon l'enfant réagissait différemment suivant qu'il avait devant lui un autre enfant ou sa propre image. On a donc utilisé une vitre et un miroir. L'enfant était placé en face d'un autre enfant, mais séparé de lui par la vitre. Puis le miroir substitué à la vitre, l'image de soi à la perception d'autrui.

Qu'on nous permette de rappeler une évidence : dans une situation de face à face, jamais les mouvements de « l'autre » ne sont exactement semblables à nos propres mouvements comme ils le sont dans la situation de miroir.

Si l'enfant réagit de façon différente en passant de la vitre au miroir, c'est donc qu'il est sensible au mouvement singulier de l'image spéculaire. Mais il faut être certain que *la perception du mouvement est seule en cause,* que le changement de réaction de l'enfant n'est pas dû au changement de personnages qu'il voit successivement à travers la vitre puis à travers le miroir.

Le problème est alors d'offrir à l'enfant un vis-à-vis, un partenaire, dont l'apparence physique soit parfaitement semblable à l'image spéculaire. Une solution : jumeaux identiques. Le dispositif constitué par des jumeaux physiquement indiscernables permet cette expérience parfaite et il est le seul à la permettre. Le *double spéculaire* est identique au *double fraternel* vu à travers la vitre, à *l'exception du mouvement.*

Ainsi nous avons mobilisé des couples de jumeaux. Jumeaux monozygotes, ou identiques, bien entendu. Mais aussi, à titre de comparaison, des jumeaux faux ou dizygotes. En tout 18 couples, âgés de 10 mois à 30 mois au début de l'expérience.

Nous avons filmé intégralement les comportements de nos jumeaux. Non pas tant pour aboutir au montage d'un film, mais pour analyser en finesse les réactions des enfants, pour avoir la possibilité de les « visionner » autant de fois qu'il le faudrait. Le court métrage que nous vous présentons aujourd'hui est extrait de 7 heures d'enregistrement.

A travers la vitre deux caméras filment en même temps les deux jumeaux placés face à face. Puis, à tour de rôle, chacun des enfants est filmé à *travers le miroir,* miroir qui est en réalité une glace sans tain ; ainsi du point de vue de la caméra, de l'autre côté du miroir, nous voyons l'enfant tel qu'il se voit lui-même, nous éprouvons ses réactions en même temps que lui.

Voici donc ce que nous avons constaté.

Comme nous le savions déjà, le très jeune enfant se comporte devant le miroir de la même façon que lorsqu'il voit son frère à travers la vitre.

C'est « la réaction sociale » qu'on observe jusque vers l'âge de 18 mois environ. Puis la réaction sociale disparaît pour faire place à une attitude de perplexité : l'enfant ne tape plus sur le miroir comme il le fait encore sur la vitre qui le sépare de son frère. Il s'immobilise comme fasciné par l'image spéculaire, ou bien il s'en détourne. Mais, contrairement à ce que nous avions prévu, *il ne se reconnaît pas.* Il faudra attendre encore plusieurs mois, au moins un semestre, avant qu'il se désigne de la voix et du geste. L'expérience du doigt-sur-le-nez dont nous parlerons tout à l'heure nous est une preuve supplémentaire que l'enfant ne s'identifie pas avec l'image spéculaire avant l'âge de 2 ans.

Perdre le pari d'une hypothèse, cela peut être une chance. Confirmer une hypothèse c'est bien. Constater qu'elle est fausse c'est mieux, à condition qu'après avoir fait place nette le chemin reste ouvert. Car c'est alors une découverte au plein sens du terme, un fait inattendu, qu'on peut espérer et non plus la simple confirmation de ce qu'on croyait déjà savoir. Il y a là peut-être dans ce statut de l'hypothèse, la différence majeure entre la recherche scientifique et le discours idéologique. Dans ce discours pas d'hypothèse vraiment. Mais une thèse qu'il faut prouver à tout prix. Dans la recherche, une démarche, une démarche où les idées de départ sont jouées perdantes, je veux dire exposées à tous les démentis, pour que la partie soit vraiment gagnée.

Qu'avons-nous perdu ? qu'avons-nous gagné ?

Nous avons perdu cette idée que le changement d'attitude devant l'image spéculaire était le signe de la découverte de soi (hypothèse 2 b).

Du même coup est remise en cause notre explication suivant laquelle la découverte de soi est la prise de conscience par l'enfant de la solidarité dynamique entre son mouvement propre et le mouvement de l'image spéculaire (hypothèse 2 a). Si cette explication pouvait rester valable, ce serait pour un âge beaucoup plus tardif. Mais de toute façon comment expliquer le changement d'attitude qui s'opère devant le miroir vers l'âge de 18 mois ?

Ce que nous avons gagné c'est d'être débarrassés d'une erreur. C'est aussi d'avoir découvert qu'une longue période s'écoule entre le moment où l'image cesse d'être *illusion d'autrui* et le moment où l'image devient *présence de soi-même*. Nous gagnons enfin de nouvelles questions et de nouvelles hypothèses.

Pour comprendre ce qui s'accomplit au cours de cette période il faudrait d'abord en élucider l'origine. Comment expliquer l'attitude de perplexité ? Le comportement de certains animaux nous apporte peut-être un début de réponse. Il y a longtemps déjà, Henri Wallon avait observé chez des chiens tenus devant un miroir des réactions comparables à celles de nos jumeaux : ils paraissent perplexes, effrayés, et s'enfuient dès qu'on leur en laisse la possibilité.

Plus récemment des expériences ont été faites avec des oiseaux et des poissons. Les réactions à l'image spéculaire sont différentes des réactions provoquées par la vue d'un congénère. Tel animal paraît freiné dans ses mouvements, chez tel autre les manifestations d'agressivité sont amplifiées.

Ces comportements animaux confirment d'abord que le miroir peut susciter des réactions qui ne supposent pas la reconnaissance de soi. Mais pourquoi ces réactions ? L'image spéculaire a-t-elle des aspects perceptifs qui lui sont propres ? Pour certains des animaux étudiés (le poisson combattant du Siam, par exemple) on peut invoquer la mise en défaut du rituel d'attaque : lorsque l'animal s'approche du miroir il perçoit un congénère qui vient vers lui au lieu de fuir ou d'ébaucher une contre-attaque. Bref, les choses ne se passent pas comme elles le devraient. L'ordre habituel des choses est perturbé.

Pour l'enfant on ne peut certes pas invoquer un rituel, un programme inné de relation avec l'autre. Mais, que la relation avec autrui soit programmée ou non, la perception de l'image spéculaire est de toute façon une perception inhabituelle, déroutante : *le mouvement du congénère illusoire ne répond pas à ce qui est attendu.*

Ainsi la perplexité supposerait que l'image spéculaire continue à être perçue comme l'image d'un autre, mais d'un autre qui ne se comporterait pas comme il le fait d'habitude ; c'est-à-dire dans un rôle de dialogue. C'est donc *du côté de la perception d'autrui* que se trouverait l'explication, et non comme nous l'avons cru par une référence à soi-même, par la conscience de la solidarité dynamique entre le mouvement propre et le mouvement de l'image.

S'il y a conscience de cette solidarité elle viendra plus tard, par un long travail de maturation et de construction.

La différence entre l'homme et l'animal, c'est que celui-ci restera toujours prisonnier de son illusion, de son étonnement, alors que pour l'enfant de l'homme l'étonnement deviendra interrogation puis réponse. Un jour il dira « c'est moi ».

Cette nouvelle formulation des problèmes du miroir nous conduit à un nouveau cycle d'expériences sur l'enfant et sur l'animal. J'aimerais vous en parler. Mais les remarques que je viens de développer dépassent déjà les enseignements de notre film. Et il nous faut, pour l'instant, revenir à ce film.

En plus de l'observation principale (comparaison de la situation-vitre et de la situation-miroir) nous avons imaginé deux expériences complémentaires :

— l'expérience de la tache sur le nez. A l'insu de l'enfant on lui fait une tache sur le nez. Il s'agissait d'obtenir un critère objectif, et non verbal, de la reconnaissance de soi. A quel âge mettra-t-il le doigt sur son nez pour toucher la tache qu'il voit dans le miroir ?

— l'expérience du clignotant. L'appropriation viendrait plus tard quand l'image aurait perdu toute « réalité » pour n'être plus qu'un reflet, un symbole.

Cette hypothèse, suggérée par nos observations cinémato-graphiques, rejoint des remarques très anciennes d'Henri Wallon.

Il est temps de passer à la projection du film. Un film qui n'est, je le répète, qu'une petite fraction de ce que nous avons observé et enregistré. Un film dont certains commentaires, liés à nos premières hypothèses, sont déjà dépassés.

Synopsis du film
A TRAVERS LE MIROIR

1. *Présentation du dispositif d'expérience.*
   Pourquoi le dispositif vitre et miroir ?

Pourquoi des jumeaux ?

Les images sont accompagnées de schémas qui précisent comment furent opérées les prises de vues à travers la vitre et à travers la glace sans tain.

2. *De la réaction « sociale » à la perplexité.*

L'enfant réagit à son image spéculaire comme s'il voyait un autre enfant : c'est ce que les auteurs désignent comme « réaction sociale », l'enfant sourit, s'approche du miroir pour embrasser le bébé, tape sur le miroir. Le « tapement » est sans doute la réaction la plus significative de l'*illusion* spéculaire. L'enfant tape sur le miroir comme il tape sur la vitre, sur l'obstacle qui le sépare de l'autre. On suit l'évolution des réactions sociales depuis l'âge de 10 mois jusqu'à son extinction vers l'âge de 20 mois. Alors apparaissent petit à petit chez tous les enfants des réactions de perplexité : fascination ou plus fréquemment évitement. Comme si l'image spéculaire était pour l'enfant une perception étrange, différente de la perception habituelle du congénère.

3. *Jeux de mains et de visage.*

On saisit ici, par la sélection d'autres images (de 11 mois à 30 mois), comment l'enfant construit graduellement l'image de soi, comment il identifie dans le miroir ses doigts, ses mains, parties visibles de son corps, puis son visage pour lequel il n'y a pas de comparaison possible entre l'image spéculaire et une perception directe. Il colle son nez, son front, sa bouche contre le miroir ; il éprouve le contact du miroir, il examine les traces que son visage a laissées sur la glace.

4. *L'expérience du clignotant.*

Une lumière clignotante à trois mètres environ derrière l'enfant, et qui se reflète dans le miroir. D'abord indifférence (vers l'âge d'un an). Puis étonnement, tapotement, mouvements d'exploration dirigés vers le fond du miroir. Enfin, un jour, il se retourne (seconde moitié de la troisième année).

5. *La tache sur le nez.*

C'est d'abord l'indifférence, comme pour le clignotant. Puis des réactions « sociales » (sourire et tapement). L'enfant cherche à toucher la tache dans le miroir. Puis une recherche tâtonnante sur son propre visage, il se touche la bouche, les cheveux. Enfin se touche le nez (entre 2 ans et 30 mois), l'épreuve de la tache sur le nez est réussie six mois plus tôt, environ, que l'épreuve du clignotant.

6. *Synthèse.*

Regroupement des diverses conduites (vitre et miroir sans expérimentation de la tache et du clignotant) à trois âges : 11 mois, 18 mois et 30 mois.

7.

Miroirs, images, espaces

De toutes les recherches que j'ai entreprises au cours de ma carrière c'est sans doute la dernière, celle que je consacre depuis 1972 à la « psychologie du miroir », qui illustre le mieux ma démarche préférée.

Une question lancinante au départ. Une hypothèse privilégiée, mais aussi toutes celles qu'on peut alors imaginer comme garde-fous, et souvent à contrecœur des notions de base, certes et formulées aussi strictement que possible, mais sans le carcan d'un cadre théorique. En tout cas sans le souci de mettre ses pas dans les pas d'un autre (pour éventuellement le dépasser) ou, ce qui revient à une même dépendance, pour en prendre le contrepied. Ni souci de fidélité à quiconque ou à quelque idéologie, ni projet de démonstration, ni préoccupation d'originalité.

La chasse de Pan ou les détours de la méthode

La recherche est alors une aventure. C'est la chasse de Pan dont parlait Bacon à l'aurore de la science moderne. Engagé sur le terrain, la qualité première du chasseur est la faculté d'étonnement. Les faits inconnus, ces gibiers qu'il aura eu la chance de débusquer, il faudra qu'il les identifie comme tels.

Je ne prétends pas que toute la recherche scientifique ait ce caractère panique. Cela dépend du problème qu'on se pose, de l'état d'avancement d'une question, de l'état du terrain, presque vierge ou, ce qui revient parfois au même, excessivement piétiné. Cela dépend aussi du tempérament du chercheur, et du temps dont il dispose. La chasse de Pan pour être conduite avec succès, peut exiger un temps fort long et qu'on ne peut prévoir à l'avance.

Jamais je n'engagerais dans les risques d'une telle démarche un jeune chercheur, par exemple, dont l'objectif est de boucler une thèse de doctorat en deux ou trois ans.

Et, d'autre part, il faut bien dire que la chasse de Pan exige une discipline tout aussi contraignante que celle mise en œuvre dans une expérimentation complètement programmée à l'avance, tout aussi contraignante mais d'un autre ordre et sans doute plus difficultueuse.

A son propos, j'ai parlé de recherche sale. Il peut paraître étonnant d'employer une telle expression pour vanter les mérites d'une démarche. L'intention polémique est évidente. J'en avais contre cette prétendue propreté de plans de recherche où tout est prévu, où tout est formalisé et qui, au-delà de leurs mérites à un moment donné, pour un projet limité, sont donnés par leurs auteurs comme un modèle obligé, comme l'impératif de la scientificité.

La recherche propre court le risque du dérisoire. Le risque de la recherche sale est la prolifération des idées folles à partir de constats inattendus, mais mal contrôlés, et mal coordonnés entre eux. C'est entre ces deux risques, dans l'alternance des approches, dans la reconnaissance des multiples plans de réalité et de la pleine légitimité d'approches qui sont différentes des nôtres, que la psychologie continuera de progresser, et qu'il nous est loisible de rêver à ce que pourrait être son unité.

Ce que je dirai de mes recherches « spéculaires » ne représente pas un modèle, puisque par définition toute formalisation d'ensemble en est exclue. Ce sera une illustration, une amorce d'illustration d'une certaine façon de travailler : la façon de courir le risque, et de le réduire, double mouvement d'ouverture et de vérification à chacune des étapes d'une progression non balisée.

Si la fiabilité d'un constat tient non pas à la satisfaction qu'il nous procure, de quelque façon que ce soit, mais à la validité du chemin qui nous y a conduit, alors c'est bien dans la recherche dont la démarche n'est pas pleinement connue à l'avance que cette règle de méthode s'impose le plus impérativement. C'est qu'en effet, dans une recherche de ce genre, le cheminement lui-même s'invente au fur et à mesure alors que dans une expérimentation « propre », l'itinéraire est connu et fixé au départ. Si paradoxal que cela puisse paraître à certains, c'est donc dans la recherche « sale » que la méthodologie est la plus complexe et la plus exigeante, qu'elle exige de son servant le maximum de propreté, en tout cas de vigilance. Dans l'expérimentation classique, la démarche consiste en fin de compte à mettre au point un dispositif qui réponde convenablement aux hypothèses à éprouver : la méthode se résout plus ou moins dans la technique. Dans une recherche ouverte sur l'inattendu, la technique est sans cesse révisable et c'est la méthode, c'est-à-dire la démarche au sens étymologique du mot, qui est l'essentiel. Démarche à réguler, chemins nouveaux à découvrir éventuellement à mesure que les faits confirment, infirment ou modifient les idées qu'on avait plus ou moins clairement à l'origine.

Le danger d'une telle démarche, comme de s'avancer en forêt sur des sentiers non battus, ou de changer plusieurs fois de direction, n'est pas seulement de se perdre, mais de ne plus trop savoir comment on est arrivé au but. C'est pourquoi la précaution qui s'impose, en cette quête plus qu'en toute autre, est de tenir ce que j'appelle un journal de bord, ou de voyage. Avant de partir, et sans doute comme tout chercheur qui connaît les règles de l'art, je formule aussi nettement que possible les questions que je me pose, je dégage les mots clés contenus dans ces questions et je travaille à leur définition, je mets en forme toutes les hypothèses possibles en prenant soin de m'avouer celle qui a mes préférences et de me dire pourquoi, j'imagine enfin les moyens, les techniques à mettre en œuvre pour les éprouver.

Tout cela est rédigé noir sur blanc et, mis à part les moyens, c'est-à-dire le dispositif technique, je ne m'en occupe plus. J'observe, j'enregistre (par écrit, par magnétophone, par films) et je tiens mon journal. Ce qui est consigné dans ce journal est très hétéroclite : des incidents techniques, le comportement exceptionnel d'un enfant, ce que je ne comprends pas dans ce que je vois ou ce que je crois comprendre, mes déceptions et mes étonnements, les idées qui me viennent à l'occasion d'un fait ou sans savoir pourquoi.

Quand l'étape où je m'étais engagé est franchie, quand les faits recueillis ont subi une première élaboration, je relis attentivement le journal de bord et je le confronte à mon projet initial. Cette confrontation est peut-être le moment le plus fécond de la recherche. On constate presque toujours un écart plus ou moins important, jamais négligeable, entre ce qu'on pensait au départ et ce qu'on pense au terme de l'étape. Les idées qu'on croyait claires, les mots clés qu'on croyait univoques ne l'étaient pas. Il faut les préciser, les réviser. D'autres idées ont pu surgir sous l'impact des observations, et aussi une hypothèse, des hypothèses auxquelles on n'avait pas pensé. Or toute cette évolution s'est opérée sans qu'on en ait eu, chemin faisant, une conscience claire. Si le plan de départ n'existait pas, on ne s'en rendrait pas compte. Si un journal de bord n'avait pas été tenu, les cheminements seraient perdus : il servira à une critique des idées initiales, des présupposés dont on était victime, il servira aussi à éliminer les détours désormais inutiles sur le terrain nouvellement exploré, à y tracer des itinéraires plus directs que chacun pourra suivre, il servira enfin à organiser l'étape suivante.

Tout ce que nous venons de dire ou de rappeler sur le chemin d'une découverte comme validant la découverte elle-même ne doit cependant pas être poussé à l'extrême, à l'absurde. L'absurde serait de soutenir que la découverte importe peu pourvu que le chemin suivi soit correct. Je comprends que des esprits scientifiques, irrités par le tapage de certaines découvertes, par l'arrogance d'illuminés qui clament en singeant Picasso : « je ne cherche pas, je trouve », je les comprends mais je ne les suis pas lorsqu'ils ripostent : « l'essentiel est de chercher correctement. » Non, l'essentiel est de trouver. Et pour y parvenir, les seules règles de la bonne méthode ne sont pas toujours suffisantes. Il y faut aussi évidemment la qualité du terrain, dont le choix appartient au chercheur. Et un regard sans œillères, la capacité de voir ce qui peut surgir hors du cadre de l'expérience, hors du cadre théorique, aux lisières du chemin qu'on s'est préalablement tracé. Et puis il y a le coup de chance. Il ne faut sans doute jamais trop y compter. Mais la chance ne sourit qu'à celui qui est prêt à la saisir.

Si ce qu'on appelle la chance peut intervenir plus ou moins en toute réussite, on peut invoquer le cas extrême où la découverte ne paraît rien devoir à la méthode, la découverte que paraît justifier, en science comme en peinture, le mot attribué à Picasso. La pomme de Newton est toujours là pour nous y faire croire. Mais les exemples abondent et je suis persuadé que tout psychologue pourrait en trouver facilement dans sa propre expérience, à condition de ne pas reconstituer après coup au bénéfice de la sacro-sainte méthode l'histoire de ce qu'il a trouvé !

Je n'insinue pas que le bon sens populaire est, en psychologie, plus perspicace que la science, et non plus que le sentiment des mères est toujours une intuition juste, jamais une illusion. Ce serait nier le travail de recherche qui est ma profession. Et je sais qu'un fait ne devient tel, au regard de la science, que lorsque ses conditions de production sont connues, mieux encore quand il emprunte à un cadre théorique sa pleine explication, et que rien ne se prouve sans prudence.

Mais contraire en apparence à cette prudence qui est souci de preuve, il y a aussi une prudence plus profonde et plus difficile : celle qui consiste à ne pas courir le risque de passer à côté de l'essentiel, parce qu'il se présente sous les aspects de l'inattendu, de l'incertain, de l'improbable.

Cette longue introduction, qui pourra paraître bien prétentieuse, a comme première excuse de répondre à ceux de mes collègues qui sont curieux de mon cadre théorique, d'expliquer pourquoi je n'en ai pas. La théorie viendra en fin de course, si toutefois j'en suis capable.

Ma seconde excuse est la nécessité où je suis de mettre en perspective un exposé quelque peu inopportun. Il se situe en effet à mi-chemin entre des publications, comptes rendus d'élaborations partielles et souvent dépassées (accompagnées de courts métrages cinématographiques eux-mêmes tout provisoires) et la rédaction d'une synthèse actuellement en cours.

Afin d'éviter à la fois un abus de redites et le danger de conclusions prématurées, je me bornerai ici à dégager les constats majeurs de mes investigations, à formuler les réflexions que ces constats m'inspirent, après avoir indiqué très succinctement les étapes de mon cheminement, et les techniques mises en œuvre.

1947 : Un premier étonnement sans suite immédiate

Le déroulement des recherches a comporté sept étapes, sept « opérations » successives, auxquelles il convient d'ajouter cinq investigations actuellement en cours, entreprises par mes élèves et qui sont autant de prolongements originaux de mes travaux personnels. Ces recherches ont commencé en 1972 et se sont prolongées jusqu'en 1978. Mais la question à laquelle ces recherches ont tenté de répondre s'est imposée à moi un quart de siècle plus tôt. C'est en 1947, en effet, que le comportement de mon fils devant le miroir m'a conduit à m'interroger sur la genèse de l'image de soi. Il faut ajouter, pour la petite histoire mais sans doute aussi pour une certaine façon de faire fructifier la psychologie en famille, que cet enfant qui m'a troublé par sa conduite devant le miroir est le même qui m'avait tiré la langue au grand scandale de Wallon et de Piaget à l'âge de 25 jours.

Mon étonnement, dans un cas comme dans l'autre, était l'effet du désaccord entre ce que j'attendais et ce que je voyais. Pour la reproduction du tirage de langue, Jean-Fabien, c'est le nom de l'enfant, était trop précoce, pour la reconnaissance de soi devant le miroir, il est par contre beaucoup trop tardif.

En effet, je tenais de Wallon qui le tenait de Preyer qui le tenait de Darwin que l'enfant s'identifiait devant le miroir vers l'âge de neuf mois. Et Lacan, enchaînant sur Wallon qui lui avait confié la rédaction d'un chapitre pour *l'Encyclopédie française,* avait même amélioré la tradition en fixant le stade du miroir vers l'âge de 6 mois.

Et voilà que Jean-Fabien, lui, ne semblait se reconnaître qu'à l'âge de 2 ans 2 mois et 25 jours !

Comment ne pas être étonné en tant que psychologue de l'enfant et même inquiet en tant que père ? La scène s'était ainsi passée : placé devant le miroir et interrogé : « Qui c'est ça ? », l'enfant avait dit son prénom. Mais après un très long temps d'hésitation, alors que depuis plusieurs mois, il le connaissait et l'employait même à tout bout de champ.

Donc l'identification de soi dans l'image du miroir posait un problème. Il n'en restait pas moins que le critère verbal de reconnaissance était fort contestable. Si l'enfant de Darwin s'était vraiment reconnu, il ne l'avait pas fait savoir, évidemment, en disant son nom.

Par chance, j'avais le « journal » de Jean-Fabien et j'avais consigné dans ce journal depuis l'âge de 3 mois, onze observations sur ses conduites devant le miroir : c'était peu mais mieux que rien. En tout cas rien qui évoquât l'amorce d'une auto-identification jusqu'à l'âge de 2 ans. A 2 ans et un mois par contre une réaction spectaculaire, et qui fut sans doute mon premier étonnement, plus décisif encore pour toute la suite de cette histoire, que mon plaisir d'entendre désigner l'image par son nom un mois plus tard.

Cette réaction était celle du désarroi et de l'évitement que j'observais pour la première fois chez mon fils et qui peut-être était observée pour la première fois par un psychologue. Voici l'observation consignée dans le journal : « Je demande qui c'est ça, et comme J.-F. ne répond pas sa grand-mère qui le tient dans ses bras lui répète la question. Il sourit d'un air gêné, puis tourne la tête pour ne plus se voir. Sa grand-mère fait un demi-tour de telle sorte qu'il se retrouve nez à nez avec son image. Contorsions avec le même sourire de confusion. Rougeur subite du visage. Enfin il s'apprivoise et, comme la grand-mère l'emmène se coucher, il quitte le miroir avec le geste et la formule d'adieu *ava bébé séhi* (au revoir bébé chéri). »

Deux suites immédiates ont été données à cet incident. D'une part, deux de mes collaboratrices et collègues d'alors, Odette Brunet et Irène Lézine, ont repris avec un groupe de jeunes parents psychologues l'observation des conduites du miroir dans les conditions du milieu familial[1].

D'autre part, j'ai moi-même publié un article, fondé sur les matériaux du journal de Jean-Fabien, où l'évolution des conduites du miroir était confrontée aux réactions de l'enfant aux photographies, aux images cinématographiques de soi ; et à l'évolution de son langage[2].

A relire aujourd'hui les conclusions de cet article, je comprends mon insatisfaction d'alors. J'avais découvert des faits qui gênaient des idées reçues, j'avais établi des liens entre ces faits, et décrit des étapes de développement, mais incapable de rien expliquer au fond, j'en restais à des formulations générales. Incapable surtout, faute d'hypothèses claires, d'imaginer un dispositif expérimental qui m'aurait permis de dépasser l'observation nue, j'abandonnai la partie qui d'ailleurs n'était qu'une digression, une parenthèse dans le courant avoué de mes recherches.

1972-1978 : La mise en œuvre expérimentale

Il est probable cependant que cette question ne m'avait pas quitté, et d'autant moins qu'elle était liée à mes réflexions et recherches sur les processus d'individuation. Quoi qu'il en soit c'est un quart de siècle plus tard qu'une hypothèse m'est venue à l'esprit, et en même temps l'idée d'un dispositif expérimental, sans que je sache très bien d'ailleurs ni pourquoi ni comment.

Je rappellerai en quoi consiste ce dispositif que j'ai conservé pour l'essentiel tout au long de mes opérations successives.

Le matériel est très simple : une vitre, un miroir.

---

1. Brunet (O.), Lézine (I.), « Psychologie de la première enfance. Une contribution du groupe des jeunes parents », *Enfance*, 1949, *4*, 355-363.
2. « Images du corps et conscience de soi », *Enfance*, 1948, *1*, 29-48.

La population d'étude : des couples de jumeaux monozygotes et des couples de jumeaux dizygotes.

Pourquoi vitre et miroir ? Pour pouvoir déterminer exactement à quel âge la réaction de l'enfant à son image spéculaire se différencie de sa réaction à un autre enfant qu'il perçoit derrière la vitre. A l'insu de l'enfant on substitue la vitre au miroir, ou le miroir à la vitre. Pour la situation-vitre, les réactions sont enregistrées par deux caméras placées de part et d'autre de la vitre. Pour la situation-miroir, la caméra filme à travers le miroir qui est en réalité une glace sans tain.

Ce dispositif était donc destiné à éprouver une hypothèse qui m'a paru alors lumineuse : cette hypothèse s'exprime par l'enchaînement de plusieurs propositions.

a) L'enfant placé devant le miroir prend conscience à un certain âge de la solidarité dynamique existant entre ses propres mouvements et les mouvements de son image spéculaire.

b) A ce moment-là, ses réactions seront différentes des réactions suscitées par un autre enfant qu'il perçoit à travers la vitre.

c) Cette prise de conscience de la solidarité motrice est l'amorce de l'identification de l'image spéculaire, elle exprime les débuts de la prise de conscience de soi.

Dans mon plan de recherche, dans mon journal de bord, je me suis abstenu de faire un pari sur l'âge où se produirait ce phénomène. Mais compte tenu de mes observations anciennes, je l'aurais volontiers fixé aux environs de dix-huit mois.

Pourquoi des jumeaux comme sujets d'expérience ? Bien entendu ma longue fréquentation des jumeaux me préparait à penser à eux. Mais pas du tout dans les perspectives habituelles qui consistent à en faire les témoins des pouvoirs de l'hérédité ou de la maturation ou de ce que j'appelle les effets de couple. Avec la recherche sur le miroir, j'inaugure, si l'on peut dire, une quatrième méthode gémellaire. Les jumeaux identiques vont nous fournir, en effet, le seul moyen de maîtriser parfaitement notre dispositif, d'égaliser autant qu'il est possible l'apparence des deux perceptions auxquelles l'enfant est amené à réagir. Ainsi pour un jumeau monozy-

gote, la perception de soi dans le miroir est identique à la
perception qu'il a de son frère placé derrière la vitre, identique
à la seule exception des mouvements. Mouvements plus ou
moins complémentaires de la communication gestuelle quand
il s'agit du partenaire. Mouvements « en miroir » quand il
s'agit de soi-même. A quel âge les jumeaux percevront-ils la
différence ? Et, quant à cet âge et à la genèse de l'image de soi,
les jumeaux identiques peuvent-ils témoigner pour les enfants
« singuliers » ?

Dans notre première opération de recherche, nous n'avons
pas examiné d'enfants singuliers. Des couples de jumeaux
dizygotes (de même sexe) ont constitué un groupe contrôle.

L'expérience a été complétée par l'introduction de deux
artifices : l'épreuve de la tache sur le visage, l'épreuve du
clignotant.

L'épreuve de la tache a été empruntée à Gallup qui l'avait
utilisée avec des chimpanzés. A un certain moment du
déroulement de l'expérience, on fait donc, à l'insu de l'enfant,
une tache sur son nez. A quel âge et de quelle façon l'enfant
va-t-il essuyer la tache ? prouvant ainsi, semble-t-il, qu'il a
référé à son propre corps l'image de la tache perçue dans le
miroir.

La réussite à *l'épreuve de la tache* serait un critère non verbal
de l'identification de soi, qui viendrait s'ajouter au critère des
différences de réactions observées entre la situation-vitre et la
situation-miroir.

L'épreuve du clignotant (une lampe placée derrière l'enfant,
à deux mètres environ, qui s'allume par intermittence) est un
substitut à la situation que nous avions d'abord imaginée (mais
pas su réaliser dans cette première opération) de faire
apparaître l'image de la mère dans le miroir. A quel âge et de
quelle façon l'enfant va-t-il se retourner ?

La tache et le clignotant éprouvent la capacité de l'enfant à
trouver la source de l'image avec cette différence que dans le
premier cas, cette source de l'image c'est lui-même, dans le
second cas c'est autre chose, situé derrière lui.

Cependant dans les deux cas, ce mouvement dirigé vers la
source, vers l'objet (mouvement désigné comme M.D.O.)

suppose, semble-t-il, la même capacité d'apercevoir l'au-delà du miroir comme un espace virtuel, de comprendre enfin que l'image est une image, un simple reflet.

On peut donc supposer que, sous réserve d'un léger décalage dû à des facteurs secondaires de facilitation, la réussite aux deux épreuves est obtenue au même âge pour le même enfant.

Au cours de cette première opération, dix huit couples de jumeaux, tant monozygotes que dizygotes, tant masculins que féminins, ont été examinés. Les plus jeunes étaient âgés de dix mois, les plus âgés de trois ans. Quelques-uns des couples ont été revus, à plusieurs mois d'intervalle, deux fois et même trois fois. De sorte que trente-cinq observations-couples ont été recueillies.

Aucune des hypothèses de départ n'a été confirmée. Toutes celles concernant la datation des phénomènes se sont révélées fausses.

La différenciation entre les réactions-miroir et les réactions-vitre apparaît franchement dès l'âge de 12 mois. Mais ce n'est pas pour autant que l'enfant s'identifie, si l'on accorde crédit au critère de la tache, et si l'on tient compte du fait qu'un an plus tard l'enfant hésite encore à désigner l'image par son nom.

La réussite à l'épreuve de la tache n'est donc pas contemporaine de la différenciation. Elle apparaît beaucoup plus tard : le plus précocement à l'âge de 18 mois, en moyenne un peu avant 2 ans (pour neutraliser la prématurité de la plupart de nos jumeaux et le léger freinage de développement dû comme on le sait à la situation gémellaire on a considéré, pour le calcul des datations, non pas leur âge chronologique, mais leur âge mental évalué par le test Brunet-Lézine).

La réussite à l'épreuve du clignotant est encore plus tardive : de 3 à 5 mois après la réussite à l'épreuve de la tache.

Ainsi l'hypothèse très simple d'une prise de conscience, d'une conquête qui se manifesterait à la fois par la différenciation des réactions, par le mouvement dirigé vers le visage, par le retournement vers la source de l'image, est pulvérisée. Il ne s'agit pas en fait de trois manifestations d'un même phéno-

mène, mais de trois phénomènes distincts, séparés l'un de
l'autre par plusieurs mois, et dont la succession s'échelonne
sur une année au moins.

L'échec d'une hypothèse est, en général, une bénédiction
pour le chercheur. Confirmer une hypothèse c'est consolider
une idée qu'on avait déjà, en vérifier la justesse. C'est bien
peu, pour parler de découverte. Echouer, c'est faire place
nette. Des idées auxquelles on tenait par leur aspect d'évidence, ou parce qu'elles nous tenaient par des *a priori*
théoriques plus ou moins avoués, sont éliminées. Il faut alors
penser autrement. Et puisque le dispositif expérimental mis en
œuvre pour vérifier les hypothèses initiales a répondu *non*, on
a du moins la preuve qu'il n'en était pas prisonnier et qu'on
peut lui faire confiance, dans une certaine mesure, pour aller
plus loin.

De toute façon, *les faits* qui ont infirmé les hypothèses
initiales restent acquis, même s'ils demandent à être contrôlés
et précisés. Et c'est à partir d'eux qu'un nouveau champ
d'hypothèses sera imaginé.

A ces faits, qui sont les démentis de l'expérience, s'en
ajoutent d'ailleurs quelques autres, attendus ou inattendus.
Par exemple l'attitude de désarroi, la réaction d'évitement
observées par hasard chez Jean-Fabien à l'âge de 2 ans et un
mois. On les retrouve chez la totalité de nos jumeaux quand ils
atteignent l'âge de 2 ans. C'était là un fait attendu et, faut-il le
rappeler, qui est à l'origine de toutes nos interrogations.
Comme faits inattendus, j'en signalerai deux : la conduite de
tapement, les jeux de main devant le miroir.

L'enfant de moins de 15 mois tape sur la surface de
séparation, vitre ou miroir, comme pour manifester sa joie et
communiquer avec son compagnon, réel ou illusoire. L'enfant
qui s'est nettement « reconnu » ne tape plus sur le miroir,
mais il tape encore sur la vitre. On peut ainsi considérer que le
tapement est un critère complémentaire de non-reconnais-
sance de soi quand on l'observe aussi bien en situation-miroir

qu'en situation-vitre, même s'il y a déjà par d'autres conduites
une différenciation entre les deux situations. Par contre la
disparition du tapement sur le miroir (alors que le tapement-
vitre subsiste) n'a pas de signification univoque : dans un
premier temps, cette disparition peut coexister avec l'attitude
d'évitement, et ne prouve pas que l'enfant se soit reconnu. Il y
a d'ailleurs aussi ambiguïté, quoique un peu différente, pour
l'épreuve de la tache. Lorsque l'enfant tente d'effacer la tache
en touchant le miroir (M.D.I. : mouvement dirigé vers l'image)
on est certain qu'il croit voir un autre enfant à travers le
miroir : c'est l'illusion spéculaire incontestable. Mais quand il
reste immobile, n'ébauchant pas plus le mouvement de
toucher le miroir que de toucher son visage, l'interprétation
est incertaine. Au cours des opérations suivantes de la
recherche, on s'est employé à comprendre ces attitudes non
univoques en recherchant leurs correspondances avec d'autres
attitudes et réactions, en améliorant les conditions d'observation.

Les jeux de main devant le miroir constituent une des
premières et des plus spectaculaires différenciations entre la
situation-vitre et la situation-miroir. Par jeux de main, je
désigne très précisément la comparaison opérée par l'enfant
entre ses mains et leur reflet dans le miroir. Il meut ses mains
et regarde dans le miroir l'effet produit. Ces « jeux » sont une
expérimentation. Expérimentation qui n'est évidemment possible qu'avec des parties visibles de son corps. Les mains,
visibles et particulièrement mobiles, sont les objets premiers
d'expérimentation.

On peut penser qu'on assiste là aux débuts d'une reconnaissance partielle du corps propre dans l'image du miroir. Alors
que pour le visage, à jamais invisible directement, et donc
impossible à comparer avec son reflet, on ne peut pas parler de
reconnaissance mais de construction, d'identification. Et c'est
donc ce qui distingue fondamentalement entre l'expérience
que l'enfant a de son image spéculaire et l'expérience qu'il a de
l'image spéculaire d'autrui.

Pourtant de son propre visage il se donne peut-être un
premier indice visuel quand, baisant le miroir, il y laisse

l'empreinte de ses lèvres. Indice visuel associé à des indices
tactiles dont il a déjà l'expérience. Tout d'abord l'enfant
s'approche du miroir comme s'il voulait embrasser son illusoire compagnon. Il reste en contact avec la froide surface de
séparation pendant quelques instants. Il s'en écarte et regarde
comme étonné les traces qu'il y a laissées. Il touche ces traces.
Puis de nouveau il baise le miroir.

Ces « jeux de bouche » sont antérieurs aux « jeux de
main ». On les a observés déjà chez les plus jeunes des sujets
de cette première expérience, c'est-à-dire à l'âge de 10 mois.

Cette première expérience nous conduit donc à de nouvelles
questions, mais elle permet aussi d'y voir déjà plus clair quant
aux phases successives des conduites relatives à l'image
spéculaire. Les datations sont tenues comme provisoires du
fait que les sujets sont des jumeaux et qu'ils sont peu
nombreux.

Jusque vers l'âge de 11 ou 12 mois, et selon la sensibilité
assez grossière de nos moyens d'analyse, on n'observe *aucune
différence de réactions entre la situation-vitre et la situation-
miroir.* Le sujet se conduit à l'égard de son image spéculaire
comme il se conduit envers son jumeau qu'il perçoit à travers
la vitre. A l'épreuve de la tache, l'enfant tend la main vers le
reflet (M.D.I.) et il essaie de l'effacer sur le miroir.

Vers l'âge de 11 ou 12 mois apparaissent *les jeux de main.* La
réaction au reflet de la tache est toujours en M.D.I.

A l'âge de 16-17 mois, les jeux de main cessent brusquement
chez la plupart des enfants. C'est alors qu'apparaît chez
quelques-uns l'attitude de malaise, de désarroi, *la conduite
d'évitement.* Cette conduite d'évitement commence plus ou
moins tôt, mais elle semble se prolonger pendant au moins
6 mois. A l'âge de 2 ans tous les enfants observés la présentent. C'est là un fait découvert simultanément, et avec des
techniques différentes par une psychologue américaine, Beulah Amsterdam.

Dans les *premiers mois de la troisième* année, c'est la réussite chez la plupart des enfants à l'épreuve de la tache. Et quelques-uns bientôt prononceront leur nom en se voyant dans le miroir. On peut alors conclure, sans hésiter, que *l'enfant s'est enfin identifié* avec l'image spéculaire.

Il convient cependant de bien souligner que la frontière n'est pas franche entre la dernière phase et la précédente. Jamais sans doute, avec les sujets de cette population, la réussite à l'épreuve de la tache n'a précédé chronologiquement la conduite d'évitement. Mais on observe après l'âge de deux ans chez quelques enfants, une réussite incontestable à l'épreuve de la tache alors que subsistent encore malaise et évitement.

Une hypothèse s'impose donc à la fin de cette opération : l'identification de soi ne surgit pas dans une illumination soudaine, que traduirait comme l'ont prétendu certains auteurs l'éclat de la jubilation. L'identification, l'appropriation de l'image spéculaire s'opère sans doute par un long processus, avec des moyens probablement multiples, des tonalités affectives contradictoires. Et au seuil de l'identification, les hésitations, les fluctuations doivent perdurer pendant quelques semaines ou quelques mois.

Quant à la valeur du témoignage des jumeaux, contentons-nous de dire pour l'instant que les dizygotes ont réagi de la même manière que les monozygotes et aux mêmes âges qu'eux. La précaution méthodologique qu'ils constituent s'est donc avérée inutile jusqu'à plus ample informé.

Les opérations suivantes de la recherche ont eu pour principal objectif d'élucider un certain nombre de phénomènes : l'immobilité à l'épreuve de la tache (pas de M.D.O., donc, mais pas non plus de M.D.I.), le malaise devant le miroir et la conduite d'évitement qui s'ensuit, l'ambiguïté de la période relativement tardive où coexistent réussite à l'épreuve de la tache (M.D.O.) et évitement.

D'autre part on a travaillé à vérifier puis à expliquer le décalage entre les deux M.D.O. (mouvement dirigé vers le visage maculé, retournement vers le clignotant). Question importante puisqu'il s'agit en fait de voir si l'enfant *virtualise* l'espace spéculaire à des âges différents, et peut-être avec des moyens différents selon que l'image perçue dans cet espace, c'est son corps propre ou quelque chose d'extérieur à lui : objet ou personne.

Ces diverses investigations ont exigé des modifications plus ou moins importantes du dispositif expérimental. La moindre d'entre elles concerne le format du miroir : pour la première opération, et délibérément (afin de centrer l'attention de l'enfant sur le visage et sur les mains) on avait utilisé un miroir circulaire de cinquante centimètres de diamètre. Dans les opérations suivantes, on a utilisé concurremment ce même miroir circulaire et un miroir rectangulaire allant jusqu'au sol, de telle sorte que l'enfant s'y voie entièrement.

On a été conduit plusieurs fois à examiner les enfants dans leurs milieux habituels de vie : en certains cas c'était pour accélérer le recueil des données, pour pouvoir établir sur des effectifs plus larges la fréquence d'un fait bien délimité qu'on avait dûment constaté en laboratoire. En d'autres cas c'était, dans une tout autre intention, pour éprouver l'hypothèse qu'un constat, par trop inattendu, n'était pas dû à l'artificialité du laboratoire : dépaysement de l'enfant aggravé par l'excès de lumière nécessaire aux prises de vues, présence de personnes étrangères...

Ainsi on a été amené, en fait, à alterner le laboratoire — avec le contrôle aussi rigoureux que possible des situations et stimulations — et l'observation sur le terrain : crèches et écoles maternelles.

La population d'expérience a englobé progressivement plusieurs centaines d'enfants dont la fourchette des âges s'est élargie : de 6 mois jusqu'à 6 ans. On a conservé jusqu'à la dernière opération un lot de jumeaux M.Z. mais les enfants « singuliers » ont constitué, et de loin, le gros des effectifs.

Et je ne parle pas pour l'instant des chiens et des singes qui ont été mobilisés par deux de mes élèves, afin de comparer leurs conduites devant le miroir à celles des jeunes enfants.

Une parenthèse : l'expérience vidéo[1]

Avant d'exposer les principaux résultats de mes expériences spéculaires, il faut dire quelques mots d'une expérience vidéo, travail en quelque sorte marginal, mais dont l'objectif était d'enchaîner sur l'opération n° 1 à propos de la prise de conscience par l'enfant de la solidarité entre ses propres mouvements et les mouvements de son image.

La question posée est la suivante : si, à l'âge où l'enfant vient d'identifier son image spéculaire, la solidarité était rompue entre ses mouvements et ceux de l'image, qu'adviendrait-il de cette identification fraîchement acquise ? J'avais comme hypothèse que l'enfant ne se « reconnaîtrait » plus, qu'il perdrait son image, quitte à la retrouver quelque temps plus tard, vers l'âge de quatre ans peut-être, lorsque « l'image mentale de soi » aurait plus de consistance. (Cette notion que je viens de mentionner devra être précisée et j'y reviendrai tout à l'heure.)

Pour rompre la solidarité spéculaire on dispose d'un moyen bien simple : la télévision en circuit fermé. L'enfant se voit sur l'écran mais son image est comme inversée : lorsqu'il lève le bras droit par exemple, il a l'impression que son vis-à-vis lève le bras gauche. On dit de cette image vidéo qu'elle est antispéculaire. Il y a donc renversement spatial par rapport à l'image habituellement perçue dans le miroir. Mais la modification peut être plus radicale et j'en ai joué systématiquement : j'ai utilisé notamment l'artifice du différé : une dizaine de secondes s'écoule entre le mouvement de l'enfant et sa reproduction sur l'écran. Et on obtient par exemple des situations comme celles-ci : l'enfant se balance et son image reste immobile, ou bien il est immobile et c'est son image qui se balance.

Nous n'entrerons pas dans les détails de cette expérience. Disons tout de suite qu'une fois de plus mon hypothèse était

1. Illustrée par le film *C'est moi quand même*, 1976.

fausse. Qu'une fois de plus j'ai constaté un phénomène inattendu.

Les plus jeunes des enfants (3 ans) qui, tous, réussissent l'épreuve spéculaire de la tache, se reconnaissent sur l'écran sans aucune hésitation, et quel que soit le degré de la perturbation spatio-temporelle, et quelles que soient mes contre-suggestions. A cet âge-là, les enfants ne semblent même pas prendre conscience que l'image antispéculaire est différente de leur image *qu'ils ont regardée dans le miroir quelques instants plus tôt.* Certains enfants paraissent même étonnés qu'on puisse leur demander : « Qui c'est ça ? — Mais c'est moi ! » Et si l'on émet quelque doute, ils vous expliquent avec un brin de condescendance que ce sont les mêmes cheveux, les mêmes vêtements, même si ce n'cst pas la même couleur sur l'image en noir et blanc.

Et puis, aux environs de cinq ans et pour la dizaine d'enfants examinés à cet âge, c'est la réaction que je n'avais absolument pas prévue : l'hésitation, le doute ; et chez quelques-uns la négation de l'image. « C'est pas moi... c'est un autre enfant. » L'expérimentateur tente alors des contre-suggestions : « Moi je crois que c'est toi, c'est les mêmes cheveux, les mêmes vêtements... » Quelques enfants cèdent à contrecœur. D'autres résistent et argumentent. « C'est pas possible... Il lève la main de l'autre côté... il bouge pas en même temps que moi, c'est pas moi ! »

Cette période de négation ou, pour le moins, de mise en doute, dure semble-t-il jusque vers 6 ans. Après l'âge de 6 ans, l'image antispéculaire est de nouveau assumée. Comme une évidence. Et malgré les discordances, inversion antispéculaire, décalages temporels, dont l'enfant est alors très conscient, dont il s'amuse sans aucune anxiété : « C'est moi ! — Mais ça ne bouge pas en même temps que toi ? Pourquoi ? — Je ne sais pas... parce que ta télé est abîmée, il faudra la faire réparer. » Un autre enfant du même âge mais plus futé trouve « la bonne réponse » qu'il m'expose comme s'il me faisait la leçon : « Tu vois, on voit maintenant ce qu'on voyait tout à l'heure... Attends, ça va revenir en même temps ! » Quelques instants plus tard en effet, plus de décalage ; l'image redevient

synchrone, alors l'enfant triomphe et s'exclame : « T'as compris ? » Enfin, avec encore un autre enfant mon objection sur
l'inversion spéculaire (« sur la télévision le garçon ne lève pas
le bras la même chose que toi ») et cette réponse que je
n'espérais pas : « C'est parce que je me vois en face... » Je fais
semblant de ne pas bien le comprendre. Alors joignant le geste
à la parole, il se lève, il fait un tour de cent quatre-vingts
degrés, me donnant à constater ce que l'écran lui donne à voir.

Il est devenu *capable de se voir avec les yeux d'autrui* et, par
surcroît, capable de l'exprimer.

Sans l'avoir cherché, nous avons là une très jolie illustration
du phénomène de décentration, nous sommes en plein dans le
cadre théorique de Piaget.

Reste à expliquer pourquoi cette décentration paraît tellement plus tardive pour l'image de télévision que pour une
photographie. C'est une question qui se pose tout autant à
propos de l'image spéculaire. L'image mouvante, vivante,
solidaire de notre présence et de notre présent, possède un
« charme » que n'a pas le portrait photographique, un charme
auquel il est difficile d'échapper.

Ce qui m'intrigue beaucoup plus c'est la phase de négativité
qu'on observe dans l'expérience vidéo entre 5 et 6 ans. A vrai
dire je ne crois pas que l'enfant ne se reconnaisse plus. Son
doute, sa négation, sont probablement le résultat d'un raisonnement : « L'enfant que je vois ne bouge pas comme moi,
donc ce n'est pas moi. » Il y a une incongruité clairement
perçue, il y a conflit entre ce qu'il fait et ce qu'il se voit faire,
un conflit que l'enfant n'arrive pas à résoudre, alors qu'il a
besoin de cohérence, d'unité. Il me fait penser au philosophe
qui, par la critique des apparences perceptives, et en dépit des
évidences premières, aboutit à la négation du monde. Le
solipsisme, ne serait-ce pas l'enfance de l'esprit critique qui,
abusant de son pouvoir tout neuf, perd contact avec la réalité ?

L'identification de l'image de soi : objectivation et appropriation

Revenons à notre miroir, à l'image spéculaire de soi, puis à
l'image spéculaire d'autrui négligée dans l'opération 1, et en

nous limitant aux principaux résultats des dernières opérations.

Ces résultats sont relatifs à deux conduites : le *contournement* du miroir et *l'évitement*.

Encastré dans la cloison qui cachait la caméra, le miroir utilisé dans la première opération ne pouvait pas être contourné. Dans quelques-unes des opérations suivantes, on a ajouté dans le dispositif un miroir mobile dont l'enfant pouvait faire le tour. Le mouvement d'aller voir derrière la glace avait été observé chez plusieurs enfants lors de la première opération. Et ils avaient manifesté leur impatience et leur déception de ne pouvoir satisfaire leur curiosité.

Le contournement est une conduite banale aussi longtemps que règne totalement l'illusion spéculaire : tout se passe *comme si* le sujet voulait aller retrouver l'autre enfant, *comme si* le miroir était une vitre. Lorsque l'identification de soi est parfaite l'enfant ne contourne plus et si on lui suggère alors de le faire (« va chercher le garçon... »), il vous regarde comme étonné par une invitation aussi absurde, il refuse, et il se frappe la poitrine en s'exclamant : « Je suis là ! »

Cependant comme souvent lors du passage d'un « stade » à un autre, on observe une période intermédiaire qui nous donne à réfléchir.

Pendant plusieurs mois après que l'épreuve de la tache a été réussie, la plupart des enfants, spontanément ou sur une suggestion plus ou moins discrète, contournent le miroir pour aller s'y chercher. Et ils s'en reviennent déçus, quitte à recommencer... « L'est pas là ! » C'est l'époque où l'enfant obéit sans trop d'hésitation quand on lui dit avec sérieux cette plaisanterie débile : « Va voir là-bas si j'y suis ! »

La contradiction des conduites peut se formuler de deux façons ou, si l'on préfère, revêt deux aspects, ce qu'il convient de souligner ici.

Le M.D.I. (mouvement dirigé vers l'image) a disparu en ce qui concerne la tache, mais il subsiste d'une certaine façon puisque l'enfant contourne le miroir.

Ce M.D.I. (contournement) coexiste avec un M.D.O. (mouvement de la main vers le visage).

Tout se passe comme si l'enfant admettait qu'il puisse être simultanément ici et ailleurs, par une sorte d'ubiquité qui ne nous étonne d'ailleurs pas du tout quand nous en faisons l'expérience nous-mêmes dans nos images de rêve. *Le problème de l'identité, de la représentation de soi, nous renvoie ainsi explicitement au problème de l'espace, de la représentation de l'espace.*

Pour rendre compte de ces comportements contradictoires, j'ai naguère formulé cette hypothèse qu'en ce temps-là de l'enfance (au cours de la troisième année) l'espace n'est pas encore un lieu homogène où chaque objet occupe une place et une seule [1]. En d'autres termes je dirai que l'identité d'un objet, son unicité et son invariance, est une représentation singulière qui suppose une représentation de l'espace. *La représentation de l'espace est un espace des représentations,* une mise en ordre des objets et des êtres, de leurs identités irréductibles.

Je n'ai pas encore pu, faute d'un nombre suffisant d'observations, établir s'il y a quelque relation entre la coexistence du M.D.O.-tache avec le contournement, et l'évitement, autre ambiguïté que j'ai signalée tout à l'heure.

Mais, toujours observé dans la même période, un autre comportement va peut-être nous montrer comment l'enfant parvient, en ce qui concerne son image spéculaire, à la construction d'un espace homogène.

Alors qu'il a réussi depuis peu l'épreuve de la tache, l'enfant, placé devant le miroir, se livre souvent à toutes sortes de minauderies, de mouvements, comme s'il s'amusait à expérimenter son pouvoir sur l'image spéculaire. C'est tout autre chose que les jeux de main observables au début de la première année. Avec le visage identifié, c'est tout le corps qui est devenu visible, et c'est avec ce corps tout entier que l'enfant se meut pour faire se mouvoir son image.

En rapprochant alors le contournement paradoxal et la

---

1. Les dialectiques originelles de l'identité, in *Production et Affirmation de l'identité,* Toulouse, Privat, 1980. Le présent développement relatif au contournement paradoxal et à la danse devant le miroir est repris de ce texte.

danse devant le miroir qui sont deux conduites contemporai-
nes (ce qu'il conviendra de confirmer sur de plus larges
effectifs d'enfants) l'idée d'une explication m'est venue que je
dois cette fois-ci non pas à Piaget mais à des notions
fondamentales dans l'œuvre de Wallon.

A l'âge où nous observons ces phénomènes, l'enfant dispo-
serait de deux expériences sensibles de lui-même. L'expérience visuelle, extéroceptive, récemment construite : son
image dans le champ du miroir. Et l'expérience sans doute
originelle qu'il a de son propre corps : le consensus de toutes
ces sensibilités tactiles, viscérales, proprioceptives, que Wallon désigne encore comme sensibilités affectives.

L'expérience du corps propre, c'est la conscience avant la
conscience, avant l'existence d'un sujet qui la revendique ; et
qui fondera plus tard, quand la réflexion et le langage auront
établi leurs clivages, l'évidence de notre intimité, de notre
intériorité.

L'expérience visuelle est extériorité. Par l'identification de
son image spéculaire, l'enfant s'est situé dans le domaine
public, objectif ; il s'est projeté dans cet univers où il percevait
depuis longtemps déjà ce qu'on peut appeler des objets, qu'ils
soient d'autres êtres comme lui ou des choses.

Alors entre ces deux expériences de nature et d'âge si
différents qu'on pourrait les dire inconciliables, il s'agit pour
l'enfant d'opérer une synthèse, une fusion.

L'essentiel de mon explication consiste à imaginer deux
processus successifs : le premier est d'*objectivation,* le second
d'*appropriation.*

L'objectivation est le processus par lequel l'enfant se fait
objet dans l'espace des objets, par lequel il devient visible à
lui-même : percept et représentation.

L'appropriation consiste pour l'enfant à incorporer cette
apparence visuelle, à faire coïncider cette image froide et
distante avec l'expérience immédiate qu'il a de son propre
corps. C'est comme si l'être d'intimité, « l'homme invisible »,
se révélait alors aux yeux de tous : visible à soi-même comme
il l'est aux autres, et comme les autres le sont pour lui.

Lorsque la danse devant le miroir se calme, lorsque l'enfant cesse de contourner le miroir, j'ai tendance à considérer que l'appropriation est accomplie. C'est aussi à cet âge, semble-t-il, que l'emploi du JE s'installe nettement dans ses discours.

L'image spécifique d'autrui et les problèmes de l'espace

Qu'en est-il exactement des réactions de l'enfant à l'image spéculaire d'autrui ? Avant d'en arriver à la conduite du contournement pour autrui, disons tout d'abord que les plus jeunes de nos enfant (6 et 7 mois) réagissent à l'image d'une personne familière (mère ou père) par une jubilation spectaculaire : sourires, cris de joie, agitation des bras. L'image disparaît, la jubilation cesse, l'image réapparaît, la jubilation reprend. On note donc un écart d'au moins 18 mois entre la *reconnaissance* d'autrui et l'*identification* de soi. Rien d'étonnant puisque, pour autrui, il s'agit bien d'une reconnaissance. Dès que l'enfant est capable de reconnaître sa mère en perception directe et la reconnaît aussi bien dans le miroir (ce qui n'est pas de première évidence puisque sur environ 300 personnes, psychologues et non-psychologues, que j'ai interrogées sur ce point, une vingtaine seulement disent que la reconnaissance s'observe au même âge dans les deux situations, toutes les autres formulant l'hypothèse que la reconnaissance de la mère dans le miroir apparaît plusieurs mois et même un an plus tard... ce qui donne à penser sur nos phantasmes relatifs au miroir).

Pour la disparition du contournement, y a-t-il une différence d'âge selon qu'il s'agit de l'image de soi ou de l'image d'autrui ? Et si oui lequel des deux contournements subsistera le plus tardivement ? J'invite le lecteur à formuler une hypothèse avant d'aller plus loin, et de se dire sur quoi il se fonde pour le faire. Il sait déjà que dans l'opération n° 1 le *retournement* vers la source lumineuse (M.D.O.), conduite qui peut être considérée comme l'inverse du contournement (M.D.I.) est nettement plus tardive que la réussite à l'épreuve de la tache (M.D.O.).

Mais une objection m'avait été faite : la source lumineuse

est un stimulus trop particulier, peut-être perturbateur ; si l'enfant percevait sa mère dans le miroir au lieu d'un clignotant, il se retournerait sans doute beaucoup plus tôt ; plus tôt peut-être même que pour la réussite à l'épreuve de la tache.

Cette hypothèse d'un artefact dû au clignotant, je ne l'ai pas faite mienne (car j'avais déjà une amorce d'explication) mais cependant dans l'opération suivante, j'ai introduit le stimulus mère (ou père) tout en conservant, à titre de comparaison, le stimulus clignotant.

D'autre part, comme il a déjà été dit, j'ai utilisé en matériel complémentaire un miroir que l'enfant pouvait contourner.

Avec ce nouveau dispositif nous pouvons donc observer, pour l'image autospéculaire et pour l'image d'autrui, les deux mêmes M.D.I. : toucher le miroir, contourner le miroir.

Par contre, le M.D.O. est évidemment différent : pour soi-même, le M.D.O. consiste à se toucher le visage, pour autrui à se retourner.

Alors voici les résultats obtenus en laboratoire, avec le maximum de précautions :

1. le retournement vers la mère n'est pas plus précoce que le retournement vers le clignotant et il se produit bien 3 à 6 mois plus tard que la réussite à l'épreuve de la tache ;

2. le contournement pour soi-même disparaît plus tôt que le contournement pour autrui. A 26 mois aucun des enfants observés ne contourne plus le miroir. Alors qu'à l'âge de 30 mois 25 % des enfants le contournent encore pour y chercher leur mère (75 % par contre se retournent).

On obtient donc en fin de compte, dans cette opération, deux ordres inverses de précocité : si la reconnaissance d'autrui est beaucoup *plus précoce* que l'identification de soi, le contournement pour autrui est beaucoup *plus tardif* que le contournement pour soi-même. C'est bien marquer que nous avons affaire à deux types très différents de phénomènes.

L'opération était terminée, et considérant la progression rapide du comportement atteignant la proportion de 75 % des sujets à l'âge de 30 mois, j'en concluais qu'à 3 ans au plus tard cette conduite devait être acquise par tous. Restait à expliquer le phénomène ainsi constaté.

Mais voilà qu'un nouveau fait inattendu, et hors expérience, allait remettre en cause mes estimations.

La veille du jour prévu pour le démontage du dispositif j'amenai avec moi deux de mes petits-fils pour le seul plaisir de les filmer.

Et voilà qu'à ma stupéfaction, l'aîné des deux, Antoine, âgé de 3 ans et 10 mois, interpelle vigoureusement l'image de son père qu'il perçoit dans lc miroir, et *ne se retourne pas.*

Pour pimenter un peu plus cette surprise, il me faut dire qu'Antoine est le fils de Jean-Fabien, ce garçon qui, trente ans plus tôt, avait bouleversé mes savoirs sur la reconnaissance de l'image de soi. Ainsi à une génération dc distance, et passant de l'image de soi à l'image d'autrui, c'est la même histoire qui recommence.

On ne pouvait pas en rester là. J'obtiens un délai de deux jours pour libérer le local d'expérience et je mobilise *in extremis* 6 enfants de plus de 4 ans. Trois d'entre eux réagissent comme Antoine et le record d'âge est battu par Marie, 5 ans 7 mois. Non seulement elle n'ébauche pas le moindre geste de retournement, mais comme je lui demande d'aller retrouver sa mère qui lui sourit dans le reflet du miroir, elle déclare qu'elle ne le peut pas « parce qu'il faudrait passer de l'autre côté ».

Avais-je découvert, par hasard, que la *virtualisation* de l'espace spéculaire n'est pas encore acquise à l'âge de 4 et 5 ans chez des enfants réputés normaux ? Sait-on jamais. Mais c'était alors impensable. La première idée qui m'est venue est que tous ces résultats ne valaient rien, sinon comme une illustration de la fragilité des enfants dans les conditions artificielles du laboratoire. Par excès de lumière nécessaire pour les prises de vues, l'illumination intermittente de la mère ou du père dans sa cabine cxpérimentale (la « cage à mère »), et tout d'abord l'étrangeté de ce décor de science-fiction avec ses appareils, ses glaces et vitres, nous avions peut-être créé pour les enfants un miroir magique.

En tout cas cette hypothèse de malheur était à vérifier. Il fallait donc tout recommencer. J'ai tout recommencé l'année suivante, en allant vers les enfants au lieu qu'ils viennent à moi. Je me suis installé dans des crèches, dans des classes

d'école maternelle sans appareillage, sans rien. Sinon le miroir
dressé au milieu des tables et des jouets. Je me suis même
éclipsé derrière une porte ou un rideau pour ne pas risquer de
perturber les enfants par ma présence. Plus de « cage à
mère », bien entendu.

La mère, ou le père, pour les enfants des crèches, ou
l'institutrice pour ceux de la maternelle, entre dans le lieu
familier par une porte distante de deux mètres du miroir dans
lequel l'enfant est en train de se regarder. Si l'enfant ne se
retourne pas immédiatement quand il perçoit le reflet de
l'adulte en question, celui-ci s'avance lentement vers lui, en lui
souriant, et en lui présentant dans sa main ouverte des
bonbons. Si l'enfant ne se retourne toujours pas, ou s'il ne se
précipite pas spontanément derrière le miroir, l'adulte continue à s'approcher jusqu'à cinquante centimètres, s'accroupit
derrière lui, et alors ma collaboratrice placée sur le côté lui
dit : « Prends les bonbons, c'est pour toi. »

On imagine la stupeur des parents et de l'institutrice
lorsqu'ils constatent que l'enfant ne se retourne pas malgré les
invitations du geste et du sourire (non de la voix, évidemment,
quoique dans certains cas où l'adulte avait parlé par inadver-
tance, l'enfant comme fasciné par l'image ne se soit pas
retourné) et qu'en fin de compte il va chercher les bonbons
derrière le miroir, très penaud de n'y trouver personne.

Les quelque 200 enfants que nous avons ainsi observés
établissent que les comportements d'Antoine et de Marie
n'étaient pas exceptionnels et qu'ils n'étaient pas dus aux
artifices du laboratoire. Au-delà de 2 ans et demi et jusqu'à
5 ans et demi, la proportion des enfants qui contournent le
miroir ne diminue pas. Elle est encore de 20 % à l'âge de
5 ans. Et ces enfants au comportement inattendu ne se
distinguent pas des autres ni par le niveau mental, ni par le
niveau de langage, ni (pour autant qu'on ait pu l'évaluer au
moyen de questionnaires) par l'équilibre émotionnel ou les
traits de personnalité.

Pourquoi ce contournement à un âge aussi tardif pour l'image d'autrui ? Pourquoi cette différence d'âge entre la disparition du contournement pour autrui et la disparition du contournement pour soi (100 % des cas à l'âge de 30 mois) ? Pourquoi ce plateau de réussite à 70 ou 75 % pendant presque trois années ? A ce propos il faut faire remarquer qu'on risque toujours de s'arrêter trop tôt dans la description d'un phénomène de développement. Cette erreur de méthode que j'ai reprochée à d'autres chercheurs, je la commettais moi-même sans l'intervention inopinée d'Antoine et j'ai sans doute eu tort de ne pas poursuivre mes observations hors laboratoire au-delà de 5 ans et demi, jusqu'à la réussite du retournement à 100 %. Dernière question : comment se fait-il que la perception de l'image de soi ne fasse pas obstacle (quand le contournement pour soi a disparu) au contournement pour autrui ?

A toutes ces questions solidaires entre elles, qui concernent les constructions de l'espace chez l'enfant, et la notion d'image, et la genèse du moi et de l'autre dont on répète à satiété depuis un siècle qu'elle s'accomplit selon un même processus de différenciation, à toutes ces questions je tenterai de répondre dans l'ouvrage de synthèse déjà annoncé.

Pour l'instant je me bornerai à répéter ici, en les abrégeant, quelques remarques que j'ai faites ailleurs à propos de l'image, des images, et qui constituent une des lignes directrices de cette synthèse [1].

Ces remarques sur la notion d'image s'inscrivent dans le prolongement de ce que j'ai déjà dit sur la représentation de l'espace et l'espace des représentations.

Une image, au sens premier du terme, est une représentation matérialisée : peinture, gravure, sculpture, photo, etc. Tout autre usage du mot est métaphorique. On n'en est peut-être pas assez conscient lorsqu'on parle d'image mentale : pensée-représentation ou image de rêve. Le statut de métaphore est souvent ignoré et d'autant plus incertain d'ailleurs qu'on en est encore à s'interroger sur la nature quasi perceptive des images mentales, ou du moins de certaines d'entre elles.

L'étonnant *quasi* accolé à perception exprime peut-être l'ambiguïté des faits, mais à coup sûr notre incapacité à les comprendre. Quant au mot image, il est employé dans notre langage de tous les jours comme synonyme de métaphore. Ce qui n'est pas fait pour arranger les choses.

Mais si la nature de l'image *mentale* est difficile à saisir, commençons par nous interroger sur la nature de l'image *physique* (la photo par exemple).

De tous les signifiants, elle est le plus ambigue : elle n'est pas un signe, pas un indice, pas un symbole. L'image est un simulacre : à la fois présentation et représentation, un objet et la simulation d'un autre objet. Elle est de ce fait une quasi-présence. Et si j'emploie à mon tour l'adverbe *quasi,* c'est pour en souligner le caractère subjectif, émotionnel. Il est moins émouvant de rayer le nom de quelqu'un que de lacérer sa photo. Comme si subsistaient en nous des croyances d'appartenance, d'envoûtement.

L'image spéculaire porte à son comble cette duplicité : elle appartient au même instant que son objet, elle en possède les mêmes apparences, la même animation. Elle en est le double parfait.

On a rappelé que dès l'instant où l'enfant connaît sa mère, il la reconnaît tout aussi bien dans une glace : l'expérience perceptive est la même (inversion spéculaire mise à part qui d'ailleurs passe inaperçue).

L'image du miroir est à la fois réelle et irréelle. Irréelle par l'espace virtuel où elle est perçue. Réelle en tant que perception. Et combien plus « vraie » que toute autre image physique. Non pas une quasi-présence, mais le simulacre d'une présence totale.

Les conduites contradictoires et paradoxales de l'enfant nous laissent croire que malgré la construction déjà avancée d'un espace des représentations, il reste pendant encore longtemps comme fasciné, capté par la réalité de l'image. Tout se passe comme si le miroir était à la fois miroir et vitre.

Pour l'image de soi, il parvient à rompre le charme, grâce au contre-pouvoir de ses sensibilités protopathiques, à la référence de son propre corps.

Mais rien de tel pour l'image d'autrui. De sorte que cette image identifiée beaucoup plus tôt que son image propre (6 mois et peut-être même avant, au lieu de un an et demi ou 2 ans), il ne sera capable de la référer à sa source que beaucoup plus tard puisqu'à l'âge de 5 ans Marie et beaucoup d'autres enfants y échouent encore.

Il y a comme *un conflit entre la perception et la représentation,* et pendant longtemps résolu au bénéfice de la perception.

Pour affirmer l'irréalité spatiale de l'image malgré sa réalité perceptive, il faudra que l'enfant ait construit l'espace des représentations d'une solidité à toute épreuve. Mais cette construction est-elle vraiment un jour à toute épreuve ? Et n'est-ce pas justement le miroir, avec ses pouvoirs mystérieux dont témoignent les superstitions tenaces et les légendes qui révèlent le mieux la fragilité de cette construction, c'est-à-dire en fin de compte de notre espace mental et de notre identité ?

J'ai considéré dès le début de mes recherches que le miroir n'était pas l'instrument mais le *révélateur* d'une représentation de soi, d'un double mental construit par l'enfant au cours de son évolution et grâce à ses expériences quotidiennes. L'auto-identification de tout *double visuel* (reflet, ombre, photo), je suppose qu'elle implique l'existence d'un « double mental ». Mais ma formule selon laquelle « psychologiquement ce n'est pas le miroir qui crée le reflet mais le reflet qui crée le miroir » me paraît aujourd'hui imparfaite.

Sans doute l'identification dans le miroir présuppose une représentation de soi. Mais ce n'est pas pour autant, et même lorsque l'épreuve de la tache est réussie, que l'au-delà du miroir est perçu comme un espace virtuel, que le miroir est « traité » sans ambiguïté comme un miroir.

Le miroir est bien un révélateur de « double mental », mais il révèle sans doute aussi que l'espace des représentations est plus difficile à construire que la représentation de soi et la représentation d'autrui.

Il serait alors intéressant, pour mieux cerner et analyser les spécificités des images et des espaces spéculaires, de les confronter avec d'autres espèces et avec d'autres « doubles » perceptifs de soi-même.

C'est ce que trois de mes chercheurs ont entrepris : Jean-Luc Jezequel étudie beaucoup plus systématiquement que je ne l'ai fait avec Jean-Fabien les réactions de l'enfant à ses photographies et à celles d'autrui ; Anne-Marie Fontaine puis Roland Sève ont abordé, avec des approches très différentes, l'analyse génétique d'un double qui a hanté autant que le miroir l'imagination populaire : l'ombre.

L'évitement : un autre pas comme les autres

Reste à parler de l'évitement. Je serai bref. Non pas que cette conduite présente moins de difficultés ou moins d'intérêt que le contournement. Mais les recherches qui lui sont consacrées dans mon laboratoire ne m'appartiennent pas en propre. Elles sont l'objet de deux thèses encore inédites. On comprendra que je laisse à leurs auteurs respectifs, Corinne Dague et Ghislaine de Coulomme-Labarthe, le plaisir d'exposer eux-mêmes leurs techniques, leurs résultats, leurs interprétations.

On se souvient que je dois à Jean-Fabien ma première observation de l'évitement, ou plus précisément d'une attitude de malaise, de désarroi accompagné d'un évitement du regard. Cette conduite complexe, je l'ai retrouvée vingt-cinq ans plus tard, et simultanément avec Beulah Amsterdam, chez tous les enfants à l'approche de la seconde année, et dans leurs milieux habituels de vie aussi bien qu'en laboratoire.

Que signifie-t-elle ? En 1947, je l'avais interprétée comme la perturbation, l'émotion, provoquées chez l'enfant par la découverte de soi dans le miroir. Mes observations systématiques de 1972 mettaient en doute, pour le moins, cette interprétation puisque l'attitude de malaise et la réaction d'évitement du regard apparaissent plusieurs mois avant que l'enfant ne manifeste nettement par l'épreuve de la tache qu'il s'était identifié.

En admettant la validité du critère de la tache, il fallait donc supposer que l'image spéculaire était toujours perçue comme celle d'un autre enfant, mais gênante, troublante, du seul fait que le partenaire du miroir ne se comportait pas comme un partenaire habituel. C'était un autre mais pas comme les autres, un autre avec lequel il n'y avait pas d'échanges possibles. En passant de la situation-vitre à la situation-miroir, c'était la rupture du dialogue mimique et gestuel. L'enfant n'était pas encore capable de s'identifier, mais il était devenu capable de discriminer entre un faux partenaire et un vrai. Il était devenu pratiquement conscient de la complémentarité d'autrui par rapport à lui-même. Ainsi par le biais de l'évitement, ce serait le problème de la conscience du rapport à autrui qui serait observé.

Une troisième hypothèse plus simple était envisageable, l'enfant ne s'identifie pas encore dans le miroir, mais il croit voir dans le miroir un enfant inconnu et il est parvenu à l'âge où il a des réactions négatives, notamment de timidité, à l'égard des étrangers. Cette hypothèse, suggérée au moins par un auteur, je l'avais rejetée par l'argument de mon dispositif gémellaire. Le visage que le jumeau monozygote perçoit dans le miroir n'est pas celui d'un inconnu, il est semblable à celui de son frère, et pourtant il le fuit du regard.

Restait donc à éprouver les deux premières hypothèses. La première tend à faire de l'évitement une conduite spécifiquement humaine puisqu'elle pose l'existence d'une représentation ou « double mental » de soi. Selon la seconde, l'évitement, ou tout ce que peut exprimer le malaise devant l'image spéculaire, reste à un niveau infra-humain.

La comparaison enfant-animal peut alors permettre de trancher entre les deux.

Corinne Dague a jeté son dévolu sur les singes, plus précisément des macaques rhésus. Et Ghislaine de Coulomme-Labarthe sur des chiens, des bergers allemands. Il faut dire aussi que Corinne Dague, par ouverture envers la troisième hypothèse, et pour d'autres raisons sans doute qu'elle exposera elle-même, a introduit la situation congénère-inconnu dans son dispositif.

Ce que l'on peut dire dès maintenant, c'est que la seconde hypothèse paraît pleinement vérifiée. Macaque et berger allemand, chacun selon ses moyens, manifeste devant son image spéculaire, un trouble et des conduites d'évitement analogues à ceux de l'enfant humain. Et grâce au chien dont les réactions ont été observées en longitudinale dès les premiers mois de la vie, on constate que cet évitement n'apparaît pas dès le début. Comme chez l'enfant il succède à des réactions de jeu et d'euphorie, comme chez l'enfant il se présente comme une perception nouvelle de l'autre.

Reste à savoir si les chimpanzés de G. Gallup nous conduisent au seuil de l'humain, à l'ébauche d'un dédoublement mental. Nul doute qu'ils ne fassent eux aussi de l'évitement. Et je veux croire qu'ils réussissent, eux aussi, l'épreuve de la tache.

Cet article n'est pas un compte rendu scientifique en ce sens que le lecteur n'y trouvera pas toutes les précisions qui lui permettraient de répupliquer mes expérimentations, de vérifier mes observations.

J'ai voulu seulement *dire* mes problèmes et ma façon de les aborder. J'espère que le plaisir que j'éprouve à ces chasses de Pan est perceptible dans ce texte et qu'il incitera les jeunes chercheurs à travailler de temps en temps dans cet esprit-là.

La morosité n'est pas nécessairement une preuve de scientificité.

En fin, d'ouvrage, p. 279, on trouvera la bibliographie et la filmographie des travaux résumés en cet article.

TROIS GÉANTS DE VISIBILITÉ INÉGALE

Lettre aux psychologues américains

Il est par excellence le psychologue de l'enfance. Ainsi s'affirme aujourd'hui en France la renommée de Henri Wallon, mort en 1962 à l'âge de quatre-vingt-trois ans.

En France, mais aussi presque en même temps dans la plupart des pays d'Europe (Italie, Espagne, U.R.S.S., Pologne, Hongrie), et en Amérique latine. Ses œuvres y sont traduites, au moins partiellement, des articles, des ouvrages, des thèses doctorales, lui sont consacrés.

Il reste à Henri Wallon un dernier univers à conquérir, celui du monde anglo-saxon, hors duquel — il faut bien le reconnaître — il n'y a pas, en cette fin de siècle, de consécration véritable. Pour tout psychologue de langue française, la difficulté à conquérir l'Amérique ne tient pas seulement, ni même principalement à l'obstacle de la langue. Elle tient à l'autosuffisance de l'univers anglophone. Elle tient aussi, peut-être plus encore, à la défiance des Américains à l'égard des idées générales, au ton philosophique des auteurs français. Or, de ce point de vue, Wallon est typiquement français, et dans le style des hommes de sa génération. C'est à partir d'une formation philosophique, d'une culture philosophique extrêmement solide, qu'il s'est employé à dissiper les illusions de la philosophie. Il faut cependant remarquer que le génie de Wallon, ses compatriotes eux-mêmes ont mis bien du temps à le reconnaître.

La lenteur de cette reconnaissance répond peut-être, dans

ses raisons profondes et avec un inévitable décalage temporel, à la lenteur de mûrissement de sa pensée, et cette lenteur elle-même à la méthode que Wallon inaugure pour le défrichement de la psychologie génétique. Les premiers articles de Wallon datent de 1913, mais il approchait déjà de la cinquantaine lorsque parut, en 1925, *L'Enfant turbulent,* son premier écrit original, et il faudra encore attendre presque une dizaine d'années pour que s'affirme dans *Les Origines du caractère chez l'enfant* toute sa puissance novatrice. C'est dans cet ouvrage, publié en 1934, qu'est formulée la théorie des émotions, la pièce maîtresse de sa psychologie génétique, qui inspirera quelques années plus tard René Spitz lorsque celui-ci cherchera à interpréter les effets de la perte de la mère chez le nourrisson. Pourtant ce livre n'a pas l'élégance de présentation ou la logique de démonstration qui puisse séduire un lecteur pressé : c'est un recueil d'articles et de conférences faites à la Sorbonne au cours des années précédentes.

Les Origines du caractère, ce premier grand livre auquel fera pendant en 1945 *Les Origines de la pensée chez l'enfant,* n'a pas seulement le mérite d'éclairer de façon neuve la genèse de la vie émotionnelle, il est aussi une parfaite illustration de la démarche wallonienne, de la force de pénétration de cette démarche, mais en même temps des difficultés qu'elle peut présenter pour le lecteur. On a souvent dit que la difficulté à lire Wallon tenait à son style. Difficulté à laquelle se heurterait notamment le traducteur dans une langue étrangère. En fait, il ne s'agit pas d'une difficulté d'ordre formel. Le traducteur qui comprendrait bien Wallon n'aurait aucune difficulté particulière, je crois, à le transposer dans une autre langue, notamment en anglais. La difficulté vient du fait que, chez Wallon, le style épouse les méandres de la pensée, et que la pensée s'emploie à coller au réel, à ses ambiguïtés, à ses ambivalences, à ses contradictions. Ce qui ne signifie d'ailleurs pas que Wallon s'attache aux seules apparences comme le ferait un phénoménologue. Il s'agit bien pour lui d'expliquer, pas seulement de décrire. Et d'autre part, pour lui, la science n'est jamais un décalque de la réalité ; elle est évidemment une construction. Mais l'explication, qu'elle soit d'ordre intrapsychique, ou en référence avec les conditions d'existence, doit éviter la tentation de *réduction*. C'est une attitude méthodologique valable à tous les niveaux, dans tous les domaines : ne pas commencer par réduire la diversité des individus et des conduites en fonction d'un principe explicatif qui pourrait leur être commun, mais au contraire marquer d'abord les différences ; ne pas réduire trop rapidement les contradictions sous prétexte qu'elles tiennent aux jeux trompeurs du langage, car elles peuvent tenir aussi à la nature même des choses ; ne pas réduire le plan psychique à ses conditions d'existence, bien que la connaissance de ces conditions, tant biologiques que sociales, soit un moment absolument nécessaire de l'explication.

Il faut admettre, par hypothèse, que les différences, les contradictions, les émergences évolutives ne sont pas seulement à expliquer mais qu'elles peuvent être elles-mêmes explicatives. Les escamoter, c'est appauvrir notre vision des choses, c'est stopper l'explication à un niveau dérisoire. Toute sa vie, Wallon luttera donc sur deux fronts : d'une part contre les philosophes de l'existence qui, pour éviter la réduction, se refusent à toute explication ; d'autre part contre les psychologues tout occupés à un travail de simplification logique, de formalisation. Et ce second combat rien ne l'illustre mieux que la dispute qui s'est poursuivie pendant plus de trente ans entre Wallon et Piaget, où l'on voit s'opposer, se renforcer, se préciser deux attitudes radicalement distinctes. Piaget cherchant d'ailleurs par son propre tempérament, à plaider la complémentarité de leurs œuvres ; Wallon cherchant, bien entendu, ici comme ailleurs, à marquer les irréductibles différences.

L'approche wallonienne ne donne évidemment pas à l'expérimentation une place privilégiée. Elle ne saurait être qu'un moment tout à fait secondaire de la recherche psychologique. Par goût et par sa formation médicale Wallon est avant tout un observateur. Un observateur, tenu d'une part dans son décryptage du développement humain par les contraintes des conditions organiques et, d'autre part, orienté par toute sa sensibilité personnelle vers la compréhension du rapport à autrui. D'une part, il dégage avec force la notion de maturation nerveuse, condition nécessaire de tout apprentissage, comme le fait d'ailleurs Arnold Gesell dans le même temps aux Etats-Unis à contre-courant du behaviorisme. D'autre part, dans la filiation directe de J. M. Baldwin, et en précurseur des théoriciens de l'attachement, il tient pour primitif et primaire le besoin d'autrui et ses analyses visent à comprendre comment à partir d'un état originel d'indifférenciation vont se construire solidairement l'image de soi et l'image de l'autre, le *socius*. Le psychisme se crée donc selon lui par la maturation, qui est durée, par le rapport à autrui, qui est histoire et sans qu'on puisse négliger l'une ou l'autre — sans qu'on puisse non plus se satisfaire de ce schéma général. Car chaque individu se réalise au cours d'une histoire et des relations qui lui sont propres, mais son histoire dépend aussi de sa vitesse de maturation, de sa complexion psychomotrice particulière : un enfant hypotonique par exemple n'est pas prédisposé aux mêmes modalités relationnelles, ni peut-être au même style d'intelligence, qu'un enfant hypertonique. Wallon est sans doute, en France, l'auteur qui a le plus fortement contribué à définir le psychisme dans-et-par-la-relation, mais rien n'est plus étranger à sa conception que la psychologie aujourd'hui à la mode qui a fait de « la relation » un absolu, c'est-à-dire un principe métaphysique. La *relation* affective est elle-même *relative* à ses conditions d'existence tant biologiques que sociales.

La motricité et la conscience sont les deux pôles entre lesquels pourraient se classer les diverses conceptions de la psychologie. La dialectique de Wallon consiste à solidariser ce qui apparaît de prime abord comme inconciliable : par sa théorie de l'émotion, il opère la jonction entre motricité et représentation, il tente de franchir le passage entre organique et psychique. « Le mouvement, dit-il, n'est pas un simple mécanisme d'exécution... il est, sous son aspect tonico-postural, l'émotion extériorisée. » « Les émotions répondent chacune à sa façon à des variations du tonus tant périphérique que viscéral. » Expression de soi-même, l'émotion devient rapidement expression pour autrui. Elle est fonctionnellement communion et communication, un langage avant le verbe. Et elle restera toujours « ce qui soude l'individu à la vie sociale, par ce qu'il peut y avoir de plus fondamental dans la vie biologique ». Cependant l'opposition habituelle entre émotion et représentation ne saisit qu'un aspect de la vie émotionnelle. Certes la première fonction de l'émotion est-elle d'unir, de confondre les individus entre eux par leurs réactions les plus intimes, mais « cette confusion doit avoir comme conséquence les oppositions et les dédoublements d'où pourraient graduellement surgir les structures de la conscience ».

On saisit ici tout ce qui oppose le point de vue de Wallon à celui de Piaget. Celui-ci analyse la genèse de la logique, et Wallon la genèse de l'homme dans ses rapports initiaux avec les autres hommes. Pour Piaget, la socialisation de l'enfant est un processus intellectuel, la conquête de la réciprocité des points de vue, à partir de l'autisme et de l'égocentrisme. Pour Wallon la socialisation plonge ses racines dans l'émotivité, dans la personnalité globale. Wallon s'intéresse principalement à la représentation, aux prises de conscience. Piaget considère l'opérativité, c'est-à-dire l'action sur les choses et les symboles des choses.

Sans doute les deux auteurs identifient-ils une même période dans les premiers temps de la vie, et tous deux la décrivent en termes de motricité. Mais Piaget la désigne comme période de l'intelligence sensori-motrice tandis que Wallon forge l'expression d'intelligence des situations. La motricité dont parle Piaget concerne la conquête des objets physiques. Alors que Wallon s'intéresse à l'attitude motrice, aux postures-signes qui intègrent l'enfant à son entourage et le lui font comprendre. Les deux points de vue sont-ils conciliables ou même complémentaires ? C'est ce que Piaget a tenté d'établir dans un article publié en hommage à Wallon pour son

80ᵉ anniversaire[1]. Et je veux croire que l'article de Piaget
n'était pas une simple politesse de circonstance, que son aveu
d'avoir été incomplet dans ses analyses n'était pas la coquetterie d'un instant : puisque dans les années qui ont suivi, il a
repris pour lui-même l'étude de la représentation et de
l'image. Quant à Wallon, la mort a scellé son destin avant qu'il
ait pu répondre aux invites de son vieil ami et adversaire. Je
sais simplement qu'il fut très sensible à l'hommage de Piaget.
Pour la première fois, Piaget disait qu'il avait enfin compris le
bien-fondé de certains reproches que lui adressait Wallon.
Pour la première fois Wallon a admis sans doute qu'en travers
de leurs discordances un pont pouvait être jeté. Mais il reste
que le génie de chacun se définit en contraste avec le génie de
l'autre.

Le génie de Wallon est d'avoir introduit en psychologie la
notion de durée concrète. Il n'est certes pas le seul ni même le
premier à en avoir parlé. Bergson, notamment, qui fut son
professeur à l'Ecole normale supérieure, est un philosophe de
la durée. Mais justement ce que Wallon reproche à Bergson,
c'est d'avoir fait de la durée un principe métaphysique, un
nouvel absolu. Bergson avait sans doute raison de dire que
notre intelligence habituelle est inapte à saisir la durée. Pour
surmonter la négation de la durée par l'intelligence, sa
solution est de nier l'intelligence elle-même. Ainsi les problèmes réels posés au XIXᵉ siècle par l'évolutionnisme et les
changements révolutionnaires de la société aboutissent à un
renouveau du mysticisme. Pour échapper à l'erreur de Bergson et de toute sa descendance, pour trouver une autre issue
que la leur, il faut bien comprendre que la durée en soi n'existe
pas. Ce qui existe, ce n'est pas la durée, ce sont des *choses qui
durent,* c'est-à-dire qui se développent, qui se transforment.
  La durée, notamment s'il s'agit de développement de

---

1. Article reproduit en postface de notre ouvrage *Psychologie et marxisme,*
Paris Denoël-Gonthier, 2 édit. 1979.

l'enfant, c'est la lente transformation de structures organiques, c'est aussi en conséquence la modification graduelle ou brusque, quantitative ou qualitative, des relations avec l'entourage, ce sont les conflits d'où sortent de nouvelles formes d'équilibre, l'émergence de nouvelles manières d'être, c'est un beau jour la durée qui se transcende elle-même par les activités de la mémoire et de l'imagination, par la construction du concept de temps. L'importance que Wallon accorde à la maturation et à la tonicité illustre bien ce qu'est pour lui la matérialité de toute durée ; de même que la dialectique de la durée est soulignée par le mot *préludes* qu'il emploie si fréquemment lorsqu'il analyse les origines du caractère et de la pensée. Remonter aux origines, pour lui, c'est rechercher non pas nécessairement une forme embryonnaire, mais un comportement qui peut être d'un autre ordre, et même en apparente contradiction avec le comportement à expliquer. Le prélude à la véritable émotion, celle qui est relation à autrui, ce sont les cris, les pleurs, les gesticulations qui n'expriment que des sensibilités internes ; le prélude à l'imitation, à la copie plus ou moins intentionnelle d'un modèle, c'est l'automatisme de l'écho ou du mimétisme ; un des préludes à l'activité de définition, c'est la réponse tautologique.

Dans sa propre évolution, la psychologie wallonienne parvient ainsi à ce qu'on désigne comme matérialisme dialectique. Mais là encore, Wallon déroute les schémas habituels. Il est significatif que pendant longtemps les communistes aient eu quelque réticence à reconnaître Wallon comme un marxiste. L'engagement politique de Wallon (il a adhéré au Parti communiste en 1942, c'est-à-dire sous l'occupation allemande) a balayé sans doute toute réserve à son égard. Mais les malentendus peuvent néanmoins subsister et même s'amplifier. Le matérialisme dialectique, suivant qu'il est compris comme une méthode de pensée ou une étiquette idéologique rend compte à la fois de la difficulté à assimiler Wallon et du succès qu'il rencontre aujourd'hui auprès de certains psychologues en quête d'une croyance, d'une école. L'expression d'idéologie marxiste était pour Wallon contradictoire dans les termes. Et j'ajouterai pour ma part que parler de wallonisme, ce serait trahir Wallon fondamentalement. Ce n'est pas par hasard s'il a accueilli dans son laboratoire les esprits les plus divers. Il avait un tel respect de leur individualité, de la diversité de leurs approches, de leurs points de vue, qu'il nous interdisait de faire mention du laboratoire lors de la publication de nos articles. « Notre laboratoire, disait-il, n'est pas une écurie de courses. » Et aussi : « Nous ne sommes pas une chapelle. »

Le fait que ses découvertes confirmaient dans le domaine de la psychologie les principes méthodologiques énoncés par Marx et Engels, renforçait en lui la conviction que nos travaux ne pouvaient pas aboutir à la cohérence d'un système. Le matérialisme dialectique, prise de conscience des démarches efficaces de la science et vigilance permanente contre toute idéologie, n'admet qu'un seul postulat : la croyance au monde extérieur. Pour le reste, elle est seulement une direction de recherche, une recherche attentive à la déroutante logique de tout ce qui vit, se développe et meurt. Le respect des faits, qui commande d'ailleurs notre action, est un corollaire de la croyance au monde extérieur. Une dialectique verbale, qui jouerait de la contradiction comme d'une recette, serait beaucoup plus nocive que la logique classique, valable au moins à un certain niveau d'approximation. La dialectique marxiste est fonction du réel. Et rien n'est plus coûteux pour le savant, comme pour l'individu dans son adaptation quotidienne, que l'exercice de cette fonction : Je le répète et j'insiste : ainsi s'explique en dernière analyse, je crois, la difficulté de l'œuvre wallonienne. Le marxisme n'est pas la trompette de Jéricho.

Si judicieux que soit le choix des textes de Wallon réunis dans *Psychologie et marxisme,* si fidèle que soit ma présentation de l'homme avec qui j'ai travaillé pendant un quart de siècle, il est bien évident que le lecteur américain n'aura de Wallon que le portrait partiel et schématique d'un auteur qu'il est impossible de schématiser. Puisse ce portrait, vrai ou faux, être assez attachant ou assez étrange pour donner au lecteur la curiosité de connaître le modèle. Puisse la publication de ces quelques textes créer le besoin d'une traduction des œuvres majeures de Henri Wallon.

Il y a plus de quarante ans, revenant des Etats-Unis, je m'employais à faire connaître en France les psychologues américains et notamment Arnold Gesell avec qui j'avais appris, dans l'émerveillement d'un regard neuf, à observer méticuleusement les tout jeunes enfants. Avec la collaboration de plusieurs de mes collègues d'alors, notamment d'Irène Lézine, et les encouragements de Henri Wallon, nous entreprîmes la traduction des principaux ouvrages de Gesell et l'adaptation française de son échelle de développement. Ainsi, par surcroît, un pont était jeté entre le laboratoire Wallon et le Centre de recherches de Gesell.

Au terme de ma carrière, j'imagine avec les Etats-Unis un effet de retour, une sorte de *feed-back*. Ce que j'ai fait jadis pour Gesell, mon premier patron, j'espère que des collègues américains le réussiront aujourd'hui pour Wallon. Et je serais heureux d'y avoir contribué, aussi peu que ce soit.

P.S. Au moment de mettre sous presse nous avons la tristesse d'apprendre la mort de Gilbert Voyat (26 mai 1983) professeur à la City University de New York, qui avait entrepris de traduire en anglais et de publier les articles majeurs de Wallon. Ma « lettre aux américains » avec comme sur-titre « Qui est Henri Wallon ? » devait servir de préface à ce recueil.

Henri Wallon, alias Hubert

J'imagine qu'on puisse faire le portrait d'un homme à coups d'anecdotes. J'en aurais des dizaines à raconter à propos de Wallon. Anecdotes du quotidien tout autant d'ailleurs qu'anecdotes de situations exceptionnelles. Si j'ai choisi quelques-unes de celles-ci c'est que, devant être bref, j'ai préféré le relief à la nuance.

Bien entendu, dans la période d'occupation et de clandestinité où se situent les incidents que je rapporte, je n'ai pas tenu de « journal ». Si les situations sont précises et datées, les dialogues n'ont rien de littéral. Je viens tout juste de les reconstituer, m'appliquant à en respecter autant qu'il est possible la teneur et le mouvement.

1941. Wallon, alors professeur au Collège de France, est interdit d'enseignement par le gouvernement Pétain. Il se précipite à Vichy pour demander des explications au ministre de l'Education, Carcopino, son ancien condisciple à l'Ecole normale. Wallon en revient furieux : « Un voyage pour rien ! — Que s'est-il passé ? — Je lui ai dit qu'il faisait le travail des Allemands. Il s'en est défendu : nous avons suspendu ton cours pour que tu puisses te mettre à l'abri, pour éviter ce qui est arrivé à Langevin ; les Allemands l'ont arrêté et incarcéré. Je lui ai répondu que de toute façon je ne me mettrais pas à l'abri et que la sanction prise contre moi était la meilleure façon de me désigner aux nazis... Une seule solution, m'a rétorqué Carcopino : viens en zone libre avec tes collabora-

teurs. Tu pourras remettre sur pied ton laboratoire. — Alors,
quand partons-nous ? demandai-je à Wallon. — Jamais,
s'exclame-t-il. J'ai d'ailleurs répondu à Carcopino : ce n'est
pas à moi de quitter Paris, mais aux Allemands. »

En fin de compte, comme on sait, les Allemands occupèrent
à son tour la zone « libre », tandis que Wallon restait à Paris.
Puis Wallon entra dans la Résistance et prit le nom de Hubert.
Dans la Résistance, mais sans la moindre clandestinité. Ce qui
était le comble de l'imprudence. Son entrée simultanée dans la
Résistance et au Parti communiste suivit de quelques jours
l'exécution du physicien Solomon et du philosophe Politzer :
« Deux jeunes gens ont été assassinés. Il faut combler les
vides... »

1944. Un lundi du mois de juin. J'entre en catastrophe dans
le bureau de Wallon : « Ma planque vient d'être perquisition-
née par les gens de la Gestapo. Je leur ai échappé de justesse.
Mais ils peuvent arriver ici d'un instant à l'autre. Il faut quitter
le laboratoire immédiatement et disparaître. — Impossible,
répond Wallon. — Pourquoi ? — Jeudi prochain, j'ai ma
consultation. Mon devoir est de rester, je suis au service des
enfants. — Les enfants attendront. — Jusqu'à quand ? —
Jusqu'à la fin de la guerre. — Vous n'y pensez pas ! — Ce n'est
pas un conseil que je vous donne, excusez-moi, c'est un ordre.
Un ordre de la Résistance. Vous n'êtes pas seulement au
service des enfants... » Un moment de silence... « Disparaître, mais pour aller où ? — Pas loin, dans le quartier de la
Madeleine. Dans une planque préparée depuis longtemps. —
Je serai seul ? — Non, chez des gens, un vieux couple... — Je
vais faire courir des risques à ces gens ! — Ils n'ont pas
d'activités politiques, ils ne vous connaissent pas. — Alors,
qu'est-ce que je vais leur dire ? — Vous vous appelez Durand,
vous êtes un médecin de province qui vient passer quelques
semaines à Paris. — Alors par-dessus le marché, je vais être
obligé de leur mentir. — Allons-y, je vous y accompagne. —
Et ma femme ? — Elle vous rejoindra aujourd'hui même, je
vous le promets. »

La suite de cette histoire, ailleurs peut-être je la raconterai.
Tout ce que je peux dire, c'est qu'il n'est resté que quelques

jours chez ses hôtes plus ou moins ingénus. Il n'est pas revenu au laboratoire, mais il a réintégré, à mon insu, son domicile de la rue de la Pompe.

Deux mois plus tard. La lutte pour la Libération de Paris. Les tanks allemands sillonnent encore les grandes artères de la ville. Les fascistes, ceux qu'on appelle les Japonais ou la « cinquième colonne », mitraillent de façon sporadique, juchés sur les toits. Rue de Grenelle, où les francs-tireurs de la Résistance ont pris possession du ministère de l'Education nationale, il faut longer les murs. Nous avons fait prévenir Wallon qu'il a été désigné pour prendre en charge le ministère. Une voiture, avec une solide escorte, doit aller le chercher. Qu'il nous attende. On arrive...

C'est lui qui est arrivé le premier. Il est venu de la rue de la Pompe à la rue de Grenelle, seul, à pied. Stupéfaction. « Il faisait beau, les rues étaient vides. Les mitraillages, par-ci, par-là. Pas grands risques. Et puis ce n'était pas la peine de déranger un chauffeur et des F.F.I. pour moi. Ils ont bien d'autres choses à faire... »

Ainsi commença le ministère du Pr Henri Wallon, un ministère qui dura trois semaines jusqu'à l'arrivée du général de Gaulle.

ARNOLD GESELL
1880-1961

Gesell, l'homme à la caméra

Cette « rencontre audio-visuelle » consacrée pour la première fois à la psychologie de l'enfant est dédiée à la mémoire
d'Arnold Gesell (1880-1961). Il n'était pas meilleure circonstance de rendre hommage à celui qui fut l'inventeur de ce qu'il
désigne lui-même comme ciné-analyse *(cinemanalysis)*.

Quelques psychologues ont filmé, avant lui, des enfants.
C'était alors épisodique, anecdotique et parfois didactique.
Mais Gesell fut le premier à se servir de la caméra systématiquement comme instrument de recherche, à définir ainsi les
techniques, mais aussi la méthode d'une observation armée.

Le premier montage extrait de ses enregistrements date de
1924. Intitulé *The Mental Growth of the Pre-school Child,* ce
film précède d'un an la publication d'un livre portant le même
titre. La vingtaine de films qu'il a produits au cours de sa
carrière illustrent bien ses thèmes de recherche et ses techniques d'analyse cinématographique. Mais ils ne constituent pas
même le centième des enregistrements qu'il a accumulés
pendant plus de trente ans jusqu'à ses ultimes travaux sur le
développement des comportements visuels. En 1950, ces
enregistrements, conservés et archivés à la cinémathèque de la
Yale School of Medicine, représentaient environ 100 kilomètres de pellicule (dont les deux tiers en 35 millimètres).

Le seul intérêt de ce chiffre est de bien souligner que pour
Gesell la principale finalité de l'observation cinématographique n'était pas de faire du cinéma. C'est dans ses livres, et plus

encore dans ses articles, qu'on trouve la substance de ce qu'il a enregistré.

En un temps où la vidéo facilite considérablement l'enregistrement des comportements, c'est une leçon à retenir.

Gesell nous met en garde non seulement contre ce qu'il peut y avoir de tendancieux dans le montage d'un film, mais aussi contre l'illusion que la caméra dispense le chercheur de chercher. Le cinéma ne fait pas cuire notre pain scientifique, dit-il, mais comme outil de recherche ses potentialités sont inépuisables. (« Cinema by itself bakes us no scientific bread, but as a tool for psychological research its potentialities are inexhaustible. »)

Le cinéma, dit-il encore, est une forme paradoxale d'embaumement : non seulement il préserve un moment de comportement comme en un bain chimique, mais il permet de le faire revivre dans son intégralité originelle. A condition, bien sûr, que l'enregistrement ait été intégral.

Il y a là un principe méthodologique qui tient à son souci de ne pas sélectionner arbitrairement ce qu'il voit, mais aussi à son point de vue moniste et holistique. En psychologie, affirme-t-il, l'énigme est toujours celle d'un pattern, d'une forme. L'analyse vient ensuite : alors, on peut dégager, extraire, les divers aspects du comportement en son évolution : posture, locomotion, préhension, jeux, conduites sociales, etc.

Cette analyse est illustrée dans les films de la série que Gesell désigne comme *normative.* Elle porte sur les enregistrements opérés en laboratoire, sous le célèbre dôme hémisphérique, aux apparences d'un observatoire, équipé de deux caméras couplées filmant sous deux angles, l'une à la verticale et l'autre latéralement.

Un second type de films constitue la série *naturaliste* qu'on dirait aujourd'hui éthologiste. L'enfant est filmé avec sa mère dans ses conditions habituelles de vie à certains jalons d'âge : cela donne « La journée d'un bébé de 12 semaines », « Le comportement quotidien à 48 semaines », « Le comportement à l'âge d'un an ». Dégagé de la perspective normative, Gesell s'emploie surtout à voir, dans ses prises naturalistes, l'équilibre des formes de comportement, l'importance des différences individuelles.

La demi-douzaine de films de Gesell disponibles à Paris (cinémathèque centrale de l'Enseignement, 31, rue de la Vanne, Montrouge) appartiennent à la série normative mais ils contiennent aussi quelques brèves séquences naturalistes.

Enfin ils suffisent à illustrer les « trucages » mis en œuvre par Gesell, et qui ne sont pas seulement d'ordre didactique, mais tout d'abord de renforcement de l'observation : l'accéléré, le ralenti, l'arrêt sur l'image, le schéma animé, et aussi et surtout l'artifice de l'image double, triple, quadruple même. Ainsi en montrant côte à côte les images du même enfant filmé à 4 semaines d'intervalle, on peut découvrir un progrès qui aurait échappé à l'observateur le plus perspicace.

Cinquante ans après Gesell, avec les améliorations de nos techniques, le renouvellement partiel de nos objectifs et de nos thèmes de recherche, où en est la ciné-analyse ? Que pouvons-nous garder des enseignements du psychologue de Yale ?

Mon premier patron

Mes souvenirs de Gesell sont si anciens, ils ont dû subir si profondément les altérations du temps et les transmutations du rêve, de la méditation, que je ne sais plus ce qu'ils sont, ce qu'ils valent.

Arnold Gesell est aujourd'hui pour moi, comme pour vous tous, un savant célèbre, un psychologue de l'enfance, sans doute le plus grand que l'Amérique nous ait donné. Mais mon admiration pour l'œuvre de Gesell ne serait pas ce qu'elle est, ni mon attention aux cheminements de sa pensée, si des liens étroits ne m'attachaient à lui, quand bien même la vérité du souvenir se serait complètement éteinte.

Si Wallon a été pendant vingt-cinq ans mon guide et mon maître, Gesell fut — lui — mon premier patron. Celui qui m'a appris les rudiments de mon métier, qui m'a décidé à devenir psychologue, qui m'a fourni quelques-uns des thèmes permanents de ma recherche, qui m'a inspiré dans la création de la psychologie scolaire, en France, au lendemain de la Libération.

Gesell a été mon premier patron. Il y a trente ans exactement : de janvier à mars 1934. Trois mois seulement mais qui ont suffi à orienter toute ma vie. Pourtant Gesell n'était pas très loquace et comment aurait-il pu l'être avec moi, puisqu'il ne parlait pas le français et que je comprenais à peine l'anglais. J'allais chaque jour à sa clinique du Développement de l'enfant qu'il avait créée quatre ans plus tôt, en

1930, à l'université Yale. Je le regardais travailler, et sa façon de travailler minutieuse, rigoureuse, était la meilleure leçon que j'aie pu recevoir : il examinait des enfants d'âge préscolaire dans la nurserie — ou bien nous allions à l'observatoire photographique pour tester et filmer des nourrissons.

L'observatoire était un vaste hémisphère de 4 mètres de diamètre, de 2,50 m de haut équipé à son sommet et sur ses parois latérales de caméras cinématographiques. Pendant que Gesell soumettait le bébé à diverses épreuves et que les caméras tournaient, j'essayais d'observer, je prenais des notes. Puis les films une fois développés je comparais mes observations aux faits enregistrés par la caméra. Et je découvrais, à la fois déçu et ravi, la pauvreté, les erreurs, l'imbécillité de mon regard et l'intelligence de la caméra. J'apprenais à regarder, j'apprenais à observer, j'apprenais que l'observation est trompeuse à qui n'est pas foncièrement honnête, j'apprenais aussi que l'observation a des limites très étroites quand elle n'est pas guidée par des connaissances préalables et aidée par des techniques rigoureuses. J'apprenais la rigueur non pas des schémas rigides, mais la rigueur des nuances. Je découvrais, sous la direction de Gesell et sans aucun discours, l'infinie diversité des gestes d'enfants et qu'un individu, fût-il un nouveau-né, fût-il un jumeau, n'est jamais identique à un autre même dans ses réactions les plus simples, les plus archaïques.

Je découvre la science et, dans ma naïveté, je crois que je découvre l'Amérique.

C'est bien à Gesell que je pense quand, de retour en France, je déclare avec emphase dans mon introduction aux *Psychologues et Psychologies d'Amérique :* « J'écris pour tous mes semblables, qui puisent ou puiseront dans l'enseignement philosophico-littéraire de la Sorbonne leur science de l'homme, j'écris pour leur confier qu'il existe *ailleurs* d'autres manières de penser, d'étudier et de vivre... qu'il faut y aller voir... L'effort scientifique n'exige pas d'effets oratoires et de longues théories. Que les étudiants qui veulent se consacrer à la psychologie dépassent la philosophie et deviennent de bons techniciens. »

Cette réaction était démesurée et injuste, injuste pour la philosophie, injuste pour la Sorbonne, inexacte aussi pour la façon dont elle appréciait Gesell et l'Amérique tout entière. Mais c'était quand même je crois une réaction tonique et saine. Avec le recul du temps, avec la pondération de l'âge je sais aujourd'hui que la technique, pour nécessaire qu'elle soit, n'est rien sans une sagesse qui la guide, je sais aussi que Gesell était autre chose qu'un habile technicien. Un philosophe, un homme.

Et c'est pourquoi je parlerai d'abord de sa vie avant d'exposer brièvement son œuvre.

La vie de Gesell est une histoire fascinante. D'abord parce qu'on y voit un homme à la recherche de soi-même, à la recherche de sa vérité. Et il n'y est parvenu que tardivement à travers tâtonnements, insatisfactions. Il fut d'abord instituteur à dix-neuf ans. Puis successivement, et j'en passe, principal de collège, étudiant, de nouveau enseignant, étudiant en médecine, psychologue scolaire (le premier qui ait eu ce titre aux Etats-Unis).

C'est à l'âge de quarante ans que Gesell atteint enfin son but. Le Gesell que le monde scientifique honore, le psychologue de la petite enfance que nous célébrons aujourd'hui ne s'est révélé qu'à l'âge mûr après un long itinéraire, un long travail où les expériences du pédagogue, du psychologue et du médecin se sont mêlées, entrelacées.

C'est pourquoi d'ailleurs l'histoire de Gesell représente pour moi une valeur qui dépasse celle d'une vie singulière. Elle est comme l'exemple, le symbole de l'histoire de la psychologie elle-même. Une science qui se cherche et s'affirme à travers toutes les insuffisances de la pratique et de la théorie, à travers le morcellement et la dispersion des connaissances.

C'est pourquoi d'ailleurs la carrière de Gesell et la carrière de Wallon se ressemblent profondément, malgré leurs différences d'origine et de milieu. Les pionniers ne récapitulent pas l'histoire, ils la font : à leurs risques et périls ils défrichent les terres inexplorées, ils tracent les voies de pénétration. Nés à un an d'intervalle, morts à un an d'intervalle, Gesell et Wallon sont nés sous la même étoile, ils ont vécu la même époque, créé dans la même perspective génétique la même science, et sans se connaître ils ont creusé parallèlement des voies semblables. Ma chance et ma fierté c'est d'avoir établi, de l'un à l'autre, un chemin de traverse [1].

Henri Wallon est né à Paris le 15 juin 1879. Arnold Gesell le 21 juin 1880 à Alma, une petite ville du Wisconsin, ce pays de vallées, de rivières, de prairies. Il a raconté lui-même son enfance heureuse dans un univers où n'existaient encore ni radio, ni cinéma, ni comics. Une vie heureuse dans la chaleur du foyer familial, dans les rues animées du village, dans les prairies, et sur les eaux du Mississippi. Il était l'aîné de cinq enfants. Son père attachait, dit-il un très haut prix à l'éducation. Mais l'image dominante, c'est la mère : une toute jeune femme qui, n'ayant pas encore vingt ans, avait déjà acquis une solide réputation d'institutrice dans une école pour enfants difficiles.

Par l'exemple de sa mère le jeune Arnold est voué de très bonne heure à la carrière d'instituteur. D'ailleurs aux yeux de la famille Gesell le principal de la High School, du collège dirions-nous en français, représente le sommet de la hiérarchie culturelle.

Après ses études élémentaires Arnold entre donc au collège, puis à seize ans à l'école normale. Ses années d'école normale sont marquées par l'influence de deux hommes : le conseiller pédagogique C. H. Sylvester et le professeur de psychologie, Edgar James Swift. Swift orientera Gesell vers Stanley Hall dont il avait été l'élève. Sylvester donnera à Gesell son goût, sa passion du rationalisme.

C'est après avoir lu une volumineuse *Histoire du rationa-*

---

1. J'ai établi et multiplié les liens entre le laboratoire Wallon et le laboratoire Gesell : par mes travaux sur les jumeaux, par l'établissement d'une version française des baby-tests de Gesell (O. Brunet et Irène Lezine), par la traduction confiée à Irène Lezine et Nadine Granjon de la fameuse trilogie, *L'Enfant dans les civilisations modernes, L'Enfant de 5 à 10 ans, Les Jeunes de 10 à 16 ans.*

lisme, un cadeau de Sylvester, que le jeune Gesell rédige d'enthousiasme un de ses premiers articles intitulé « Le Développement de l'esprit de vérité ». Il y combat, avec une ferveur tout adolescente, l'intolérance, la persécution, il y défend la liberté de pensée. La péroraison prend un tour prophétique. « Si le passé, dit-il, est fort, sombre et désespéré, l'avenir est brillant d'espoir... La loi du progrès selon laquelle chaque grande vérité doit être baptisée dans le sang, cette loi va bientôt disparaître. »

A la même époque Wallon, s'adressant à ses premiers élèves, dans un discours de distribution de prix, leur tient le même langage : « L'humanité s'avance dans une grande clameur de force, de confiance, de joie et de liberté. »

1899 : Gesell est nommé comme instituteur au collège qu'il a quitté comme élève trois ans plus tôt. C'est un poste omnibus qu'on lui confie : il enseigne l'histoire des Etats-Unis, l'histoire ancienne, l'allemand, la géographie économique, il est par surcroît moniteur de football. Il y reste deux ans.

En 1901 il entreprend des études à l'université de Wisconsin qui le conduisent à une thèse de licence sur un sujet de pédagogie.

En 1903 il est nommé principal d'une importante High School. Mais cette fonction ne l'accroche pas. L'enseignement tel qu'il est pratiqué le déçoit. Il a le sentiment qu'une base solide, une base rationnelle, manque à la pédagogie.

En 1904, il retourne à l'université, à Clark University cette fois, dans le Massachusetts, pour y faire son doctorat de psychologie. Clark University est une étape décisive dans la formation de Gesell. C'est là qu'il va trouver son inspiration et sa voie. On sait l'attachement que les Américains ont pour leur université. Pour Gesell, l'*alma mater,* la mère nourricière, c'est cette université du Massachusetts. Je suis un *Clark man* aimait-il à dire.

C'est à Clark en effet que Gesell rencontre le déjà célèbre Stanley Hall, alors président de cette université, et c'est Stanley Hall qui va faire de Gesell le psychologue que nous connaissons, ou du moins qui va lui inspirer ses idées directrices.

A vrai dire Stanley Hall n'est pas un expérimentateur, pas un technicien de la psychologie, mais c'est un remueur d'idées, un visionnaire. Et sa vision générale du développement humain il va la transmettre à son jeune élève. De telle sorte que sous l'apparente froideur de Gesell, sous l'objectivité minutieuse de ses descriptions, il n'est pas difficile de découvrir le courant d'enthousiasme qui vient de Stanley Hall. Cinquante ans plus tard Gesell dira de son maître : « Même s'il n'a pas vérifié ses inspirations prolifiques, même s'il paraît désordonné et se contredisant lui-même ; même s'il a exagéré la doctrine de la récapitulation — il a quand même été le Darwin de l'esprit, dont la vision a saisi la croissance dans sa totalité, et qui a su tirer la psychologie du pédantisme et des excès de l'analyse. »

Par un chassé-croisé paradoxal de leurs tempéraments, c'est d'ailleurs Stanley Hall qui propose alors à Gesell un sujet très rigoureux, très précis, comme s'il avait deviné les qualités de son élève : une observation de jeunes enfants au moyen d'un enregistrement cinématographique, et c'est Gesell qui préfère un sujet extrêmement large, dans le style de Stanley Hall : « Manifestation de la jalousie normale et anormale chez les animaux et chez l'homme et aux âges successifs de l'enfance. »

Nous sommes en 1906. Sa thèse terminée, Gesell reprend des fonctions d'enseignement : instituteur dans une école primaire de New York et moniteur de psychologie dans une école normale.

Mais une fois de plus le démon des études et le goût des voyages le reprennent. Le soleil de Californie et son amitié pour Terman lui font quitter New York pour Los Angeles. C'est le temps où Terman vient de découvrir l'œuvre toute récente d'Alfred Binet et il entraîne Gesell dans l'étude des échelles d'intelligence. Gesell se passionne pour ce travail mais son inquiétude persiste comme s'il était toujours incertain de lui-même, incertain du crédit qu'il faut accorder à la psychologie et à la pédagogie. Il voyage, il visite des institutions, des écoles, des laboratoires. Notamment il fait la connaissance de Goddard qui dirige la fameuse école normale de Vineland spécialisée dans l'étude des débiles mentaux. Cette visite à Vineland le ramène sans doute à des souvenirs d'enfance, au souvenir de sa mère. Il s'engage alors dans la psycho-pédagogie des débiles mentaux, et associé à Goddard il donnera pendant cinq ans, de 1911 à 1915, des cours d'été à l'université de New York pour la formation des maîtres des classes de perfectionnement.

Mais il faut dire qu'en 1909 il a fait connaissance à Los Angeles de Beatrice Chandler, et qu'il l'épouse. Beatrice Chandler est une jeune éducatrice de valeur qui s'est déjà signalée par ses initiatives dans le domaine de la pédagogie active. C'est en collaboration avec sa femme, en 1912, que Gesell publie son premier livre : *L'Enfant normal et l'Education primaire.*

Mais sa passion pour les débiles et son amour pour Beatrice ne calment pas son inquiétude, son sentiment d'insuffisance, d'incompétence quand il s'agit de comprendre et d'aider les enfants.

Il décide alors de faire ses études de médecine. Quelques années plus tôt et pour les mêmes raisons, Henri Wallon avait pris la même décision.

Donc, pendant cinq ans, de 1910 à 1915, il redevient étudiant, cette fois à New Haven, à l'université Yale. Mais dans le même temps, en 1911, il crée à New Haven une clinique psychologique pour enfants. Cette clinique qui deviendra vingt ans plus tard un centre mondialement connu, a pour seul équipement une table et une chaise. C'est de la même façon que Henri Wallon a créé son laboratoire, hors de tout soutien officiel.

Ses études de médecine terminées Gesell est nommé professeur d'hygiène de l'enfant à l'école de médecine de Yale. Poste qu'il occupera jusqu'à sa retraite en 1948.

Mais cet homme extraordinaire n'abandonne rien de ses préoccupations antérieures. Il les intègre dans son nouveau statut et sa nouvelle science de médecin. C'est vers 1915 qu'il crée, pour New Haven et l'ensemble de l'Etat du Connecticut, ce qu'il désigne, d'un mot qui devait faire fortune, la psychologie scolaire.

Premier sens et première orientation de cette psychologie définie par un ordre d'urgence : l'aide psychologique et pédagogique aux enfants inadaptés.

Gesell voyage d'un canton à l'autre, en cabriolet ou à cheval pour dépister les enfants arriérés ou handicapés. Il établit des programmes d'études, il publie des articles, de science ou de vulgarisation, voire de propagande en faveur des enfants déficients. Pour eux il élabore des textes administratifs et législatifs. Il met au point pour le Connecticut l'organisation des classes spéciales. Une vue d'ensemble de cette œuvre est donnée dans son livre publié en 1921 sous le titre : *La Politique de l'école publique et les Enfants anormaux.*

Cependant il n'est pas encore satisfait. Tout cela est trop empirique, trop lacunaire. La psychologie scolaire limitée aux débiles est une impasse. La médecine, d'autre part, ne rejoint guère la psychologie.

Il fait le tour de toutes les connaissances, de toutes les pratiques, et il reste sur sa faim.

Il parvient à cette évidence que la solution de ce qu'il cherche désespérément ne sera satisfaisante qu'avec une connaissance rigoureuse de l'enfant *normal* et que l'individu normal doit être étudié dès sa *prime enfance.* Le primat de la psychopathologie pour la compréhension de l'enfance est d'autant plus néfaste que les concepts et les doctrines de cette psychopathologie sont dérivés d'une symptomatologie adulte. Henri Wallon ira lui aussi et par les mêmes voies du pathologique au normal.

Au fond, ce que Gesell cherche depuis si longtemps, c'est une science qui n'existe pas encore, une science du développement humain, une science qui puisse intégrer toutes les ressources de la psychologie expérimentale, de la biologie évolutive et la neuro-physiologie.

Cette science n'existe pas. Mais il comprend maintenant ce qu'elle doit être. Alors il va la créer. Nous sommes en 1920. Gesell a tout juste quarante ans.

Il ne voyagera plus. Il n'aura plus d'histoire. Dès lors sa vie se confond, pour nous du moins, avec son œuvre.

Dans les quarante années de son activité créatrice, de 1920 à 1961, date de sa mort, Gesell a publié une douzaine de livres, des centaines d'articles, il a tourné cent kilomètres de pellicule et monté une vingtaine de films. Tout cela ne peut être, ici, passé en revue. Dans sa célèbre trilogie traduite en français, Gesell nous a montré avec une finesse de description jamais atteinte l'évolution de l'enfance de la naissance à 16 ans. Mais Gesell est avant tout le psychologue de la prime enfance, de l'enfance préscolaire. On peut en dire autant de Wallon, et leurs œuvres majeures, portant sur la même période de la vie, mais dans des styles profondément différents, se complètent étonnamment pour qui veut y regarder de près.

Rien d'étonnant à cette communauté d'intérêt pour les premières années de la vie. Elles sont la base et l'organisation fondamentale de tout ce qui va suivre.

Pour saisir la portée de l'œuvre de Gesell il faudrait parler en détail de ses techniques, de sa méthode, de sa philosophie. Et tout se tient, non de façon rigide. D'ailleurs Gesell n'est prisonnier ni de ses techniques ni de ses partis pris.

Gesell a créé les tests du premier âge, les « baby-tests », mais il n'est pas un testomane. Les tests sont pour lui un résumé d'expériences, un instrument pour les besoins d'ordre pratique, tout simplement.

Quant à l'enregistrement cinématographique, dit-il, il n'est pas une nourriture scientifique mais « il nous aide à capturer la forme (pattern) du comportement, à définir la loi d'organisation en termes de dynamique ».

Et c'est essentiel pour Gesell puisque selon lui « l'énigme scientifique fondamentale est toujours celle d'une structure, d'une forme... ». Du point de vue moniste qui est le sien (où est dépassée l'opposition du corps et de l'esprit), les problèmes principaux de la psychologie du développement sont morphologiques : l'étude des formes organisées et dynamiques du comportement. L'analyse cinématographique, la cinémanalyse, est alors la plus adéquate qu'on puisse imaginer.

La méthode des jumeaux, la plus célèbre des méthodes de Gesell, est la mise en œuvre et le contrôle de toute une philosophie de la croissance.

C'est de cette philosophie dont je veux, enfin, vous parler pour pénétrer avec vous au cœur de son œuvre.

Par une schématisation abusive on oppose deux conceptions de la croissance : une conception selon laquelle la croissance et le sort individuel sont déterminés strictement par les facteurs biologiques, par l'hérédité ; une conception inverse selon laquelle l'esprit est une table rase sur laquelle joueraient les influences du milieu.

Abusivement on rattache la première conception à une attitude conservatrice, voire raciste ; on rattache la seconde à un idéal égalitaire. Abusivement on classe Gesell dans la première catégorie de penseurs.

Il est vrai que Gesell est le premier théoricien de la maturation, et il est vrai qu'il a opposé aux théories régnantes de Watson la priorité des facteurs de maturation sur les facteurs d'apprentissage et de conditionnement.

Mais il y a malentendu, et le même malentendu a régné longtemps pour l'interprétation de l'œuvre de Wallon.

Pour l'un comme pour l'autre il est bien vrai que leur intérêt a d'abord été orienté — par le fait de leur formation médicale — vers l'analyse des facteurs de maturation nerveuse que d'autres auteurs négligent systématiquement.

Il est vrai que l'un et l'autre ont été sous l'emprise des maîtres évolutionnistes. Mais il est non moins vrai qu'ils ont toujours considéré que la maturation n'était qu'un matériau offert à l'influence formatrice du milieu, de l'éducation.

Et dans le développement de leur œuvre, celle de Wallon comme celle de Gesell, il est intéressant de suivre comment les influences du milieu sont de mieux en mieux analysées.

La réflexion passionnée des rapports de la nature et de la culture, amorcée par J.-J. Rousseau au XVIIIe siècle, alors que la société est ébranlée dans ses bases et dans ses valeurs, nous la retrouvons dans l'analyse lucide d'un Gesell et d'un Wallon — qui vivent anxieusement les malheurs et les promesses de notre temps.

C'est le 31 juillet 1942, quelques mois après l'entrée en guerre des Etats-Unis, que Gesell déclare dans sa préface au *Jeune Enfant dans la civilisation moderne* : « Ce livre fut écrit au cours d'une guerre qui apporte la souffrance indicible à d'innombrables petits enfants. Et nous n'en connaissons pas encore toutes les répercussions possibles. » Gesell ignorait et prophétisait les massacres de centaines de milliers d'enfants, de nouveau-nés, massacre organisé et justifié au nom des théories de Darwin. Et Hiroshima dont nous portons tous le remords n'avait pas encore été calciné par l'éblouissement infernal de la bombe atomique.

Et Gesell poursuit : « Ce livre traite des douceurs de la civilisation, des raffinements de la puériculture. Mais si les hommes épris de démocratie ne sont pas résolus à fortifier ces cultures, alors notre œuvre n'a plus aucune raison d'être. »

La tragédie mondiale, dit-il, nous laisse aux prises avec trois affirmations : la démocratie exige qu'on respecte les individus, les tout-petits sont des individus, la science du comportement humain et l'individualité ne peuvent s'épanouir que dans une démocratie.

Et il conclut : « les progrès techniques de notre civilisation sont tout à la fois notre espoir et notre désespoir. Nos raisons de désespoir et de crainte ne s'atténueront que si les techniques de la science moderne savent prendre sincèrement en considération les problèmes humains. »

1942. Alors que Gesell prend position pour la première fois sur des problèmes politiques, Henri Wallon s'engage contre les Allemands dans la résistance active.

Le libéralisme lucide de Gesell et le socialisme radical de Wallon expriment, dans des conditions de lutte différentes, la contribution à un même combat, la même exigence fondamentale de vérité, de générosité, de justice.

Pour Gesell comme pour Wallon les facteurs innés, les facteurs matériels, organiques du comportement sont fondamentaux. Et leur prise en considération est la première forme de respect pour l'individualité de chacun. Nous devons être courtois avec les petits enfants, dit Gesell. Notre courtoisie, c'est d'abord de reconnaître ce qu'il sont en tant qu'individus.

Mais le sort n'est pas jeté, les jeux ne sont pas faits dès la naissance. Les facteurs organiques ne font que tracer des limites de prudence à notre action éducative.

La responsabilité totale nous reste de faire de nos enfants des êtres heureux.

J'ai quitté Gesell en mars 1934. Je me faisais une joie de le retrouver à Rome dans l'été 1961. Il avait été prévu qu'il présiderait un colloque international où j'allais lui rendre hommage par un exposé sur la méthode des jumeaux.

Mais je ne devais pas le revoir. Il est mort, le 29 mai 1961 après une longue et pénible maladie.

Le souvenir de l'homme que j'ai trop peu connu s'est effacé. Je l'ai retrouvé et redécouvert plus profondément encore dans ses œuvres.

Je ne sais plus à vrai dire très exactement ce que je lui dois et ce que je dois à Wallon. Les sources se mêlent dans un même courant. Et si cela est ainsi dans mon cœur et dans mon esprit, cela se produit peut-être aussi dans l'histoire de la science.

Ils ont chacun une personnalité bien marquée, mais ils se rejoignent par leurs œuvres, dans le patrimoine universel de la science psychologique.

Leur tendresse pour l'enfance n'est pas mièvrerie, leur confiance en l'homme n'est pas utopie. Ils connaissent les ressources, les richesses de l'être humain — mais aussi les entraves, les obstacles à l'expression de ces richesses. Et, le sachant, ils le disent.

Leur science, pour objective qu'elle soit, et justement parce que vraiment objective, n'est pas pure contemplation. Elle est militante. Elle nous invite à agir comme éducateurs mais aussi comme artisans d'un monde meilleur.

Le jeune Jean (Piaget) : un enfant arriéré ?

Nous sommes à Genève en juillet 1953. C'est le premier colloque du fameux Study Group qui, chaque année jusqu'en 1956, réunira une quinzaine d'experts pour discuter, en principe, de la psychologie de l'enfant. Je dis en principe parce que avec des gens comme Julian Huxley, Lorenz, Margaret Mead, Bowlby, Piaget, Grey Walter, l'homme des robots cybernétiques, Erikson, Bertalanfy et une demi-douzaine d'autres, l'enfant se fera tout petit et le Study Group deviendra rapidement une fantastique fête des sciences de la vie.

Premier colloque. Première rencontre entre nous, pour beaucoup d'entre nous. Il fait chaud mais la glace, la solennité n'est pas encore rompue. C'est Frémont-Smith, de la Macy Foundation qui préside, à l'américaine. Il a mis bas la veste. Tous les hommes du groupe en font autant, sauf Piaget et moi-même. Fremont-Smith me regarde, étonné : « Pour l'instant, lui dis-je, je me sens plus à l'aise en veston qu'en bras de chemise. — Et vous, Piaget ? demande le président. — Moi, je ne sais pas ce qu'il y a sous mon veston, répond-il, alors je préfère rester comme ça. » Tout le monde rit, mais le déshabillage n'est pas terminé. Le président nous demande maintenant de dire qui nous sommes, comment nous sommes devenus ce que nous sommes.

Tout en écoutant mes célèbres collègues raconter à tour de rôle leur petite histoire, moi, le benjamin du groupe, je prépare la mienne, que je voudrais modeste et flatteuse, mais j'attends surtout celle de Piaget, avec ses inévitables et imprévisibles plaisanteries.

Tous et toutes commencent par le commencement, leur premier éveil à la science où ils se sont illustrés.

Voici les plus beaux échantillons que je relève dans les quatre volumes où se trouvent consignés les actes officiels du Study Group, et dans les textes ronéotés au fur et à mesure des séances, c'est-à-dire avant nettoyage et polissage :

Julian Huxley : Tout a commencé pour moi sans doute vers l'âge de 7 ans, fasciné par des oiseaux qui nichaient sous la gouttière de notre maison : des êtres vivants, mais qui ne vivaient pas comme moi ! Aussi loin que je me souviens, le fait de la différence, de la variété de la vie et du monde comme un tout m'a ébloui...

Eric Erikson : Je suis né danois. Mon père est mort peu de temps après ma naissance. Alors ma mère a quitté le Danemark, avec moi, en direction du sud. Nous étions de passage dans une ville d'Allemagne quand je suis tombé malade. J'avais trois ans. Ma mère a appelé le médecin. Ce n'était rien. Cependant il est revenu trois, quatre fois... et il a épousé ma mère.

Et voilà pourquoi sans doute je suis devenu psychanalyste.

Margaret Mead : J'ai commencé ma formation d'anthropologue à l'âge de 3 ans, ce qui me donne une certaine qualification pour étudier les problèmes de l'enfance. Ma mère était sociologue et étudiait l'adaptation des Italiens immigrant aux Etats-Unis ; ma grand-mère, qui était une institutrice de jeunes enfants, s'intéressait beaucoup à la pensée et à l'imagination infantiles. Aussi commençai-je très tôt à noter sur mes jeunes sœurs le comportement des enfants. A 9 ans, j'étais passablement compétente, etc., et comme cela pendant un quart d'heure [1].

Konrad Lorenz : Autrichien de naissance et d'éducation, je naquis dans les environs de Vienne. Ma carrière scientifique,

---

1. On trouvera le texte à peu près complet (pp. 19-21) dans les *Entretiens sur le développement psychobiologique de l'enfant,* Neuchâtel, Delachaux et Niestlé, 1960.

comme celle de Margaret, commença tôt, à l'âge de 5 ans, lorsque je reçus en cadeau de Pâques, un nid de canetons. Je puis dire que les canetons et moi avons reçu une empreinte l'un de l'autre.

Il est assez curieux que l'histoire de Heinroth, mon maître, commence exactement de la même façon, avec un oison au lieu d'un caneton, mais également à 5 ans (...). Puis vers 12 ans, je fis la connaissance de Charles Darwin par l'intermédiaire d'un petit livre bon marché, et je devins un évolutionniste enragé. En même temps, je commençai à m'intéresser à la zoologie comparée, etc.

Enfin, après un brève autobiographie de Bärbel Inhelder, c'est *Jean Piaget* qui prend la parole :

Je suis impressionné par tout ce que je viens d'entendre. Les 5 ans de Lorenz, les 3 ans de Margaret ! J'ai le sentiment d'avoir été un enfant arriéré. Je n'avais pas moins de 15 ans quand j'ai publié mon premier article scientifique, mon premier ouvrage.

Jean Piaget :
l'épistémologie et la méthode génétique

L'œuvre de Jean Piaget est d'une telle richesse et d'une telle complexité qu'il ne saurait être question de la résumer en quelques pages. Et d'autant moins que cette œuvre n'est pas la simple somme de toutes les observations et expériences accumulées pendant un demi-siècle par Piaget et ses collaborateurs dans les divers domaines où se manifeste l'activité intellectuelle de l'enfant : la conquête du nombre, de l'espace, de la durée, du hasard, la genèse des images mentales, etc. Au cours de ces cinquante années d'un travail gigantesque, accompli avec la collaboration d'expérimentalistes d'une ingéniosité remarquable (je pense notamment à la Polonaise Alina Szeminska et à Bärbel Inhelder), les conceptions de Piaget se sont approfondies et transformées, même s'il n'y a jamais eu de changement de cap, même si Piaget a maintenu tout au long de sa longue vie l'interrogation fondamentale qu'il a formulée alors qu'il était encore adolescent.

C'est cette interrogation, jamais complètement satisfaite, qu'il nous faut d'abord connaître si l'on veut comprendre l'œuvre de Piaget, et éviter les pièges des simplifications trop commodes. L'interrogation apparaît sous sa forme première et la plus générale dans un bref article qu'il publie en 1911 à l'âge de 15 ans : « Comment tout être vivant parvient-il à s'adapter à son milieu ? » L'observation qu'il donne dans cet article est relative à des mollusques alpins, à la variabilité de leur adaptation en fonction de l'altitude.

Très rapidement, il relie le problème de l'adaptation biologique au problème de la pensée. Et il parvient ainsi à deux idées centrales dont il dit dans une confidence biographique qu'il ne les a jamais abandonnées depuis. La première est que l'adaptation de tout organisme vivant comme toute conquête intellectuelle s'accomplit par une *assimilation* d'un donné extérieur. Assimilation au sens fort du terme, c'est-à-dire transformation en soi-même. Un lapin qui mange du chou ne devient pas un chou, dit-il, il transforme le chou en lapin. De même la connaissance n'est pas du tout une copie, mais une intégration dans une structure mentale préexistante qui du même coup d'ailleurs va être plus ou moins modifiée par cette intégration. La seconde idée est que les facteurs normatifs de la pensée correspondent aux régulations, aux nécessités d'équilibration qu'on observe au plan biologique.

En somme, la pensée est la forme supérieure, comme le point oméga, du biologique. La logique de l'homme est l'expression ultime, et comme le révélateur, de la logique du vivant.

Toute l'aventure scientifique de Piaget consistera à vérifier ces simples et grandioses hypothèses, à les vérifier, à les préciser car dit-il : « Une idée n'est qu'une idée, seul un fait est un fait. »

Cette ambition explique pourquoi Piaget souligne si souvent avec tant d'insistance qu'il est avant tout un épistémologiste, que son véritable domaine est l'épistémologie, c'est-à-dire la théorie de la connaissance, et principalement de la connaissance scientifique. Elle reprend le problème de savoir comment la connaissance est possible.

L'observation des enfants, l'expérimentation psychologique, ne sont alors pour lui qu'un moyen, et le meilleur, de résoudre ce problème.

Au cours d'un entretien publié il y a dix ans dans *L'Express*, Piaget déclara au grand étonnement de Jean-Louis Ferrier qui l'interrogeait : « Si j'étais un psychologue, je me serais occupé

des jeux symboliques, de l'affectivité. Mais je suis un épistémologiste, mon domaine est la connaissance[1]. »

Et plus récemment lors d'une discussion à *Apostrophes*
Bernard Pivot fut totalement décontenancé quand Piaget,
sourire et pipe aux lèvres, refusa de répondre sous prétexte
qu'il n'était pas psychologue de l'enfant.

Il y a évidemment une part de coquetterie quand celui qui
est considéré « comme le plus grand psychologue de notre
temps » s'en vient dire qu'il n'est pas psychologue.

Part de coquetterie mais certainement pas de modestie : son
œuvre ne se définit évidemment pas dans les frontières closes
de la psychologie. La psychologie est un moyen d'approche,
une méthode pour la solution scientifique d'un problème qui
jusqu'alors fut celui des philosophes.

Mais cela n'implique pas la négation des apports de Piaget à
la psychologie, plus directement à la psychologie de l'enfance.
Ce que les enfants lui ont donné pour comprendre la genèse de
la raison humaine, lui a servi en retour pour comprendre, pour
nous aider à comprendre les enfants.

Ou plus exactement un aspect de ce qu'est le développement de l'enfant. Et c'est là que réside un malentendu, malgré
toutes les mises en garde de Piaget lui-même, un malentendu
répandu non seulement par les *mass media* dans le grand
public, mais aussi dans le monde des psychologues. Ce n'est
qu'un aspect du développement auquel il s'intéresse et non
pas, comme Piaget en fait la remarque dans son entretien de
L'Express, à l'enfant dans sa totalité, dans sa singularité.

Les discussions à propos de la notion d'égocentrisme et de la
notion des stades de l'intelligence sont à cet égard très
significatives.

Le mot d'égocentrisme lancé par Piaget en 1923 dans son
tout premier livre n'était pas nouveau. Mais il était utilisé en
un sens très particulier que beaucoup de lecteurs n'ont pas su
comprendre. L'égocentrisme de l'enfant dont parle Piaget est
relatif à une attitude intellectuelle : il est l'incapacité pour
l'enfant à se mettre au point de vue d'autrui. Cela n'a rien à

1. *L'Express,* nº 911, 23-12-1968 (pp. 83-94).

voir avec l'égoïsme et l'égotisme. Cela ne signifie pas que l'enfant soit incapable de communication, même de communion affective avec autrui. Cela ne décrit *qu'un aspect* de sa relation au monde.

Quant à la fameuse théorie des périodes et des stades de l'intelligence, elle concerne bien l'intelligence, ou encore ce que Piaget désigne comme le sujet épistémique (l'être humain considéré dans sa conquête progressive de la raison) mais non pas en toute rigueur et en toute finesse, les sujets particuliers tels qu'ils progressent au cours de leur enfance.

Les travaux mêmes de Piaget et des piagétiens nous montrent aujourd'hui qu'un même sujet peut se situer au même âge à des niveaux cognitifs sensiblement différents selon la nature de la tâche qu'il accomplit. La théorie des stades (ce que j'appelle le stadisme) telle qu'on l'enseigne encore dans nos universités, Piaget en a opéré le dépassement voici plus de dix ans. Il faudrait qu'on le sache.

Pour nous limiter au domaine de la psychologie de l'enfant, il est bien évident aujourd'hui que les apports de Piaget ne sont pas la propriété d'une seule école de pensée ; ils font partie du patrimoine commun de tous les psychologues.

Piaget et Wallon : un dialogue difficile

• *Jean Piaget aimait à dire — peut-être par provocation ? —* « Je ne suis pas un psychologue de l'enfant. » *Comment expliquez-vous cette boutade ?*

Je ne crois pas que cette boutade de Piaget était une provocation. Il voulait éviter tout malentendu et rappeler que son projet scientifique n'a jamais été de comprendre l'enfant en tant que tel. Son œuvre scientifique était avant tout soutenue par une ambition d'ordre philosophique — qu'il avait formulée avant même d'atteindre l'âge d'homme. Il voulait comprendre comment un organisme vivant s'adapte à son milieu. L'interrogation sur les rapports entre le vivant et le milieu aura été l'interrogation de toute sa vie. En cela, il s'inscrit dans la grande tradition évolutionniste où l'on trouve Freud et Wallon. Sa première publication a d'ailleurs porté sur l'adaptation des mollusques alpins des lacs suisses en fonction de différences d'altitudes.

• *Pourquoi s'est-il intéressé à l'enfant ?*

La voie royale pour comprendre l'adaptation dans sa forme supérieure, c'est l'observation du développement de l'enfant. Piaget a étudié l'enfant pour résoudre son problème scientifique en fonction d'une hypothèse générale ; la logique humaine, la pensée logique étant la forme supérieure du processus d'adaptation. Il reprend à d'autres auteurs une formule célèbre : l'adaptation, c'est la résolution d'un double processus d'assimilation d'un donné extérieur et d'accommodation. Le lapin, quand il mange un chou, se plaisait-il à dire, ne devient pas chou, il transforme le chou en lapin. Pour l'intelligence, c'est la même chose : le sujet assimile une connaissance et la fait sienne. L'assimilation est à la fois déformante et transformante. Ce va-et-vient permet et rythme le développement de l'enfant. C'est donc pour analyser la logique humaine, comme révélateur de la logique du vivant, que Piaget a étudié l'enfant. En résolvant ses problèmes d'épistémologiste, Piaget a jeté en retour sur l'enfant des clartés tout à fait originales.

● *Piaget était-il avant tout un théoricien ou un grand expérimentateur ?*

Il a voulu avant tout porter sur le plan expérimental des problèmes qui, à l'origine, n'étaient que des spéculations. Piaget a une idée et tout de suite cherche à la vérifier. Il a été en cela admirablement secondé par Alina Szminska, et ensuite Barbël Inhelder, qui ont été d'extraordinaires expérimentalistes.

● *Piaget s'intéressait-il aux implications pédagogiques de ses découvertes sur l'enfant ?*

Faut-il apprendre par exemple à l'enfant la conservation des nombres ou des volumes avant qu'il ne soit vraiment capable d'assimiler de telles notions ? Piaget s'inquiétait de tout enseignement prématuré mais ne s'occupait guère de pédagogie. *Je ne suis pas un praticien,* disait-il. Piaget était sans aucun doute partisan d'une pédagogie active. Pour lui, il faut que l'enfant manipule. En manipulant, il se construit lui-même. Cependant un vrai chercheur ne devait pas, selon lui, s'occuper des applications de ses découvertes. *Si on pense à l'application,* disait-il, *on restreint aussitôt les problèmes.*

● *Quels étaient ses rapports avec cet autre géant de la psychologie de ce siècle, Henri Wallon ?*

Il y avait une estime réciproque, mais l'un et l'autre n'étaient pas sur la même longueur d'ondes. Piaget était le psychologue de l'intelligence, Wallon celui de l'affectivité. Pour Wallon, l'émotion est créatrice et structurante pour l'enfant. Piaget, au contraire, a fait porter ses recherches à

tous les domaines de la logique. Je crois qu'entre le primat de
la logique chère à Piaget et celui de l'émotion pour Wallon, il y
a en fait une très féconde complémentarité. Piaget était un
formalisateur de génie ; Wallon un admirable clinicien qui
avait horreur des mises en formules. Piaget, qui n'était
pourtant pas partisan d'effacer les conflits scientifiques, a
tenté à la fin de sa vie une fort émouvante réconciliation avec
Wallon [1].

● *Quelle sera selon vous la psychologie après Piaget ?*

Piaget a mis au point une problématique. Des résultats
étonnants ont été obtenus. Une exploration n'est jamais
terminée. Ses élèves vont donc continuer. Dans le domaine
scientifique, il faut qu'un fait soit établi. Ensuite l'accumulation et le recoupement de tous ces faits font avancer la science.
Je suis persuadé que les travaux issus des écoles de Piaget et de
Wallon, dans la mesure où ils apportent des faits, vont faire
progresser la marche vers l'unité de la psychologie dont on
parle tant. Leurs perspectives nous renseignent sur des aspects
différents de l'enfant et contribuent à la construction d'une
psychologie scientifique.

1. Cf. *Psychologie et Marxisme.*

Un Piaget méconnu [1]

Jean Piaget, mort à Genève le 16 septembre 1980 à l'âge de quatre-vingt-quatre ans, était entré vivant dans la légende, ou du moins dans la galerie des hommes célèbres, un peu à la façon de Freud et d'Einstein. C'est-à-dire par cette sorte d'écho répercuté d'un milieu de spécialistes jusqu'au grand public, un écho amplifié aujourd'hui par les *media* et qui transforme la notoriété en aura de gloire.

Comment expliquer ce phénomène collectif, et particulièrement à propos de Piaget ? Toute notoriété scientifique, si grande soit-elle, ne débouche pas sur l'admiration du grand public. En 1955, quand nous sommes allés Paul Fraisse et moi avec lui à Moscou pour renouer les liens de travail avec les collègues soviétiques, j'ai pu constater qu'il était déjà considéré, hors des frontières de la francophonie, comme l'un des penseurs les plus profonds de notre temps. Mais le public cultivé, celui qu'en France on pourrait définir par les lecteurs des pages scientifiques du *Monde,* ne le connaissait guère en ce temps-là. Et, il n'y a pas plus de dix ans (c'était en juin 1970) quand le film consacré à Piaget est passé pour la première fois sur le petit écran, le chroniqueur du *Monde* écrivait : « Jean-Louis Bringuier a pu longuement filmer un homme pratiquement inconnu du grand public et qui serait, si l'on en croit ses disciples, une sorte de génie, le plus grand psychologue du

1. *L'Evolution psychiatrique,* tome XLV, fasc. IV, 1980.

monde. Ces affirmations péremptoires, il reste à les justifier. »

Le cercle de célébrité s'est élargi en plusieurs étapes et surtout depuis une vingtaine d'années. La date de 1956 est ici importante. C'est cette année-là que, grâce à des fonds de la fondation Rockefeller, il parvient à créer à Genève le Centre international d'Epistémologie génétique. Alors se réalise le rêve de toute sa vie. Ce rêve était de travailler à une théorie de la connaissance indépendante de toute métaphysique, de savoir « comment s'accroissent les connaissances » en utilisant comme méthodes l'expérimentation et la formalisation logico-mathématique. Sa conviction était aussi qu'un tel projet exigeait la coopération d'esprits différents et de diverses disciplines. Le jour où l'on pourrait parler d'un « système Piaget », disait-il, « ce serait un signe probant de mon échec ».

Ainsi se réunissent à Genève, périodiquement, des physiciens, des logiciens, des mathématiciens, venus d'Amérique et de plusieurs pays d'Europe. Leur collaboration aboutit à la publication d'une trentaine d'ouvrages où l'on voit se réaliser progressivement le projet piagétien.

Ces livres sont trop savants, trop hermétiques, pour dépasser un public de quelques centaines de lecteurs. Mais par eux, l'audience de Piaget dépasse le petit univers des psychologues, elle s'ouvre à des milieux scientifiques de plus en plus nombreux ; des centres d'études piagétiennes s'organisent aux Etats-Unis.

C'est alors, me semble-t-il, que se produit le phénomène d'écho dont j'ai parlé. En France, les grands hebdomadaires obtiennent de Piaget des interviews. Bringuier le filme pour la télévision, puis publie ses « conversations libres [1] ». Bernard Pivot l'entraîne dans une émission d'*Apostrophes*. Jean-Louis Ferrier publie successivement en format poche (dans la collection Médiations) quatre recueils d'articles relativement simples de Piaget sur la psychologie et la pédagogie.

---

1. *Conversations libres avec J. Piaget,* Robert Laffont, 1977.

Piaget et la psychologie

La réputation de Piaget auprès du grand public est celle d'un psychologue de l'enfance. Les *mass media* ont contribué à établir cette réputation, mais à partir d'un public particulier : ces centaines, ces milliers d'étudiants en psychologie qui dans toutes les universités de France et depuis bientôt quarante ans lisent Piaget.

Et pourtant Piaget lui-même s'est toujours défendu, en public et en privé, d'être un psychologue, et surtout un psychologue de l'enfant.

A cet égard ses déclarations à *L'Express* sont à la fois très nettes et très éclairantes. Au journaliste qui l'interrogeait sur le jeu symbolique, il répondit : « Bien entendu si j'étais psychologue, je m'en serais occupé... » Et comme le journaliste, estomaqué, reprenait sous forme interrogative : « Si j'étais psychologue ? », Piaget répondait sur un ton péremptoire : « Je suis épistémologiste, mon domaine c'est la connaissance. »

Donc pas psychologue mais épistémologiste. Ce qui ne l'a pas empêché d'ailleurs de publier dans les « Que sais-je ? », une *Psychologie de l'enfant* diffusée depuis 1966 à une centaine de milliers d'exemplaires. Et, ironie au second degré, avec une introduction où il laisse entendre qu'il n'est pas lui-même psychologue de l'enfant...

Un psychologue de l'enfant est quelqu'un qui s'intéresse à l'enfant pour lui-même, et qui s'emploie à saisir l'enfant dans son individualité globale. Or Piaget s'intéresse à la seule genèse des fonctions de connaissance, et l'enfant n'est pas pour lui son objet d'étude, un *but* en soi, ni même une façon de comprendre comment se forme un adulte, mais le *moyen* de résoudre des problèmes d'ordre épistémologique.

Pour complaire à ses étudiants de la Sorbonne qui lui reprochaient de verser dans l'intellectualisme, Piaget a consacré son cours de 1957-58 à l'affectivité, plus précisément aux relations entre l'affectivité et l'intelligence. Pour tenir compte de la déception de ses amis et collaborateurs, Piaget renonça à publier ce cours en librairie. Non, l'affectivité n'entrait vraiment pas dans ses compétences, et tout d'abord dans le champ de ses intérêts majeurs. La raison en est simple. Selon lui, l'affectivité ne crée rien intellectuellement. Les relations de l'affectivité avec l'intelligence sont seulement d'ordre fonctionnel : en d'autres termes, l'affectivité joue un rôle, celui de source énergétique, dans le *fonctionnement* de l'intelligence, mais non dans l'élaboration de ses processus, « de même que le fonctionnement d'une automobile dépend de l'essence qui actionne le moteur mais ne modifie pas la structure de la machine ».

Faut-il conclure alors que si Piaget n'est pas un psychologue de l'enfant, il est un psychologue de l'intelligence ? Le limiter à cela ce serait encore trahir son intention, tronquer son projet. L'étude de l'intelligence humaine n'est pour lui que le moyen, mais sans doute le plus efficace, d'aborder le plus fascinant des problèmes : comment un organisme parvient-il à s'adapter à son milieu, à s'accommoder pour survivre, à se transformer éventuellement pour évoluer ? Piaget avait à peine quinze ans quand, abordant pour la première fois cette question, il publia une étude sur l'adaptation des mollusques alpins en fonction de l'altitude. Et cette question sera le fil directeur de toute son œuvre. L'intelligence, *la logique de l'être humain,* à laquelle il a consacré tant de recherches, n'est en somme pour lui que la dernière étape, et la plus éclairante, des processus en jeu dans *la logique du vivant.*

Piaget et l'esprit de recherche

Nombreux sont les psychologues et les pédagogues qui se sont employés à utiliser les découvertes de Piaget à des fins pratiques.

Piaget a évidemment considéré avec sympathie cette recherche d'applications, mais il ne s'y est jamais engagé lui-même. Non pas seulement par manque de temps, mais sans doute parce que la pratique implique une attitude de globalité et d'efficacité difficilement compatible avec l'attitude du chercheur.

Et puis parce que le souci d'applications risque, selon lui, de peser sur la liberté et la recherche.

Les applications viendront sans doute un jour, mais le chercheur n'a pas à s'en préoccuper. « Le chercheur, dit-il, ne peut faire du travail utile que s'il ne pense pas à l'application. Si l'on pense à l'application on restreint aussitôt les problèmes. En physique ce ne sont pas les recherches faites en vue des applications qui ont été les plus fructueuses... En psychologie, si l'on s'occupe des problèmes qui, dans l'état actuel de nos besoins, paraissent les plus urgents (...) on rétrécit beaucoup les champs d'applications futures. »

Le praticien est un homme pressé, le chercheur, lui, ne regarde pas l'heure qu'il est ni le temps qu'il fait.

Piaget, la psychanalyse et les psychanalystes

Avec ce purisme de chercheur, avec cet intérêt totalement centré sur les fonctions cognitives, on peut se dire qu'il n'y a rien de commun entre Piaget et la psychanalyse.

Rien de commun sans doute au plan de l'épistémologie telle que Piaget la conçoit. Mais l'homme Piaget déborde le savant. L'homme est curieux ; curieux d'éprouver les limites de son propre domaine, curieux de lui-même. L'homme est soucieux aussi de plaire, tout autant de convaincre ou, pour parler avec les mots qui lui sont chers, il s'accommode quelque peu aux idées des autres pour que les autres l'assimilent autant qu'il est possible. Enfin il n'est pas indifférent à une théorie générale de l'homme qui engloberait ses propres apports.

Cela dit pour tenter de comprendre les rapports de Piaget avec la psychanalyse et les rapports des psychanalystes avec Piaget.

On sait que Piaget, « à titre d'instruction » dit-il, s'est fait analyser alors qu'il avait vingt-deux ou vingt-trois ans. Un certain nombre de faits sont moins bien connus : Piaget fut le premier à avoir présenté en France un exposé non médical sur la psychanalyse. C'était en 1919 à la société Binet. Sous la présidence de Freud, dont il avait fait la connaissance personnelle, il a présenté une conférence au Congrès international de Berlin en 1921. Par surcroît, et c'est là une expérience de Piaget dont on ne parle jamais, il a pratiqué pendant quelque temps lui-même l'analyse, entre autres sur un jeune autiste. Voilà pour le jeune Piaget des années 20.

Mais Piaget, l'homme des discussions et des remises en question permanentes, ne pouvait s'accommoder d'un esprit d'orthodoxie qui allait se révéler brutalement à lui en 1921 ; c'est l'année où, sur les injonctions de Freud, les « hérétiques » étaient exclus du groupe genevois de psychanalyse. Mais, plus encore, il fut atterré par le refus de Freud de recevoir Pierre Janet qui avait fait le voyage de Vienne tout exprès pour discuter avec lui.

Dès lors ce qu'il reprochera aux univers multiples de la psychanalyse, c'est l'esprit de chapelle, c'est le manque d'ouverture et donc d'information et de compréhension envers la psychologie expérimentale. Et pourtant, a-t-il dit un jour, « je pense que mes travaux sont conciliables (dans les grandes lignes) avec le freudisme... mais il y a toujours un moment où le psychanalyste continue à vous raconter des choses avec assurance alors qu'on se demande quelles en sont les preuves ».

Ce n'était évidemment pas à lui de rechercher les preuves, de procéder à des vérifications. S'agissant de traitements, il aurait admis sans doute que la vérification était pratiquement impossible pour de multiples raisons. Et à cet égard sa boutade est cruelle, mais elle est révélatrice de l'opinion de Piaget sur la pratique psychanalytique, et sans doute aussi sur toute pratique, lorsqu'il déclare à un journaliste « pour un homme normal, c'est très utile, mais dans les cas pathologiques, ça peut être dangereux ».

S'agissant des notions théoriques, il était par contre aux aguets de tout ce qui pouvait contribuer à faire de la psychanalyse une science et notamment bien sûr quand cette science venait rejoindre la sienne.

Ainsi a-t-il attaché une grande importance au travail de

David Rapaport sur la notion de charge affective, travail qui conduit son auteur à établir une analogie entre la catharsis freudienne et les idées de Piaget sur l'assimilation. Et toujours à propos de catharsis il considère avec intérêt la thèse d'Erikson selon laquelle le passé est sans cesse réorganisé par le présent, faute de quoi on ne comprendrait pas l'action thérapeutique qui est une levée des conflits grâce à une nouvelle organisation.

Rapaport, Erikson, mais aussi bien sûr ses amis de Genève, Odier, de Saussure, Henri Flournoy, mais encore Bowlby, Mélanie Klein, Erich Fromm, et j'en oublie dans cette énumération désordonnée, témoignent de la diversité, de la richesse et de la continuité des échanges que Piaget a maintenus tout au long de sa vie avec les interrogations de la psychanalyse.

Mais le plus important, c'est sans doute la contribution directe ou indirecte qu'il a apportée à ce qu'on pourrait appeler la psychanalyse d'observation et d'expérimentation. Il faudrait pouvoir faire aujourd'hui la liste de tous ceux et celles qui, psychanalystes d'origine, sont devenus piagétiens en travaillant à Genève sans rien renier de leur première formation, et qui ont entrepris de mener de front, en toute rigueur, la double observation du développement affectif et du développement cognitif. Je citerai, au premier plan de ma mémoire, Madeleine Rambert et son ouvrage sur *La Vie affective et morale de l'enfant* publié en 1949 avec une préface de Piaget où il parle du complexe de castration et du « choix de l'objet » affectif ; Käthe Wolf que René Spitz a appelée auprès de lui pour l'aider dans ses expériences après une longue période de formation à Genève ; et surtout Thérèse Gouin-Decarie, professeur aujourd'hui à l'université de Montréal, qui fut la première dans les années 60 à étudier expérimentalement sur une même population d'enfants les genèses de la notion d'objet et de la relation objectale, la première comme le souligne Piaget lui-même, à dégager enfin nettement les points d'accord et de désaccord entre le courant freudien et le courant piagétien, dans l'espoir d'une synthèse future.

Cette synthèse il semble que Piaget en ait toujours rêvé. C'est elle qu'il présente comme un vœu, qu'il tente d'ébaucher dans la conférence qu'il donne en décembre 1970 à la séance plénière du Congrès de l'Association américaine de psychanalyse.

Avant de partir pour les Etats-Unis, il m'avait dit comme une bonne blague : « Je vais leur faire un topo sur l'inconscient chez Freud et l'inconscient chez Piaget. »

Il est allé là-bas, chez les Américains, chez les psychanalystes, avec tout le plaisir, l'enjouement quelque peu ému d'un jeune homme s'embarquant pour un monde inconnu.

Il en est revenu déçu. L'étincelle qu'il espérait n'a pas jailli.

« Sauf pour Cobliner et quelques autres, devait-il écrire au retour de ce congrès, j'ai malheureusement constaté chez ces psychanalystes le faible degré de compréhension des problèmes généraux. »

Il y a dix ans de cela. C'est beaucoup et c'est peu.

Le jour arrivera peut-être, comme le prévoit Piaget, où « la psychologie des fonctions cognitives et la psychanalyse fonctionneront en une théorie générale qui les améliorera toutes deux en les corrigeant l'une l'autre ».

Ce n'est pas pour demain. Trop d'incompréhensions mutuelles subsistent encore. Mais le mérite de Piaget, en ce domaine, sera d'avoir préparé l'avenir.

En guise de conclusion :

1983 : Entretien avec Anita Kechickian

Vous avez derrière vous cinquante ans de psychologie de l'enfant, à la fois comme acteur et comme témoin. Quel bilan pouvez-vous en faire ?

La psychologie de l'enfant est encore à naître. Pour être moins brutal, je dirais qu'elle est encore dans l'enfance [1].

N'est-ce pas récuser votre propre travail ?

Non, car la plupart de mes travaux relèvent moins de la psychologie de l'enfant que de la psychologie du développement. La première a pour objet la connaissance de l'enfant dans sa totalité et pour lui-même ; l'autre a pour visée l'adulte. Dans ce dernier cas l'enfant n'est utilisé que pour expliquer la genèse de l'homme. Le développement qui est étudié ici n'est pas celui de l'enfant, mais celui de fonctions isolées : l'intelligence, la motricité, la sexualité, etc.

Or l'enfant ne se définit pas seulement en référence à l'adulte qu'il sera. En considérant l'évolution des fonctions on explique bien comment l'enfant devient adulte, mais on reste dans l'ignorance de ce qu'est un enfant.

Comment alors, étudier l'enfant global ?

Il y a là une difficulté méthodologique. Il est facile de dire qu'il faut aborder l'enfant comme un individu qui, par définition, est indivisible. Mais si l'on veut comprendre, il faut analyser. Comment analyser un indivisible ?

1. *Cf.* « Enfance de la psychologie de l'enfant », in *Psychologie de demain.*

Depuis une dizaine d'années deux types de recherches nous prouvent que c'est possible. D'une part, le renouveau des études néo-natales où l'approche est globalisante. D'autre part, les recherches sur le terrain : crèche, école, maison. Alors on observe l'enfant en situation, dans la complexité de ses conduites habituelles, et dans son réseau d'échanges avec autrui.

Grâce à ces deux approches, grâce aux techniques nouvelles d'observation et de traitement par ordinateur, s'ouvre pour notre science une ère nouvelle.

Quelle place y occupez-vous ?

Je l'ignore. Ce que je peux dire, c'est que mes travaux, tant sur les jumeaux que sur l'enfant et le miroir, m'aident à résoudre un problème fondamental : comment l'enfant parvient-il à affirmer son identité, à devenir une personne dans un monde de personnes ? Ce thème de l'individuation de la personne, je l'ai hérité de mes deux maîtres Henri Wallon et Arnold Gesell.

J'ai hérité d'eux aussi le refus du dualisme entre le corps et l'esprit. C'est pourquoi je dis : le psychisme n'existe pas.

Si le psychisme n'existe pas, que devient la psychologie ?

La psychologie existe : c'est un ensemble de méthodes et de techniques. Mais le psychisme, considéré comme une entité, est un avatar laïque de l'âme. Ce qu'on appelle le psychisme est un niveau du biologique, la biologie étant l'étude de l'être vivant dans ses relations avec son milieu. A quel niveau peut-on parler de psychisme ? C'est affaire de convention. Au niveau de l'apparition du langage ? Au niveau où les conduites s'intériorisent pour devenir pensée ? Pour des questions d'opportunité, j'ai tendance à parler de psychisme, à partir de trois mois, parce que j'attache une grande importance aux premiers échanges organisés de l'enfant avec sa mère.

Quelle différence faites-vous entre la notion de niveau et celle de stade que vous critiquez tant ?

La notion de niveau est moins ambitieuse. S'il existe peut-être des stades pour des fonctions particulières, l'intelligence notamment, les psychologues ne se sont jamais mis d'accord sur l'existence de stades généraux. Mais il est évident que l'émergence de certaines conduites entraîne une réorganisation de l'ensemble du comportement : l'apparition de la marche, par exemple, ouvre à l'enfant un nouveau champ d'action, de même que l'acquisition du langage lui donne les moyens de se créer un double mental de ce qu'il perçoit. Parlons alors de niveaux, mais non de stades, au sens de structures fortement organisés, tels que Piaget les a définis.

Et l'adolescence ? N'est-elle pas un stade important de développement ?

On confond généralement puberté et adolescence, on considère l'adolescence comme la contrepartie psychique de la puberté. Or une fille réglée à 10 ans (ce qui n'est pas rare) n'est pas une adolescente pour autant. La fameuse « crise d'adolescence » ne se rencontre pas dans toutes les sociétés et pour tous les individus. L'adolescence comme phénomène universel n'existe pas. C'est une réalité avant tout sociale. C'est une période qui n'existe pas en certaines sociétés archaïques où le passage au statut adulte s'opère par un rite d'initiation. Et qui existe chez des singes vivant en groupes hiérarchisés : la période juvénile peut durer quatre ou cinq ans. Cela donne à réfléchir !

Cela amène à se demander ce qu'est un adulte.

Etymologiquement, adulte signifie parfait, au double sens d'achevé et d'impeccable, de modèle. Or, devenir adulte, ce n'est ni l'un ni l'autre. C'est le résultat jamais définitif d'une intégration sociale : se marier, gagner son premier salaire, s'émanciper de la famille. Les critères sont nombreux et variables d'un milieu à l'autre. Et puis on garde toujours en soi l'enfant qu'on a été. Et l'histoire continue ascendante ou descendante : mûrir ou pourrir selon les cas.

Quel est l'apport spécifique de Wallon, que vous avez peu évoqué, par rapport à Piaget ?

Piaget est le théoricien du développement cognitif. Il s'est donc intéressé, non pas à l'enfant, mais au « sujet épistémique », à ce qu'il y a de commun à tous les sujets du point de vue intellectuel. Alors que Wallon est l'homme qui a dessiné avec le plus de force le projet d'une psychologie de l'enfant.

Ce qui me paraît central dans son œuvre est la théorie des émotions. On s'imaginait jusqu'à lui, que l'émotion était un brouillard, une perturbation de la pensée : quand on est ému, on n'a pas les idées claires. Il y a effectivement cet aspect mais l'émotion telle qu'elle se manifeste vers 3-4 mois, est le premier moyen pour l'individu qui ne parle pas encore, d'établir un contact avec le milieu, d'exprimer ce que le corps éprouve. C'est à partir de là que Wallon a illustré sa dialectique, sa logique des contradictions : toute conduite a des aspects positifs et négatifs[1].

A côté de ces théories, la psychanalyse a pris une place prépondérante en psychologie de l'enfant. Comment l'expliquez-vous ?

Je ne peux pas vous répondre étant donné la pluralité actuelle des écoles psychanalytiques, dont la gamme des écrits va de la poétique la plus exubérante jusqu'à l'instauration d'une science authentique de l'inconscient.

Pour me borner à Freud, je dirai que certaines de ses découvertes sont fondamentales, comme celle de la sexualité enfantine.

Maintenant il faut voir ce que devient la psychanalyse à travers ses vulgarisations, dans les délires des gourous qui se disent ses disciples, et dans l'amalgame qui s'est opéré entre la psychanalyse et un certain existentialisme. Un exemple caractéristique : le terme « vécu » dont on se délecte, et qui n'appartient pas à la théorie de Freud. Nos étudiants prennent pour psychanalyse ce qui n'est qu'une minestrone, et souvent par la faute de leurs professeurs.

La formation des psychologues est un problème qui vous préoccupe. Etes-vous satisfait de l'organisation actuelle des études universitaires ?

Des réformes s'imposent. Je trouve aberrant que, dans toutes les universités, on commence par enseigner les grands

1. Zazzo (R.), *Psychologie et Marxisme, la vie et l'œuvre de H. Wallon*, Paris, Denoël/Gonthier, 2e édit., 1979.

systèmes. L'étudiant en psychologie adhère le plus souvent à une pensée dont l'idéologie lui plaît. Cela se passe sur un plan plus affectif que rationnel. Et c'est tellement facile d'appliquer des concepts à l'emporte-pièce, ça vous dispense de réfléchir. C'est rassurant d'avoir un cadre piagétien, wallonien ou freudien mais le cadre devient vite écran.

L'idéal serait donc que pendant les deux premières années du cursus universitaire, les étudiants aillent sur le terrain, voient des enfants et apprennent à lire des textes scientifiques, des comptes rendus d'expériences. Après seulement ils pourraient fréquenter les grands auteurs.

Y a-t-il trop de psychologues praticiens, comme on le prétend parfois ?

Trop par rapport aux postes disponibles, sans doute. Mais eu égard aux besoins réels, pas assez. Prenons la psychologie de l'enfant. Là, il y a une demande de la part de nombreuses institutions, en protection maternelle et infantile notamment. Mais pas de postes, pour la bonne raison qu'il n'existe pas en France un seul D.E.S.S.[1] de psychologie de l'enfant qui validerait cette spécialisation. Il y a là une carence déplorable.

Longtemps vous avez eu la responsabilité de la psychologie et des psychologues scolaires, en France. Il y a quelques années, vous en assuriez encore la formation. Pourquoi avez-vous cessé ?

J'ai cessé parce que la psychologie scolaire telle qu'elle est actuellement exercée dans la majorité des cas ne correspond pas à ce que fut mon projet initial.

Quelle devait être, selon vous, la tâche du psychologue scolaire ?

Aider les écolier à une adaptation progressive et les maîtres à résoudre les difficultés pédagogiques qu'ils pouvaient rencontrer. Bien entendu, les décisions revenaient en dernière instance au maître.

C'est pourquoi nous tenions à ce que les psychologues scolaires soient des gens *de* l'école, *dans* l'école, qu'ils aient une expérience directe de l'enseignement.

---

1. Diplôme d'études supérieures spécialisées.

Est-ce que cela ne doublait pas le travail du maître ?

Non, parce que les deux fonctions doivent rester distinctes. Le psychologue peut connaître chaque individu dans sa singularité. Il a affaire à l'enfant en même temps qu'à l'écolier. C'est difficile pour le maître. Dans la conduite d'une classe, il y a des règles communes. Le maître doit rester le maître, conserver ce rôle. Il est bon que l'enfant intériorise une certaine discipline. Le maître ne peut pas, ne doit pas être neutre, alors que c'est pour le psychologue une règle : il n'a pas à juger, à réprimander, à sanctionner, mais à comprendre.

Individualiser l'enfant à l'école. Comment le psychologue appliquait-il ce principe ?

La technique était simple : chaque élève possédait un dossier couvert par le secret professionnel où nous relevions, outre des renseignements d'ordre social ou médical, quelques résultats psychométriques permettant de le situer dans son développement général et de repérer son niveau scolaire.

Avec notre méthode, le psychologue finissait par connaître tous les enfants de son école en quelques années. Si un problème survenait, il se réglait fort bien, personne ne tombait des nues. Rares sont les élèves qui ne perdent pas pied, à un moment ou à un autre. Pour les raisons les plus diverses et banales : un déménagement, une querelle entre parents, la naissance d'un petit frère. Cela ne relève pas d'une psychothérapie.

Que faisiez-vous des cas pathologiques quand il s'en présentait ?

On les dirigeait vers des services spécialisés. Le dépistage des enfants arriérés (je dis bien « arriérés » et non « en retard ») et des cas psychiatriques, constituait la tâche la plus urgente et la plus visible du psychologue scolaire mais ce n'était pas sa tâche essentielle.

Quant aux enfants en retard, il y a actuellement un commerce de la dyslexie, la dyscalculie et autre « D.Y.S. » (de gens qui l'exercent au reste très honnêtement), révélatrice d'une pratique affligeante. On essaie de raccommoder les pots cassés au lieu de créer des conditions où le rôle du psychologue est justement d'éviter qu'ils ne se cassent. Si on laisse un enfant s'installer dans son échec, il deviendra à coup sûr un client pour le rééducateur ou le psychanalyste.

Vous êtes donc hostile à la formule des G.A.P.P. actuellement en vigueur, et dont l'objectif est la rééducation.

Non. Je suis pour. Mais à condition qu'ils ne soient pas encombrés par cette population d'enfants en mal de scolarité. Ce n'est pas une maladie des enfants mais de l'école.

Savez-vous que 20 à 25 % des écoliers ne savent pas lire à la fin du C.P. ? Qu'en fin de scolarité primaire, en C.M.2, 50 % des enfants ont redoublé au moins une classe ? un élève sur deux ! Et si l'on considère les enfants de familles « défavorisées », 7 ou 8 élèves sur 10 !

En 1953, dans les 14 groupes scolaires où fonctionnait un psychologue, le taux de redoublement a été réduit de 50 à 17 %.

En 1954, d'un trait de plume le ministre a supprimé la psychologie scolaire.

Que s'est-il passé ?

Diverses choses : des rivalités de personnes au sein de l'inspection académique de Paris, dont dépendait la psychologie scolaire, et l'engagement politique de certains d'entre nous. La psychologie scolaire était suspecte aux gens de droite : on nous accusait Wallon et moi-même de distiller le communisme dans les écoles. Nous étions alors en pleine Guerre froide. Il a fallu attendre De Gaulle et la réforme Berthouin pour qu'elle réapparaisse.

Apparemment, elle n'a pas réapparu comme vous le souhaitiez.

Non. Elle est passée sous le contrôle administratif de l'Enfance inadaptée. Ce devait être provisoire, dans l'attente d'un statut qui lui soit propre. Elle y est restée. Elle en est morte. Personne n'est coupable, et tout le monde.

Dans le grand public, règne une certaine image du psychologue. Le psychologue est un type qui s'occupe de débiles, de caractériels, de tordus, plus élégamment d'enfants-problèmes. Ça, on le comprend. Mais pourquoi des psychologues pour des élèves normaux ! le maître y suffit, dit-on.

Nous avons répété à satiété : l'objet propre à la psychologie scolaire ce ne sont pas les enfants-problèmes mais les problèmes quotidiens de l'école et des écoliers.

L'aberration est de psychologiser tous les problèmes de l'école et de psychiatriser la psychologie.

Le recrutement des psychologues scolaires parmi les instituteurs vous semble-t-il toujours une nécessité ?

Le psychologue scolaire doit avoir une solide expérience de la classe et de l'enseignement. On peut imaginer des stages d'un an ou deux, c'est un minimum, pour apporter une telle expérience à des psychologues qui ne l'auraient pas. Mieux vaut prendre directement des instituteurs. C'est plus simple, plus sûr.

Comment le psychologue de l'enfance que vous êtes, juge-t-il l'école ?

L'institution scolaire fonctionne mal. Elle est mal adaptée à la diversité des enfants. Elle répond mal à ses finalités. Les défauts du système apparaissent comme sous un verre grossissant au moment des ruptures de régime scolaire : passage de la maternelle à la grande école, passage du C.M.2 à la sixième [1]. Elles perturbent la plupart des écoliers. La récupération s'opère plus ou moins bien, et de façon inégalitaire. Les enfants des milieux « aisés » s'en sortent en général plus vite et bien. Et les filles mieux que les garçons. Il faut donc aménager ces passages, en confiant notamment les cours préparatoires à des instituteurs expérimentés, non à des novices.

Quant à dire ce que l'école devrait être, je voudrais dissiper une erreur, dénoncer une imposture.

L'erreur serait de croire que la psychologie peut fixer à l'école ses finalités. Non ! les finalités sont affaire de société, de politique.

L'imposture est de camoufler sous les apparences de la science, dans un jargon de spécialistes, ce qui n'est en fin de

---

1. *Cf.* sur ces problèmes, deux ouvrages de Bianka Zazzo :
Un grand passage : de l'école maternelle à l'école élémentaire (P.U.F., 1979).
Les 10 à 13 : garçons et filles en C.M. 2 *et en sixième* (P.U.F., 1979).

compte qu'idéologie. Je pense, par exemple, au tombereau d'inepties proférées sous la bannière de la créativité et de la spontanéité de l'enfant. La spontanéité est une conquête, comme le reste. La question est de savoir comment l'éducateur peut aider l'enfant dans cette conquête. Avant de résoudre un problème, il faut le poser correctement sans se laisser séduire par la magie des mots.

BIBLIOGRAPHIE-FILMOGRAPHIE

Miroirs, images, espaces

ARTICLES DE R. ZAZZO

Images du corps et conscience de soi : matériaux pour l'étude expérimentale de la conscience. *Enfance*, 1948, *1*, 29-43 et in R. Zazzo (Ed.) *Conduites et Conscience*, Vol. 1, Paris, Delachaux et Niestlé, 1962 (rééd. 1977).

Des jumeaux devant le miroir : questions de méthode. *Journal de Psychologie normale et pathologique*, 1975, *4*, 389-413.

La genèse de la conscience de soi (la reconnaissance de soi dans l'image du miroir). In P. Fraisse (Ed.) *Psychologie de la connaissance de soi*. Paris, Presses Universitaires de France, 1975.

Image spéculaire et image anti-spéculaire. Expériences sur la construction de l'image de soi. *Enfance*, 1977, *2-4*, 223-230.

Image spéculaire et conscience de soi. In G. Oléron (Ed.) *Psychologie expérimentale et comparée. Hommage à Paul Fraisse*. Paris, P.U.F., 1977.

Des enfants, des singes et des chiens devant le miroir. *Revue de psychologie appliquée*, 1979, *2*, 235-246.

Les dialectiques originelles de l'identité, in *Production et affirmation de l'identité*, Tome 1 Toulouse, Privat, 1980.

FILMS

de R. ZAZZO avec la collaboration de A.-H. Fontaine.

(1973) *A travers le miroir* (la genèse de l'image de soi dans le miroir), 16 mm, sonore, noir et blanc, 23 minutes. Paris : Service du film de recherche scientifique.

(1976) « *C'est moi quand même* » (le développement de l'image de soi de 3 à 7 ans), 16 mm, son optique, couleurs, 57 minutes, C.N.R.S. Audio-visuel.

(1981) *L'image qui devient un reflet* (sur l'identification de l'image de soi et l'image d'autrui), film 16 mm, couleurs, piste optique, 25 minutes. Ivry, S.E.R.D.D.A.V. (C.N.R.S.), 1981.

(1982) *Un autre pas comme les autres* (le problème de l'évitement : comparaison des réactions à l'image spéculaire chez le macaque rhésus, le chien et l'enfant humain), 16 mm, son optique et magnétique, couleurs, 25 minutes. C.N.R.S. Audio-visuel.

Les films du service C.N.R.S. audiovisuel (27 rue Paul-Bert, 94200 Ivry) ont été réalisés par J.-D. Lajoux.

RÉFÉRENCES
DES TEXTES DÉJÀ PUBLIÉS

« Entretien avec Jean-Louis Ferrier et Sophie Lannes », *Express*, 3-7/7/1978.

« Ethologie ou psychologie de l'enfant. » *Enfance*, 4, 1482, pp. 309-313.

« Les tests pour ou contre ? » Préf. au *Manuel pour l'examen psychol. de l'enfant*, De la chaux, Neuchâtel, 1960.

« Du nouveau sur le nouveau-né. » *Enfance*, 1-2, 1982, pp. 93-94.

« Le tissage et la rupture des premiers liens. » *Enfance*, 1-2, 1982, pp. 89-91.

« Un travail de terrain : filles et garçons de 10 à 13 ans. » *Enfance*, 4, 1982, pp. 306-308.

« Miroirs, images, espaces », texte paru dans *La Reconnaissance de soi chez l'animal et chez l'enfant* (ouvrage collectif sous la direction de P. Mounoud et A. Vinter). Delachaux, Neuchâtel, 1981.

« Lettre aux psychologues américains », extrait de *Psychologie et marxisme, La vie et l'œuvre d'Henri Wallon*, Denoël/Gonthier, Paris, 1979.

« Jean Piaget, l'épistémologie et la méthode génétique », article paru dans *Le Quotidien de Paris* du 23/9/80 sous le titre « Le maître de Genève et la psychologie de l'enfant ».

« Piaget-Wallon : un dialogue difficile », article paru dans *Les Nouvelles littéraires* du 25/9/80.

« Un Piaget méconnu », in *L'Evolution psychiatrique*, tome XLV, fasc. IV. 1980, ed. Privat, Toulouse.

« Entretien avec Anita Kechickian », *Le Monde de l'Education*, mai 1983.

TABLE

Première partie
Ne laissons pas les mots penser à notre place

Deuxième partie
Un échantillon de travaux récents

Troisième partie
Trois géants de visibilité inégale

Henri Wallon :

Arnold Gesell :

Jean Piaget :

*Achevé d'imprimer en septembre 1983
sur les presses de l'imprimerie Bussière
à Saint-Amand (Cher)*

— N° d'imprimeur : 1243. —
— N° d'éditeur : 1574. —
Dépôt légal : septembre 1983
Imprimé en France

1574